Marie-Nicole et Gabriel,
J'espère que la lecture
du livre vous procurera
de beaux souvenirs.
Bonne lecture.
Stéphane.

Les Éditions du Boréal
4447, rue Saint-Denis
Montréal (Québec) H2J 2L2
www.editionsboreal.qc.ca

Les Fins du Canada

La Petite Loterie. Comment la Couronne a obtenu la collaboration du Canada français après 1837, Boréal, 1997.

Stéphane Kelly

Les Fins du Canada

Selon Macdonald, Laurier,
Mackenzie King et Trudeau

Boréal

Les Éditions du Boréal remercient le Conseil des Arts du Canada
ainsi que le ministère du Patrimoine canadien et la SODEC
pour leur soutien financier.

Les Éditions du Boréal bénéficient également du Programme
de crédit d'impôt pour l'édition de livres du gouvernement du Québec.

Illustration de la couverture : David Cheung, *O Canada! (Flag) 1* (détail), 1998.

© 2001 Les Éditions du Boréal
Dépôt légal : 4ᵉ trimestre 2001
Bibliothèque nationale du Québec

Diffusion au Canada : Dimedia
Diffusion et distribution en Europe : Les Éditions du Seuil

Données de catalogage avant publication (Canada)
Kelly, Stéphane, 1963-

    Les Fins du Canada selon Macdonald, Laurier, Mackenzie King et Trudeau
    Comprend des réf. bibliogr. et un index.

    ISBN 2-7646-0129-8

    1. Canada – Politique et gouvernement – 1867-   . 2. Canada – Politique et gouvernement – 19ᵉ siècle.
3. Hamilton, Alexander, 1757-1804 – Influence. 4. Macdonald, John, A. (John Alexander), Sir, 1815-1891. 5. Laurier, Wilfrid, Sir, 1841-1919. 6. King, William Lyon Mackenzie, 1874-1950. 7. Trudeau, Pierre Elliott, 1919-2000.
I. Titre.

FC502.K44   2001   971.05   C2001-941300-9
F1033.K44   2001

À mon père, Raymond

La tradition politique au Canada

Le présent essai porte sur la tradition politique canadienne. Depuis quarante ans, le Canada semble vivre au rythme d'interminables crises politiques. S'il y a un point sur lequel une large majorité de Canadiens seraient susceptibles de s'entendre, c'est que quelque chose ne va plus dans notre expérience de vie démocratique. C'est avant tout à ces Canadiens que je m'adresse dans ce livre. Je le fais dans un style et un vocabulaire que j'ai voulus les plus accessibles possible. La voie que je propose consiste à réfléchir sur les origines de nos mœurs et idées politiques. Comme les Britanniques, les Canadiens ont longtemps pensé que la coutume, en matière politique, était garante de la sagesse. Cette façon de voir les choses a été abandonnée. Aujourd'hui, les débats politiques sont monopolisés par des experts qui vantent les mérites de recettes miracle importées de contrées paradisiaques. Ce furent la Suède des années 1970, le Japon des années 1980, la Nouvelle-Zélande des années 1990. Je propose, pour ma part, de chercher les causes du désenchantement politique actuel dans notre propre tradition politique. À la lecture de cet essai, le lecteur saisira que j'ai cherché moins des solutions que des pistes de compréhension. En me penchant sur nos idéaux politiques, je m'intéresse davantage à ce qui relève du « pourquoi » que du « comment ». C'est en quelque sorte une enquête sur les fins du Canada.

J'ai voulu relater dans cet essai la vie publique des quatre hommes politiques les plus illustres du Canada : John A. Macdonald, Wilfrid Laurier, William Lyon Mackenzie King et Pierre Elliott Trudeau. Ces hommes ont profondément marqué l'histoire canadienne. Mon récit ne commence pas avant le milieu du XIXe siècle. Il est exagéré de parler d'un pays appelé Canada avant cette date. Il y avait bien des collectivités habitant la partie nordique de l'Amérique du Nord au XVIIe et au XVIIIe siècles. Mais elles étaient trop dispersées et dépendantes d'une métropole pour posséder un destin singulier. Le Canada comme idée n'était encore qu'embryonnaire. Le critère qui a déterminé le choix de ces quatre hommes politiques est la durée politique. En apparence arbitraire, ce critère prend son sens lorsqu'on considère que la durée a été une finalité fondatrice de ce pays. Il n'est pas anodin que les quatre règnes politiques de ces hommes comptent pour plus de la moitié de l'histoire du gouvernement fédéral. Macdonald a été premier ministre vingt ans, Laurier quinze ans, Mackenzie King vingt et un ans, Pierre Elliott Trudeau quinze ans[1]. La somme de ces règnes donne un total de soixante et onze ans, donc plus de la moitié des cent trente-quatre ans d'existence du régime fédéral. Ce phénomène des longs règnes politiques, s'il constitue un trait de notre histoire, n'est cependant pas le pur fruit du hasard. Le souci de la durée est un aspect de notre vie publique que nous avons clairement voulu et qui traverse comme un trait rouge les débats parlementaires canadiens. Les Américains, plus méfiants à l'égard du pouvoir, ont accepté le prix d'une certaine instabilité, par exemple en interdisant à un président américain d'exercer plus de deux mandats[2].

L'idée d'écrire ce livre est d'abord née d'un étonnement. Depuis que je m'intéresse au passé, je suis frappé par la précarité de la mémoire politique des Canadiens. En comparant cette mémoire à celle des Américains ou des Français, l'étonnement se mue en conviction profonde. Pour celui qui scrute les lieux de la mémoire, les références historiques dans les débats politiques ou simplement les écrits des journalistes et des historiens politiques, un tel constat devient évident. Par exemple, il n'existe pas d'anthologies des discours de Macdonald et de Mackenzie King. D'ailleurs, les débats sur la tradition politique dans les milieux savants sont rares et n'ont presque jamais d'écho dans le grand public[3]. Il existe cependant une exception, l'essai *Lament for a Nation,* publié en 1965 par le philosophe George Grant[4]. Son propos se résumait à quelques idées simples : 1) le Canada avait été fondé dans le but de constituer une société britannique en Amérique du Nord, différente des États-Unis ; 2) ce pays avait rejeté le libéralisme au profit du conservatisme ; 3) le triomphe des idées modernes au XXe siècle signifiait la victoire de l'empire américain et, par conséquent, l'échec du projet canadien. Vingt ans plus tard, le livre de Grant fut publié en français. Le titre, *Est-ce la fin du Canada ?,* traduit bien la double intention de l'auteur : réfléchir sur le déclin du Canada tout autant que sur ses finalités.

J'ai décidé pour ma part de reprendre la réflexion portant sur les fins du Canada. Ce genre d'exercice peut sembler anachronique. Il y a un curieux consensus aujourd'hui autour de l'idée selon laquelle les nations seraient en changement perpétuel, tout comme les processus vivants. Pourtant, il est nécessaire de s'interroger sur les finalités des nations, autrement dit sur l'élément de continuité qui traverse leur histoire. En ce qui concerne le Canada, un tel exercice est encore plus pertinent. Peu de pays se sont donné aussi ouvertement une raison de vivre. N'eût été d'un idéal vraiment distinct, le Canada n'aurait jamais pu justifier son existence propre au nord des États-Unis. Ni la géographie, ni la langue, ni la religion ne justifiaient la création d'un autre pays en Amérique du Nord au milieu du XIXe siècle.

En partant à la recherche de cet idéal distinct, j'ai remarqué que la tradition politique canadienne avait été profondément marquée par le souvenir de la période révolutionnaire américaine (1775-1787). Ce souvenir met en scène deux grands idéaux : l'idéal républicain forgé par Thomas Jefferson et l'idéal impérial-monarchique conçu par Alexander Hamilton. Ces Pères fondateurs ont tous deux défini leur idéal autour de quatre pôles : la conception du fédéralisme, la philosophie économique, le rôle de l'État et la politique étrangère. En matière de fédéralisme, les jeffersoniens sont décentralisateurs, tandis que les hamiltoniens sont centralisateurs. Dans le domaine économique, les jeffersoniens ont une philosophie radicalement égalitaire, prétendant que la vie civique est tributaire de l'indépendance économique des individus ; moins exigeants, les hamiltoniens acceptent la division du travail, l'industrialisation massive et le salariat. Les jeffersoniens se méfient de l'expansion de l'État, jugée source de corruption ; les hamiltoniens, eux, considèrent que cette corruption est inhérente aux institutions politiques anglo-américaines et nécessaire à la croissance économique. Enfin, en matière de politique étrangère, les jeffersoniens sont isolationnistes, tandis que les hamiltoniens embrassent une politique plus interventionniste, parfois même impérialiste[5].

L'enquête que j'ai menée révèle que la tradition politique canadienne est fortement hamiltonienne. Les quatre hommes politiques canadiens étudiés ici ont tous embrassé l'idéal hamiltonien pour s'imposer sur la scène politique fédérale. L'idéal jeffersonien a eu des adeptes au Canada, mais il n'a pas été aussi populaire qu'aux États-Unis[6]. Dans la république américaine, les choses se sont passées autrement. Dès sa fondation, elle a été traversée par un conflit entre les deux idéaux[7]. L'idéal jeffersonien a été dominant durant la période révolutionnaire, mais il a perdu du terrain dans les décennies suivantes, pour pratiquement disparaître à la fin du XIXe siècle[8]. Les États-Unis et le Canada sont devenus, au XXe siècle, deux variantes de l'idéal hamiltonien[9].

Si le Canada est menacé aujourd'hui, c'est moins parce qu'il s'inspire du modèle américain que parce que les États-Unis sont de plus en plus hamiltoniens. Le dilemme auquel font face les Canadiens n'est pas de choisir entre le libéralisme et le conservatisme, comme le pensait Grant. Dans *Lament for a Nation,* il accusait Mackenzie King d'avoir rompu avec la tradition politique canadienne. Depuis 1982, la même accusation a été lancée à Trudeau[10]. Pourtant, le Canada a bel et bien été fidèle à l'idéal hamiltonien depuis sa fondation. Certes, à plusieurs égards, les États-Unis et le Canada se ressemblent de plus en plus. Cette convergence tient au fait que le Canada a été fidèle à ses origines hamiltoniennes, tandis qu'au XXe siècle l'idéal jeffersonien a été marginalisé aux États-Unis. Dès ce moment, une convergence entre les deux pays s'est amorcée au détriment de l'idéal jeffersonien. Comme le souligne Montesquieu dans ses écrits sur les Romains, il peut arriver que la colonie change l'empire : « Ce qui a le plus contribué à rendre les Romains maîtres du monde, c'est qu'ayant combattu successivement contre tous les peuples, ils ont toujours renoncé à leurs usages, sitôt qu'ils en ont trouvé de meilleurs[11]. » En ce qui concerne le Canada, David n'a certes pas battu Goliath, mais il l'a fasciné et lui a même parfois montré la voie, sans même s'en rendre compte.

Au début des années 1960, Grant nous a beaucoup aidés à réfléchir sur la destinée canadienne. Cependant, il est possible aujourd'hui de nuancer son analyse. Je le fais en pensant avec Grant contre Grant. Si la chose peut paraître paradoxale, je demande grâce au lecteur, le temps au moins de prendre connaissance de mon argument. On sait que « les hommes font l'histoire, mais ne savent pas l'histoire qu'ils font ». C'est le cas du Canada, où les ruses de l'histoire n'ont pas manqué.

Avant de commencer, je tiens à dire un mot à propos de la structure du livre. J'ai adopté ici une démarche chronologique souple. Le récit commence au milieu du XIXᵉ siècle et se termine à la fin du XXᵉ siècle. Dans chaque chapitre, je me penche sur le règne politique de l'un de nos monarques hamiltoniens. Nécessairement, il y aura des chevauchements entre les chapitres. C'est inévitable puisque les destins respectifs de ces hommes se sont souvent croisés.

J'accorde une importance primordiale aux événements, faisant mienne cette phrase de Hannah Arendt : « Ma conviction est que la pensée elle-même naît d'événements de l'expérience vécue et doit leur demeurer liée comme aux seuls guides propres à l'orienter[12]. » En m'attachant scrupuleusement aux événements, j'ai tenté d'éviter deux écueils majeurs dans l'art de relater les faits historiques. Le premier écueil, matérialiste, consiste à présenter les idées comme une simple expression de l'appartenance sociale. Les révolutionnaires français ne seraient par exemple que des « bourgeois intéressés ». Le second écueil, idéaliste, ne voit les idées que dans leur aspect étroitement symbolique. Le phénomène totalitaire ne serait par exemple que le « déchaînement du racisme ». Entre les intérêts des groupes sociaux et les idées qui circulent dans l'esprit humain, il y a l'événement. En tenir compte, c'est accepter cette dose de bon sens qui nous lie au passé.

Les idéaux jeffersonien
et hamiltonien

Avant de tracer le portrait de nos quatre politiciens hamiltoniens, je définirai brièvement les idéaux jeffersonien et hamiltonien.
La formation de ces idéaux tire ses origines de la période révolutionnaire américaine. Entre 1770 et 1800, ces idéaux ont pris forme
autour de la pensée de deux Pères fondateurs, Thomas Jefferson et
Alexander Hamilton.

Afin de bien saisir ces deux idéaux politiques, il est important
d'observer que le vocabulaire politique de cette époque n'est pas le
même que celui qui a triomphé dans les récentes décennies. La plupart des arguments politiques sont reliés aujourd'hui à deux
grandes finalités : la croissance économique (prospérité nationale)
et la justice. Lorsque les politiciens et les intellectuels discutent de
l'inflation, du chômage, de la productivité, d'une politique sociale,
ils jugent leur engagement en termes de croissance économique ou
de justice. Autrement dit, les auteurs divergent généralement selon
que la politique proposée est susceptible d'augmenter la grosseur de
la tarte ou de mieux la répartir. Les débats politiques n'ont pas toujours été réduits à ces deux seules finalités. Une troisième s'y ajoutait
dans les débats politiques en Occident au XVIIIe et au XIXe siècles : la
liberté politique, soit la capacité pour le peuple de s'autogouverner
(*self-government*). Thomas Jefferson et Alexander Hamilton étaient

tous deux soucieux d'atteindre cette finalité. Leur différend reposait, en fait, sur la manière d'y parvenir.

Une autre nuance doit être apportée pour que l'on comprenne bien les traditions politiques de l'époque. Les gens qui sont aujourd'hui soucieux de justice distributive proposent généralement un interventionnisme gouvernemental accru : un système d'imposition progressif, des programmes sociaux, des lois pour encadrer les conditions de travail des salariés. De l'autre côté, ceux qui sont surtout attachés à la croissance économique nationale souhaitent un État moins interventionniste : moins d'impôts et de règlements, plus de liberté de commerce. Au XIXᵉ siècle, paradoxalement, les positions politiques étaient plutôt inversées. Les groupes s'inspirant de l'idéal jeffersonien, fermiers, artisans, petits marchands, demandaient moins de gouvernement ; à l'inverse, les groupes s'inspirant de l'idéal hamiltonien, capitalistes, financiers, banquiers, réclamaient un gouvernement plus interventionniste, surtout une politique industrielle énergique pour guider le développement économique national.

La révolution américaine est née de la crainte du déclin de la vertu civique du peuple américain. Dans les années 1770, les colons américains voyaient leurs luttes contre l'Angleterre en termes républicains. Ils pensaient que leur liberté politique était menacée par les complots du gouvernement britannique et du roi George III. Selon l'historien Gordon Wood, le sacrifice des intérêts individuels au nom du bien public était l'essence du républicanisme de la période prérévolutionnaire[1]. Plus qu'une rupture avec l'Angleterre, l'indépendance était vue comme une expérience de régénération civique et morale. Elle éliminerait la corruption en réanimant l'esprit civique qui avait rendu les Américains aptes au *self-government*. Le principal exposant de cette théorie était Thomas Jefferson, et le document fondateur, la *Déclaration d'indépendance* qu'il rédigea. Être républicain, à cette époque, signifiait conserver les institutions économiques qui gardaient vivant l'esprit civique du peuple. Pour Jefferson, ces institutions devaient contribuer au maintien du caractère agraire de la société américaine : « Ceux qui travaillent la terre sont le peuple choisi de Dieu, si jamais il eut un peuple choisi, dont il a fait des cœurs les dépositaires particuliers de la vertu substantielle et authentique. C'est dans ce foyer qu'il conserve vivant ce feu sacré, qui sans cela pourrait disparaître de la face de la terre. La corruption de la moralité dans la masse des cultivateurs est un phénomène dont aucun âge ni aucune nation n'ont jamais fourni l'exemple[2]. » Selon Jefferson, les grandes manufactures détruisaient l'esprit civique en minant les principes de responsabilité et d'autonomie de l'individu : « Cette corruption est la marque imprimée dans ceux qui, ne levant jamais pour leur subsistance les yeux vers le ciel, vers leur propre sol ou vers leur industrie, comme le fait le cultivateur, dépendent pour cela du hasard et des caprices de la clientèle. La dépendance engendre la servilité et la vénalité, étouffe le germe de la vertu et prépare les instruments idéaux pour les desseins de l'ambition. [...] Les mœurs et l'esprit d'un peuple sont ce qui préserve une république dans sa vigueur[3]. »

La pensée de Jefferson était fortement influencée par les radicaux anglais associés au Parti du pays (*Country Party*) en Angleterre[4]. Il en fit une traduction adaptée à la réalité nord-américaine. La Confédération des États-Unis, qui vit le jour après l'indépendance, reflétait cet esprit. Fortement décentralisée, elle accordait des pouvoirs importants aux États et aux assemblées législatives. L'expérience de la Confédération s'avéra décevante : désordre économique, stagnation commerciale et troubles civils. L'esprit civique qui avait inspiré la révolution semblait faire place à la poursuite de l'intérêt personnel. Ces doutes croissants sur la vertu civique du peuple américain s'exprimèrent dans deux voies politiques différentes durant les années 1780[5]. Par une première voie, que l'on pourrait appeler *formatrice,* on croyait pouvoir raffermir la vertu civique grâce à des incitatifs économiques ou éducatifs. La seconde voie, *procédurale,* cherchait plutôt par des moyens constitutionnels à assurer la survie de la république. La voie formatrice ne donna pas naissance durant ces années-là à une réussite concrète durable. La seconde voie, elle, accoucha d'une réussite d'envergure : la Constitution rédigée lors de la Convention de 1787. Cette Constitution tentait de sauver le républicanisme des effets néfastes de la poursuite privée du bonheur, caractéristique de la période postrévolutionnaire. Elle ne cherchait pas à raffermir le caractère civique du peuple. Elle inventait des mécanismes politiques pour rendre le républicanisme moins dépendant de celui-ci.

Aux yeux des fédéralistes, tels Alexander Hamilton, John Adams,

John Jay, les modèles républicains de la Grèce et de Rome n'étaient pas appropriés pour l'Amérique. Refusant le credo du républicanisme classique, les fédéralistes arguèrent que le gouvernement républicain pouvait s'accommoder d'une société d'individus poursuivant leur intérêt personnel. La liberté politique dépendait moins de la vertu civique que des mécanismes institutionnels par lesquels les intérêts conflictuels s'équilibraient les uns par rapport aux autres. La Constitution de 1787 créait de tels arrangements institutionnels : la séparation des pouvoirs entre les branches exécutive, législative et judiciaire ; la division des pouvoirs entre le gouvernement fédéral et celui de chaque État ; la division du Congrès en deux corps ; l'élection indirecte du Sénat. Mais le grand clivage structurant les idéaux jeffersonien et hamiltonien se concrétisa seulement au début des années 1790, sous la première présidence de George Washington. Il trouva une expression concrète dans la formation des deux premiers partis politiques américains : le Parti républicain-démocrate de Jefferson et le Parti fédéraliste de Hamilton. Qu'est-ce qui différenciait la pensée de ces partis ?

La première distinction concernait leur conception du fédéralisme. Les jeffersoniens étaient des fédéralistes radicaux, qui jugeaient sacré le principe de la souveraineté des États. Les hamiltoniens étaient, eux, beaucoup plus centralisateurs et nationalistes. Pour des raisons commerciales, militaires, politiques, les hamiltoniens considéraient que le gouvernement fédéral devait posséder beaucoup de pouvoirs pour cimenter l'unité de la nation américaine. Craignant que le provincialisme et les factions locales érodent l'autorité nationale et doutant que la seule vertu attache les citoyens au gouvernement national, Hamilton voulait utiliser les finances publiques comme instrument de nationalisme économique. C'est à juste titre qu'il gagna la réputation d'être le plus nationaliste des Pères fondateurs.

La deuxième distinction avait trait à leur philosophie économique[6]. Les jeffersoniens étaient attachés au modèle d'une économie égalitaire constituée de petits propriétaires et de petits producteurs. Jusqu'au début du XIXe siècle, les républicains cherchaient à atteindre cet objectif par le maintien du caractère rural et agraire de la société américaine. À partir de 1800, les républicains, y compris Jefferson, renoncèrent à défendre le caractère agraire de la société, mais continuèrent à défendre l'idée d'une économie égalitaire de petits propriétaires. Les hamiltoniens, eux, étaient moins hostiles à l'égard des tendances qui caractériseraient plus tard les économies capitalistes modernes : la division du travail, l'industrialisation à grande échelle, le salariat, ainsi que l'accroissement des inégalités sociales. En tant que secrétaire au Trésor du gouvernement fédéral, sous la présidence de Washington, Hamilton exerça une grande influence sur la politique économique américaine durant les années 1790. Controversée, cette politique était critiquée par les républicains. Thomas Jefferson et James Madison soutenaient qu'elles minaient l'esprit républicain du régime américain.

La troisième distinction touchait au rôle de l'État. Les jeffersoniens voyaient d'un mauvais œil l'expansion de la taille de l'État. À leurs yeux, lorsque l'État intervenait dans l'économie, c'était nécessairement pour favoriser les riches et les privilégiés. Les mesures étatiques visant à stimuler l'économie rappelaient aux jeffersoniens la politique de George III. Ce dernier usait du patronage, de l'influence et parfois de la corruption pour miner la liberté politique des Anglais. Les hamiltoniens, eux, prônaient un gouvernement interventionniste. Le palier fédéral était l'instrument privilégié d'un vigoureux *nation-building*. Pour stimuler la croissance économique, deux mesures étaient particulièrement populaires dans les rangs fédéralistes : la création d'une banque nationale et le financement de grands projets fédéraux de travaux publics : routes, canaux, ponts, ports. Afin de financer la dette de l'Union, Hamilton proposait de favoriser la création d'une classe d'investisseurs, qui serait attachée à la prospérité et à l'expansion du gouvernement national. Pour des générations d'Américains méfiants à l'égard du pouvoir exécutif, la politique financière hamiltonienne semblait être un assaut contre le gouvernement républicain. Elle ressemblait aux pratiques du premier ministre britannique Robert Walpole, qui, au milieu du XVIIIe siècle, payait des agents au Parlement pour appuyer ses politiques gouvernementales. Même si Hamilton ne proposait pas d'embaucher des membres du Congrès, le fait que les créditeurs du gouvernement siégeaient dans cette enceinte et appuyaient le programme financier du gouvernement était perçu comme de la corruption. De tels créditeurs ne pouvaient être des citoyens éclairés, indépendants, désintéressés, veillant au bien commun.

Enfin, la quatrième distinction renvoyait à la politique étrangère. Les républicains voyaient la constitution d'une armée permanente comme une menace pour la liberté politique. La défense devait plutôt être assurée par des milices. Isolationnistes, ils préféraient éviter que les États-Unis s'engagent dans des conflits militaires étrangers. Les hamiltoniens avaient une philosophie nettement plus interventionniste et plus militariste. Hamilton pensait d'ailleurs que la république pouvait aussi être un empire. Il allait même jusqu'à admettre ce que ses opposants soupçonnaient, soit que son modèle était celui de l'Angleterre. Dans une conversation qui suivit un dîner avec Adams et Jefferson, il défendit l'usage du patronage et de la corruption. Adams répliqua que, purgée de la corruption, la Constitution britannique était la chose la plus parfaite que la sagesse humaine eût créée. Hamilton répliqua : « Purgez cette Constitution de la corruption et donnez à la branche populaire l'égalité de représentation, et cela devient un gouvernement impraticable. Comme il est à présent, avec tous ces prétendus défauts, c'est le plus parfait gouvernement qui ait jamais existé[7]. » Commentant l'échange, Jefferson écrivit : « Hamilton n'est pas seulement monarchiste, mais en faveur d'une monarchie fondée sur la corruption[8]. » Qualifié de César par ses ennemis, Hamilton reconnut au cours de ce dîner avoir de l'estime pour le personnage romain : « Caton était le tory, César le whig de son époque… le premier périt avec la république, le second la détruisit. » Aux yeux de Hamilton, le triomphe de César sur Caton représentait le triomphe du commerce sur la vertu et de l'empire sur la république.

* * *

Dans les prochains chapitres, nous allons voir comment Macdonald, Laurier, Mackenzie King et Trudeau se sont conformés à l'idéal hamiltonien pour dominer leurs adversaires sur la scène politique fédérale.

CHAPITRE PREMIER

John A. Macdonald
1815-1891

John A. Macdonald naquit en 1815 dans une famille de religion presbytérienne, à Glasgow, en Écosse. En 1820, sa famille déménagea à Kingston, dans le Haut-Canada. Son père était marchand. Sans être riche, celui-ci était assez prospère pour payer à son fils une bonne éducation et lui permettre de s'initier à la pratique du droit. Le jeune avocat se fit d'abord connaître en acceptant de plaider des causes perdues ou spectaculaires. En 1837, à l'âge de vingt-deux ans, il servit dans la milice pour défendre les institutions britanniques. « J'ai porté le mousquet en 1837 », dira-t-il souvent, avec nostalgie[1]. Il fit en effet ses premières armes, dans la politique du Canada-Uni, du côté des conservateurs tories, qui s'opposaient avec véhémence au gouvernement responsable. Bien qu'il eût commencé sa carrière aux côtés d'illustres membres du *Family Compact*, Macdonald nia être de la même allégeance politique : « Il est bien connu, *sir,* que j'ai toujours été membre de ce que nous appelons le Parti conservateur ; mais on n'aurait jamais pu me qualifier de tory, bien que personne ne respecte davantage que moi le vieux torysme, à la condition qu'il soit fondé sur des principes[2]. »
    Le loyalisme du Haut-Canada n'était ni un antiaméricanisme primaire, ni une défense inconditionnelle de la philosophie tory. Sa sensibilité politique était proche de celle des fédéralistes hamilto-

niens des États du Nord de la république américaine[3]. Depuis le début du XIXe siècle, les élites loyalistes du Haut-Canada suivaient avec fébrilité les débats politiques américains. Les Haut-Canadiens fondaient surtout leurs opinions sur les vues des journaux fédéralistes de l'État de New York et de ceux de la Nouvelle-Angleterre. La guerre de 1812 entre l'Angleterre et les États-Unis cristallisa la complicité entre les loyalistes haut-canadiens et les fédéralistes américains. Parce qu'il avait été déclenché par un gouvernement américain républicain (dirigé par James Madison), le conflit renforçait cette identité entre loyalistes et fédéralistes. Pour les grandes familles loyalistes du Haut-Canada, la guerre contre la république de Madison n'était pas seulement une défense du roi d'Angleterre, mais aussi un appui à leurs amis fédéralistes, opposés à la guerre et ostracisés par un « républicanisme despotique ».

La guerre réaffirmait la conviction des loyalistes haut-canadiens selon laquelle la république américaine était amèrement déchirée par des factions. Cette nation avait perdu tout bon sens depuis que les fédéralistes avaient été chassés du pouvoir en 1800. Depuis ce temps, le gouvernement fédéral à Washington ne parlait plus au nom de tous les Américains. Ces loyalistes jugeaient qu'il y avait de bons Américains, les fédéralistes, et de mauvais Américains, les républicains. Les loyalistes haut-canadiens ne voyaient plus les États-Unis comme un bloc homogène. Analysant désormais les événements avec des yeux de Nord-Américains britanniques, ils avaient une interprétation plus nuancée des débats politiques américains. Si les héritiers du Parti fédéraliste admiraient la sagesse politique britannique, les héritiers loyalistes en retour voyaient maintenant la société américaine comme un combat entre deux idéaux.

Macdonald, s'il était attaché à l'Angleterre, partageait cette lecture de la réalité américaine. Il donna la preuve de cet attachement à la Constitution anglaise, à la couronne, à l'Empire, lors de la naissance du mouvement annexionniste à Montréal, au début des années 1850. Il est intéressant de noter que la solution qu'il proposa, pour combattre les annexionnistes, était influencée par l'expérience américaine. On sait qu'il participa à la naissance de la *League for British America*. L'Amérique britannique, dont il appelait la naissance, suivrait les lignes de la pensée des fédéralistes :

Mes compatriotes perdirent la tête. On m'incita à signer leur manifeste, mais je refusai et plaidai plutôt pour la mise sur pied de la *League for British America*, qui m'apparaissait une mesure plus sensée. De toutes les parties du Haut-Canada et de l'élément britannique du Bas-Canada, des délégués furent choisis. Ils se rencontrèrent à Kingston en vue de parer au grand danger qui menaçait la constitution du Canada. Une solution de rechange fut trouvée. Notre première résolution stipulait que le lien avec la mère patrie resterait inviolé. La deuxième proposition stipulait que la véritable solution résidait dans la confédération de toutes les provinces. La troisième résolution soulignait que nous devrions tenter d'établir, dans une telle confédération (ou au Canada-Uni avant la Confédération), une politique commerciale nationale. Les conséquences de la formation de la ligue furent fantastiques. Sous son influence, le sentiment annexionniste s'estompa, le ressentiment s'apaisa et les principes énoncés par la ligue en 1850 sont devenus ceux du Parti libéral-conservateur depuis ce temps[4].

En tant que député, il commença sa carrière en 1844. Il avait présenté sa candidature à l'élection générale de cette année-là, entendant défendre le lien britannique et l'importance de développer les ressources naturelles du pays. Il fut élu par une confortable majorité. Durant ses premières années au Parlement, il suivit la ligne du parti : opposition à la responsabilité ministérielle, à la sécularisation des réserves du clergé, à l'extension du droit de vote[5]. Trois ans plus tard, en 1847, Macdonald accéda au cabinet du gouvernement Draper-Viger. Il reçut le titre de receveur général, puis devint commissaire des terres de la Couronne. En 1848, ce ministère conservateur démissionna. Macdonald retourna dans l'opposition jusqu'en 1854. S'il fallait le juger sur cette brève période, nous aurions été amené à conclure qu'il n'avait aucun jugement politique. L'avenir semblait appartenir au Parti libéral. En 1850, c'est un demi-siècle politique qui s'achevait au profit des forces libérales et réformistes. Le Parti conservateur n'avait pu empêcher l'union du Bas et du Haut-Canada, ni l'instauration d'un gouvernement responsable, ni l'adoption de la Loi sur l'indemnisation des pertes subies durant les rébellions. Ces réformes étaient toutes inspirées par des adversaires réformistes. La seconde tranche du XIXe siècle qui s'ouvrait semblait favoriser les libéraux et les réformistes. À première vue, Macdonald semblait faire fi de la nouvelle donne. Il était difficile de comprendre pourquoi il s'entêtait à militer dans ce parti aux allures féodales. Et pourtant. Héritant d'un parti en ruines, John A. Macdonald réussit à créer un Parti conservateur puissant et redoutable. Il connaîtrait quelques ratés au début, mais il dominerait bientôt la scène politique jusqu'au début des années 1890.

La fluidité des courants politiques

L'un des facteurs qui permit à Macdonald de couper à sa source l'élan libéral tint à son habileté à tirer profit de la fluidité des courants politiques de l'époque. Durant les années 1850, il y avait officiellement deux grands partis dans chaque section du Canada-Uni : conservateur et libéral. Mais, en fait, le courant libéral était plutôt divisé entre deux factions : une faction libérale-démocratique et une autre plus modérée. Il était donc possible de distinguer six grands courants politiques au Canada-Uni. Dans le Haut-Canada, on en distinguait trois. Premièrement, le groupe conservateur, dirigé d'abord par le vieux routier Allan McNab, avec l'aide de deux lieutenants rivaux, John A. Macdonald et John Hillyard Cameron. Ce dernier était plus fidèle à la vision tory. Hostile au libéralisme, il fut incapable de se hisser au rang de chef du parti. C'est John A. qui réussit à prendre la direction à partir de 1856. Il rénova un parti menacé de disparaître en le libéralisant. Macdonald permit au parti de connaître des succès politiques dès le milieu des années 1850, en incorporant certains modérés, mais surtout en scellant une alliance avec les conservateurs canadiens-français. Le deuxième groupe était formé des *Clear Grits,* ce parti de libéraux radicaux, adeptes des réformes démocratiques[6]. Descendants directs du républicanisme de William Lyon Mackenzie, les *Clear Grits* ne se contentaient pas du gouvernement responsable. S'inspirant des mouvements démocratiques en Angleterre et aux États-Unis, ils prônaient une systématisation du principe électif pour l'ensemble des institutions politiques et civiques. Les principaux Grits étaient John Rolph, Malcolm Cameron, David Christie, William McDougall, Alexander Mackenzie. Ces Grits ne réussirent jamais à contracter une alliance gagnante avec les rouges du Bas-Canada. L'anticléricalisme des Grits était une preuve, aux yeux des conservateurs bas-canadiens, que les rouges étaient les ennemis du clergé catholique.

Enfin, le troisième groupe était le *Reform Party*, parti structuré par les artisans haut-canadiens du gouvernement responsable, William et Robert Baldwin[7]. Durant les années 1850, c'est George Brown, à la tête de l'influent journal torontois *The Globe*, qui se hissa comme chef de ce parti. Il était secondé par Francis Hincks. Parmi ces libéraux modérés, on trouvait aussi John S. Macdonald, bien que ce dernier fût un rival de Brown. Le déclin des *Clear Grits*, au début des années 1860, permit au *Reform Party* de devenir le seul opposant haut-canadien au Parti conservateur de Macdonald. Jusqu'à la fin du régime de l'Union, Macdonald ne réussit pas à obtenir une majorité électorale dans le Haut-Canada. Les deux courants réformistes obtenaient le gros des sièges. Depuis que la population du Haut dépassait celle du Bas, ces deux courants exigeaient la représentation selon la population, le *rep by pop*. Le refus du Bas-Canada d'accepter cette réforme incitait les réformistes à crier à la « domination française ». Aux yeux de ces réformistes, l'alliance de Macdonald avec la majorité conservatrice bas-canadienne était odieuse et frôlait la trahison.

Dans le Bas-Canada, le groupe dominant était le Parti conservateur de George-Étienne Cartier[8]. Ce groupe s'était d'abord formé sous la bannière réformiste, d'après les vues d'Étienne Parent et de Louis-Hippolyte Lafontaine. Après l'obtention du gouvernement responsable, en 1848, il prit un tournant résolument conservateur. Augustin-Norbert Morin assuma la transition au début des années 1850. Lorsque Morin passa le relais à Étienne-Pascal Taché, puis à George-Étienne Cartier, l'appellation réformiste disparut complètement. Ce parti fournit les Pères fondateurs canadiens-français : Cartier, Taché, Hector Langevin, Jean-Charles Chapais, Narcisse Belleau. Le second groupe, les rouges, était fidèle au programme républicain de Louis-Joseph Papineau[9]. À bien des égards, ses idées étaient semblables à celles des *Grits*. Mais les rouges ne pouvaient guère se permettre d'embrasser trop chaudement les idées *grits*, sans risquer de s'aliéner de larges segments de la population catholique du Bas-Canada. Louis-Antoine Dessaulles, les frères Dorion et Doutre étaient les grands ténors du parti. En se radicalisant, ces libéraux républicains se marginalisèrent dans les circonscriptions où le sentiment religieux était plus intense.

Enfin, un troisième courant bas-canadien émergea vers le milieu des années 1850. Il s'agissait d'un courant catholique-libéral, qui se dissociait du radicalisme des rouges[10]. Inspirés des vues du patriarche Denis-Benjamin Viger, les ténors du parti étaient Louis-Victor Sicotte, Louis-Labrèche Viger, Charles Laberge, Hector Fabre et Félix-Gabriel Marchand. Ils œuvrèrent à élaborer un libéralisme qui ne plaçait pas leur parti en conflit avec les autorités religieuses. Comme les rouges, les *violets* s'opposèrent à la Confédération. Mais la division des forces libérales enleva de la vigueur à cette opposition. Elle aidait les bleus de Cartier, qui accumula ainsi de solides majorités électorales, favorisant l'établissement d'un ministère conservateur allié au parti de John A.

La mutation du Parti conservateur

On dit que la démocratie est l'art de bâtir des coalitions. C'est vrai de la politique canadienne au XIXe siècle. Macdonald fut l'homme politique canadien qui réussit le plus efficacement à faire cohabiter différents courants au sein de sa formation politique. Dès le début des années 1850, il comprit l'intérêt d'élargir les cadres du Parti conservateur. Le premier geste qu'il accomplit en ce sens fut de cesser la lutte contre le principe du gouvernement responsable. Peu à peu, en tant que lieutenant du chef Allan McNab, il réussit à marginaliser les thèmes chers aux tories. Sous son influence, le Parti conservateur tory devint le Parti conservateur-libéral. La clé du succès de Macdonald, sans lequel il n'aurait jamais pu amorcer un règne politique, fut d'avoir contracté une solide alliance avec un bloc de députés canadiens-français du Bas-Canada. Ce bloc était dirigé par Cartier. Dès 1849, il confia à un ami :

> Aucun homme sensé ne peut soutenir que, durant le prochain siècle, ce pays pourra être dirigé par un gouvernement purgé de l'élément français […]. Pour conquérir, nous avons besoin de nous plier à certaines nécessités. Nous devons nous lier d'amitié avec les Français, sans sacrifier le statut de notre race ou de notre langue.

Nous devons respecter leur nationalité. Traitons-les comme une nation et ils agiront comme une nation libre le fait généralement, avec générosité. Qualifions-les de faction et ils agiront de façon factieuse[11].

En scellant une alliance avec le parti de Cartier, Macdonald voulait minimiser les conséquences de son impopularité dans le Haut-Canada. Certes, d'autres facteurs contribuèrent au succès de Macdonald. Mais l'alliance avec Cartier fut déterminante, étant donné le poids démographique et politique des Canadiens français sous le régime de l'Union. Un premier geste de concorde fut fait en 1854, lors de la formation d'un gouvernement de coalition dirigé conjointement par le conservateur haut-canadien Allan Napier MacNab et le réformiste modéré bas-canadien Augustin-Norbert Morin. Macdonald entra dans ce ministère en acceptant le poste de procureur général du Haut-Canada. Dès ce moment, il joua un rôle important dans le rapprochement entre ces deux courants politiques. C'était un premier pas vers la mutation du Parti tory en un Parti conservateur-libéral. Macdonald allait occuper ce poste presque sans interruption jusqu'en 1867. De façon croissante, à partir de 1854, c'est lui qui menait le jeu pour le Parti conservateur haut-canadien aux Communes. En 1855, le rapprochement avec le courant Morin-Taché-Cartier franchit une autre étape importante lorsqu'il réussit à faire adopter le projet de loi sur les écoles séparées du Haut-Canada. En se montrant souple face aux Canadiens français du Haut-Canada, Macdonald déplaisait peut-être à l'électorat de cette province. Mais il gagnait l'estime des conservateurs canadiens-français.

Macdonald s'empara de la direction de la section haut-canadienne du gouvernement en 1856. Plusieurs ténors conservateurs-libéraux reprochaient au vieux MacNab d'être trop lié à l'héritage tory et de paralyser ainsi la gestion du gouvernement. Macdonald demanda à son chef de démissionner ; ce dernier refusa. John A. décida donc de quitter le ministère en compagnie de deux autres ministres (réformistes). MacNab n'eut d'autre recours que d'aller demander au gouverneur Head la dissolution du gouvernement. Le gouverneur préféra offrir la direction du ministère à Étienne-Pascal Taché. Le rôle de ce dernier, incidemment, n'est pas à négliger dans la carrière de Macdonald. Bien qu'il ait joué un rôle plutôt effacé durant ces années-là, notamment parce qu'il voulait prendre sa retraite, Taché a néanmoins préparé la transition entre le réformisme des Parent, Lafontaine et Morin et le conservatisme modéré de Cartier, Langevin, Chapais. Peu bavard, il avait le sens de la formule : « Madame, un homme politique est un homme sans entrailles, je dirai presque, sans conscience[12]. » En 1846, aux Communes, c'est Taché qui avait lancé : « Le dernier coup de canon tiré pour le maintien de la puissance anglaise en Amérique le sera par un bras canadien [français]. » Il prétendait que les Canadiens français étaient plus monarchistes et plus loyaux envers l'Angleterre que les Anglais. Dans une lettre à Macdonald, on voit que Taché aimait utiliser le même vocabulaire que les Anglais : « La représentation haut-canadienne ne peut pas être assez aveugle pour ne pas s'apercevoir qu'en se divisant elle amoindrit son influence dans le gouvernement, et je compte beaucoup sur *l'esprit pratique* de ses amis politiques aussi bien que sur le *common sense* des habitants du Haut-Canada en général, pour faciliter vos arrangements définitifs[13]. » Après que le gouverneur Head eut choisi Taché comme chef du nouveau ministère, le vieil homme se tourna vers Macdonald pour diriger la section haut-canadienne. Cet épisode fut un tournant décisif. Le ministère Taché-Macdonald scella l'alliance des conservateurs bas-canadiens avec ceux du Haut. C'était un geste significatif menant à la formation d'un parti qui transcendait les frontières du Bas et du Haut-Canada.

Le *double shuffle*

Le premier coup fumant que réalisa John A. fut nommé le *double shuffle*. Cela se produisit dans le contexte du choix de l'emplacement définitif de la capitale du Canada-Uni. Depuis l'incendie du Parlement de 1849 à Montréal, la capitale était itinérante. Tous les cinq ans, elle se déplaçait dans une nouvelle ville. Les deux Chambres avaient du mal à s'entendre sur le choix d'une capitale définitive. Le gouverneur du Canada-Uni, sir Edmund Head, suggéra de laisser la reine trancher ce différend. Les libéraux des deux sections, d'abord hostiles à cette idée, finirent par s'y rallier. On envoya une Adresse demandant à la Reine d'exercer sa prérogative royale pour choisir la capitale. Le gouverneur demanda aux villes qui le souhaitaient de soumettre leur candidature. Cinq villes acceptèrent, Montréal, Kingston, Bytown (Ottawa), Québec, Toronto. Sir Edmund Head avait affirmé en public qu'il serait imprudent, de sa part, de donner un avis au nom du Conseil exécutif sur une question soumise à la discrétion de la reine[14]. Pourtant, en privé, il prit la peine d'écrire un mémoire confidentiel, qui appuyait inconditionnellement la ville de Bytown. La vigueur de son exposé fit pencher la balance en faveur de cette ville, à la fin de 1857. Head était d'ailleurs à Londres au moment où la décision fut prise. Le choix d'Ottawa sema la zizanie au Parlement. Cette « ville de bûcherons » n'avait aucun attrait aux yeux des parlementaires. La reine, arguait-on, devait se contenter d'entériner l'avis du pays. Elle n'avait pas la connaissance nécessaire pour faire elle-même ce choix. La motion d'un député rouge, adoptée par la Chambre, blâmait cette décision de la reine. John A. Macdonald sauta de son siège et cria à la trahison : « une insulte brutale et discourtoise envers Sa Majesté[15] ». C'était une insulte à la reine ! Le cabinet Macdonald-Cartier se réunit dans la soirée pour discuter de la position à adopter dans cette affaire. Il décida de démissionner sur une question de principe : la loyauté à la couronne. La motion de l'opposition n'était-elle pas un affront à la reine, une atteinte à la prérogative royale ? Cette stratégie de Macdonald était astucieuse. En se donnant une supériorité morale, il se sortait du pétrin et, surtout, faisait oublier les récents échecs de son gouvernement.

Le gouverneur Head ne se réjouissait pas de la tournure des événements, qui semblait favoriser George Brown. Celui-ci menait une vendetta à son endroit depuis quelques mois. Qui plus est, la Chambre basse venait de manquer de courtoisie à l'égard de la couronne. Head fit un geste qui en étonna plusieurs. Au lieu de dissoudre le Parlement, il se tourna vers George Brown et lui demanda de former un nouveau gouvernement. Pourtant, il était improbable que Brown fût en mesure de former un ministère durable. Le gouverneur avertit d'ailleurs le chef libéral. Si son ministère venait à être battu, il ne lui accorderait pas nécessairement la dissolution du Parlement. Brown faisait maintenant face à un dilemme. S'il acceptait, son ministère risquait de ne durer que quelques semaines. S'il refusait, il hypothéquait ses chances de se maintenir à la tête des réformistes. Après avoir consulté ses alliés du Bas et du Haut-Canada, il accepta. Il réussit d'ailleurs à trouver assez d'appuis pour former un ministère en compagnie d'Antoine-Aimé Dorion. Les deux leaders s'entendirent pour s'attaquer, dans un esprit de tolérance, aux questions qui divisaient les deux sections du Canada-Uni. Les réformistes voulaient régler de vieux contentieux : le système des écoles séparées, le régime seigneurial, le *rep by pop*. Dorion était prêt à accorder cette concession, à une condition : que le régime accorde des garanties constitutionnelles de survie culturelle aux Canadiens français.

Selon l'usage de l'époque, les nouveaux ministres devaient prêter le serment d'office et abandonner leurs sièges à la Chambre jusqu'au moment de leur réélection, à l'occasion d'élections partielles. Le gouvernement était en fonction depuis à peine trois jours que l'opposition exigea un vote de non-confiance. Elle l'obtint et fit tomber le ministère Dorion-Brown. Ce dernier alla voir le gouverneur, lui demanda la dissolution du Parlement, afin d'obtenir un appel au peuple. Head refusa, lui rappelant qu'il l'avait bien mis en garde. Furieux, Brown cria au complot. Macdonald se défendit : « Je n'ai pas eu de contact direct, ni indirect, avec Son Excellence, de n'importe quelle manière ou par l'intermédiaire de qui que ce soit[16]. » Selon Head, la dissolution était prématurée, puisqu'il restait un important travail parlementaire à mener. Et puis la dernière élection générale était toute récente. En déclencher une nouvelle serait aux yeux du peuple un gaspillage d'argent. Les arguments de Head avaient l'apparence de la justice. Mais ils n'étaient pas infaillibles. À juste titre, Brown argua que Francis Hincks avait obtenu en 1854 la dissolution de la Chambre dans une situation similaire. Ne voulant rien entendre, le gouverneur demanda à Cartier de former un gouvernement. Ce qu'il fit. Par un habile transfert des portefeuilles ministériels, fondé sur une interprétation astucieuse de la loi, les nouveaux ministres évitaient d'avoir à démissionner de leurs sièges à la Chambre et de les mettre en jeu lors d'élections partielles. La manœuvre était légale, bien qu'elle fût douteuse en regard de l'esprit de la loi. Celle-ci stipulait qu'un ministre qui démissionnait pouvait éviter le fardeau d'aller en élection partielle s'il obtenait un nouveau portefeuille dans un délai de trente jours. La seule condition était que le ministre ne se retrouve pas à la tête du même ministère. Ce que Cartier et Macdonald respectèrent scrupuleusement.

Cet événement fut qualifié de *double shuffle*. De fait, c'était un véritable coup de poker. Brown fut humilié. Les réformistes eurent l'air d'une bande d'amateurs, rehaussant la crédibilité des libéraux-conservateurs. Il s'agit du premier coup de maître de Macdonald. Il faut dire qu'il fut rendu possible grâce à la complicité du gouverneur Head. Ce dernier ne s'attribuait pas une fonction uniquement symbolique : « le pouvoir du gouverneur, déclara-t-il, consiste surtout en ce que rien ne peut être fait sans lui[17] ». Cet épisode montra la supériorité tactique de Macdonald sur Brown. Le chef conservateur commenta la bévue de son adversaire : « Certains poissons aiment qu'on les taquine. Un poisson prudent tourne autour de l'appât quelque temps avant de s'en emparer, mais dans ce cas-ci, le poisson n'a même pas attendu que l'appât lui fût présenté. Il a sauté hors de l'eau pour l'attraper[18]. » Quelques années plus tard, Macdonald revint sur l'incident et fit la confession suivante : « La principale raison pour laquelle j'ai toujours battu Brown est que je regarde toujours plus loin, tandis que lui ne peut résister à la tentation d'un triomphe temporaire[19]. » Les réformistes eurent-ils raison de parler d'un complot entre Macdonald et Head ? Parler de complot relève probablement de la partisanerie. Mais il est évident que, dès le départ, Brown n'avait pas la sympathie de Head. L'attitude de ce dernier était hostile à l'égard des libéraux. Cet épisode montre que le représentant de la couronne, loin d'être au-dessus de la mêlée, pencha du côté des conservateurs. Ce fut la première fois, mais non la dernière, que Macdonald en tira profit.

C'est durant ce mandat (en 1858) que Macdonald et Cartier tentèrent une première fois de convaincre Londres d'appuyer un projet d'union des colonies de l'Amérique du Nord britannique. Macdonald se rendit à Londres en compagnie du bourgeois montréalais John Rose, afin de convaincre les autorités impériales. Ils essuyèrent un refus sans équivoque. Plusieurs raisons motivaient cette attitude des autorités impériales. Premièrement, la démarche semblait dénoter une certaine partisanerie, en ce qu'elle était portée par le seul courant politique conservateur. Deuxièmement, la démarche émanait de la seule province du Canada-Uni. Les autres colonies n'étaient pas désireuses de se joindre au mouvement. Troisièmement, la démarche avait un soupçon d'irrespect pour la volonté de l'Empire. Pour arriver à leurs fins, il aurait été préférable de préparer le terrain un peu plus à l'avance. L'échec donna une leçon aux conservateurs. La prochaine tentative, pour fonder l'Amérique du Nord britannique, devrait apparaître moins partisane, plus largement partagée par les différentes colonies et respectueuse des formes en vigueur dans la métropole de l'Empire.

Entre juillet 1858 et juin 1864, il n'y eut pas d'événements majeurs dans la vie politique de Macdonald. Il régnait une certaine instabilité dans les ministères, puisque sept équipes différentes s'y succédèrent. Une certaine nervosité s'empara des chefs politiques. Macdonald saisit l'importance d'élargir la coalition conservatrice afin de tirer son épingle du jeu, mais aussi pour présenter par la suite aux autorités coloniales un projet d'Amérique britannique plus crédible. En l'espace de six ans, Macdonald réussit à convertir plusieurs adversaires. Le premier à mordre à son hameçon fut Alexander T. Galt, un puissant homme d'affaires représentant l'élément anglophone dans le Bas-Canada. Galt siégea d'abord au Parlement pour le parti de Dorion. En 1857, dans une lettre à ce dernier, Macdonald déploya tout son talent de courtisan :

> Vous vous dites Rouge. Effectivement, il y a peut-être eu à un moment donné une pointe de rouge en vous, mais je puis me rendre compte qu'elle devient de plus en plus faible. Vous me faites penser au dauphin agonisant de Byron : vous exhibez une série de couleurs dont la dernière est la plus belle de toutes et cette dernière c'est le « vrai bleu » que j'affectionne. Vraiment, vous feriez un conservateur très convenable, si vous laissiez libre cours à votre jugement personnel et si vous vous détachiez d'Holton, de Dorion et de ces autres quémandeurs. Donc, s'il vous plaît, devenez immédiatement bleu franc : c'est une couleur qui tient bien et ne craint pas les lavages[20].

Galt ne succomba pas immédiatement au charme de John A. Il attendit quelques mois avant de joindre les rangs conservateurs. La deuxième conversion que réalisa Macdonald fut celle de Thomas D'Arcy McGee, ce journaliste radical représentant l'élément catholique irlandais. Après s'être établi à Montréal à la fin des années 1850, D'Arcy McGee commença une carrière politique au sein des rouges. À l'automne 1862, voyant que le chef Dorion présentait un candidat contre lui dans sa circonscription montréalaise, il se rangea du côté conservateur. Galt et D'Arcy McGee étaient des recrues prestigieuses. Le fait que les résultats électoraux du parti rouge étaient de plus en plus décevants incita probablement ces deux hommes à changer de camp. Du côté du Haut-Canada, l'intégration de recrues libérales était une tâche autrement plus difficile. Dans cette section, les réformistes (*Clear Grit* et réformiste) obtenaient des majorités électorales depuis une bonne dizaine d'années. Joindre les rangs du parti de Macdonald y était vu comme tolérer le papisme et la « domination française ». C'est l'événement qualifié de *deadlock* qui permit à John A. de renverser la vapeur.

La petite et la grande fédération

L'événement qualifié de *deadlock* est ce blocage politique qui provoqua la formation de la Grande Coalition, le véhicule de la genèse de l'Amérique du Nord britannique[21]. Rappelons que, au début des années 1860, quatre grandes avenues s'ouvraient pour remplacer le régime de l'Union. La première était le rappel pur et simple de l'Union. Cela consistait à revenir au statut politique d'avant l'Acte d'Union. Le Bas-Canada et le Haut-Canada seraient séparés, restant soumis à la couronne. Il y avait des partisans de cette formule dans les deux sections. Le slogan « rappel de l'Union » s'inspirait de celui forgé en Irlande par Daniel O'Connell. Dans le Bas-Canada, des libéraux et des rouges étaient parfois tentés par cette solution politique. Dans le Haut-Canada, les *Clear Grits* y adhérèrent durant les années 1850 afin d'échapper à la « french domination[22] ». La deuxième voie était la double majorité[23]. Cela consistait à favoriser un ministère bicéphale, composé du représentant de chaque majorité du Bas et du Haut. Il était illusoire, selon ses adeptes, de tenter de former un ministère purement libéral ou conservateur à l'échelle du Canada-Uni. La double majorité aurait empêché qu'une loi fût votée contre le vœu d'une majorité dans l'une ou l'autre des sections. Au Canada-Uni, les libéraux modérés Denis-Benjamin Viger et Louis-Victor Sicotte appuyaient cette solution. John S. Macdonald faisait de même dans le Haut-Canada. Ces deux premières voies politiques avaient perdu du terrain. Les deux suivantes, la petite fédération et la grande fédération, devinrent plus populaires. La petite fédération, qui visait à unir le Bas-Canada et le Haut-Canada sous un même gouvernement fédéral, était populaire chez les libéraux et les réformistes du Bas et du Haut. Elle avait l'avantage d'être réaliste et prudente, assurant d'une part la survie culturelle des Canadiens français du Bas-Canada et d'autre part l'application immédiate du *rep by pop*, selon le vœu du Haut-Canada. Enfin, la quatrième voie politique était la grande fédération. George-Étienne Cartier y était favorable, ainsi que l'élite politique en Angleterre et les magnats des chemins de fer. Ces quatre possibilités n'épuisent pas toutes les idées politiques proposées. L'annexion aux États-Unis avait par exemple des adeptes ; John A. Macdonald, lui, chérissait en solitaire le rêve d'une union législative (agglomération des provinces). Mais ni l'annexion ni l'union législative ne recevaient des appuis solides dans l'électorat. Il est néanmoins intéressant de voir l'argument qui incitait Macdonald à vouloir un régime unitaire centralisé. Depuis le début de la guerre de Sécession américaine, il se montrait inquiet. Quelques jours après l'attaque des confédérés contre Fort Sumter, Macdonald soulignait que c'était la triste preuve que le fédéralisme américain était trop décentralisé et que le principe républicain menait à l'anarchie. De son côté, la Grande-Bretagne était appelée à grandir, devenant le centre d'un vaste réseau de nations. Elle formerait bientôt « une immense confédération d'hommes libres, la plus grande confédération d'hommes civilisés et intelligents à avoir jamais existé sur terre[24] ».

Plusieurs historiens déduisirent de l'existence du *deadlock* que les acteurs de l'époque n'avaient plus le choix. Ils devaient rénover le régime. En fait, il y eut depuis le début du régime de l'Union bien d'autres situations aussi inextricables. Ce qui déclencha le processus de constitution d'un nouveau pays, à ce moment, c'est que le fruit était mûr dans l'esprit de plusieurs décideurs clés en Angleterre. L'attitude d'ouverture des élites britanniques aida beaucoup. Elles en vinrent, au début des années 1860, à souhaiter la création d'une union de toutes les colonies de l'Amérique du Nord britannique[25]. Macdonald rappelait souvent que la création du nouveau régime exigeait l'assentiment des élites impériales. Ces dernières, soulignait-il, préféraient la grande fédération. Avec le recul, on peut se

demander pourquoi George-Étienne Cartier ne se rallia pas à
George Brown et à Antoine-Aimé Dorion afin de transformer le
régime de l'Union en une petite fédération. Après tout, le Parti
conservateur était minoritaire dans le Haut-Canada. Cartier, Brown
et Dorion auraient livré un très large segment de l'électorat derrière
ce projet. Le poids du Québec au sein de cette petite fédération
aurait été sans doute plus important qu'au sein d'une grande fédération. Revoyons les principaux épisodes qui firent triompher cette
solution politique.

En mai 1864, au moment de la formation du nouveau ministère
Taché-Macdonald, Brown fit savoir à ses proches qu'un ministère de
coalition permettrait de dénouer l'impasse politique dans laquelle
s'enfonçait le régime de l'Union. Les réformistes, soulignait-il,
auraient avantage à se rapprocher de la majorité des députés du Bas-
Canada, dirigés par Cartier. Depuis quinze ans, l'alliance avec les
rouges n'avait jamais vraiment porté ses fruits. Brown était certes
attaché à certains députés rouges. Mais il n'était plus question d'envisager un avenir commun avec ce parti. Ayant à l'esprit cette nouvelle stratégie, il décida de passer à l'action. À la Chambre basse, il
proposa la mise sur pied d'un comité constitutionnel qui discuterait
des avenues susceptibles de dénouer l'impasse. Les députés appuyèrent cette motion, à 59 contre 48. Les opposants étaient plus nombreux dans le Bas-Canada, mais ne suivaient pas une ligne de parti.
À noter, trois ténors anglophones s'opposaient à l'exercice : John A.
Macdonald, A. T. Galt et Luther Holton.

À la mi-juin, le comité Brown sur la réforme parlementaire
remit son rapport. La conclusion principale proposait la création
d'un nouveau régime, fondé sur le principe fédéral. Le comité laissait ouverte la question de savoir si l'union devait être limitée au
Canada-Uni ou élargie à l'ensemble des provinces britanniques. Le
sujet allait être soumis à un nouveau comité, à la session suivante du
Parlement, à l'automne. En un sens, le comité Brown réussit un
coup de maître en suggérant seulement la forme du nouveau
régime. En refusant de spécifier la dimension de l'union fédérale
(petite ou grande), le rapport recevait l'appui des principaux leaders
politiques de la Chambre basse : Brown, Cartier, Mowat, Cameron,
Chapais. Trois membres du comité refusèrent de signer le rapport :
le *Clear Grit* John Scoble, qui voulait que le principe du *rep by pop*

soit appliqué d'une façon absolue ; John S. Macdonald, qui tenait mordicus à sa solution, la double majorité ; enfin, John A. Macdonald, qui rejetait le principe fédéral et refusait le mouvement en faveur d'une révision constitutionnelle. Il y a quelque chose d'ironique dans le fait que le futur premier ministre du nouveau régime se soit trouvé, à ce moment, parmi les forces réfractaires au processus constitutionnel. Le 14 juin, Brown présenta le rapport du comité au Parlement. Par une drôle de coïncidence, le jour même les réformistes Antoine-Aimé Dorion et William McDougall présentèrent une motion de non-confiance contre le gouvernement Taché-Macdonald. Les députés l'appuyèrent. Un quatrième ministère venait de tomber en deux ans. Cette impasse politique reçut le nom de *deadlock* dans les annales parlementaires canadiennes. Dans la soirée, les tractations se multiplièrent. Brown entama des discussions avec des émissaires conservateurs, Alexander Morris et John Henry Pope. Il était prêt, jurait-il, à collaborer avec un ministère qui mettrait un terme à l'impasse, à condition que les conclusions de son rapport guident son action.

Le lendemain, la Chambre basse se réunissait. Le gouvernement souhaitait obtenir l'ajournement des travaux, afin de consulter le gouverneur général. Du côté réformiste, John S. Macdonald n'était pas disposé à l'accorder. Il souhaitait forcer les ministres à démissionner immédiatement. Brown s'opposa à cette idée. Il voulait donner du temps au ministère pour explorer des scénarios de coalition. Dès lors, Brown allait obtenir la collaboration d'un allié inestimable, le gouverneur lord Monck. Conformément à l'usage, après que son ministère eut été battu, le premier ministre se rendit chez le gouverneur général. Taché lui demanda de dissoudre le Parlement. Monck refusa poliment. Il lui suggéra plutôt d'envisager la formation d'un ministère de coalition, qui permettrait de dénouer l'impasse. À partir de ce moment, le gouverneur général Monck joua un rôle crucial dans la naissance de l'Union fédérale. Au courant des discussions sur une éventuelle coalition, Monck fut charmé de constater l'esprit de concorde qui animait désormais Brown. De son côté, le chef réformiste savait que Monck était disposé à appuyer des changements constitutionnels. Le représentant de la couronne le lui avait clairement dit au cours d'un entretien, en mai 1863. Monck et Brown étaient donc des acteurs complices et dynamiques dans le processus constitutionnel. De leur côté, les chefs libéraux-conservateurs, Macdonald et Cartier, ne prenaient guère de risques en entamant des négociations avec Brown. Ils avaient reçu le feu vert de deux côtés à la fois : du côté de Monck et du côté de leurs partisans Morris et Pope, qui avaient préalablement discuté avec le chef réformiste.

Le 16 juin, la grande inconnue résidait dans l'attitude de Macdonald. Son rejet du rapport Brown n'était pas une simple saute d'humeur. Depuis longtemps, il était opposé par principe à l'idée fédérale. Comme il l'admit lui-même, il faisait face à un terrible dilemme. Il avait le choix entre rallier la coalition ou bien laisser l'administration des affaires du Haut-Canada aux réformistes pour la prochaine décennie. Les députés de Macdonald étaient minoritaires dans le Haut-Canada depuis longtemps. Il prit donc le risque d'entamer des négociations avec les partisans du rapport du comité Brown. Galt, Macdonald et Brown acceptèrent de se rencontrer le lendemain, le 17 juin, au Château Saint-Louis (curieusement, ils ne jugèrent pas bon d'inviter Cartier). Dès le début de la discussion, le chef réformiste déclara qu'il était prêt à appuyer toute mesure du prochain ministère pour faire débloquer l'impasse politique. Mais il précisa qu'il ne voulait pas entrer dans le prochain ministère. L'idée d'une coalition heurtait ses convictions libérales. Galt et Macdonald insistaient pour qu'il en fasse partie. Le succès de l'entreprise en dépendait largement. Brown demanda du temps pour réfléchir à la question. Les discussions se poursuivirent, par la suite, sur la dimension du nouveau régime. Galt et Macdonald vantaient leur option préférée : la grande fédération par l'union de toutes les colonies. Brown préférait une voie plus modérée, la petite fédération. Cette dernière permettait plus facilement de conjuguer le principe fédéral et celui du *rep by pop*. Il raffinait cette idée depuis la Grande Convention réformiste de 1859. Galt et Macdonald se rangèrent à l'idée que, à défaut de convaincre les autres colonies, la fédération du Bas et du Haut-Canada serait souhaitable.

Incapables de trancher en faveur de l'une ou l'autre des options politiques, ils s'entendirent pour faire reposer leur entente sur la principale recommandation du comité Brown : la création d'un régime fédéral, qui pourrait soit être limité au Canada-Uni (petite fédération), soit être élargi à l'ensemble des colonies (grande fédération). Les trois hommes, heureux d'avoir trouvé un terrain d'entente, allèrent l'annoncer au Parlement. À la Chambre basse, Macdonald déclara avoir suivi l'avis du gouverneur et conclu une entente avec des membres de l'opposition afin de former une vaste coalition. À la surprise de plusieurs, il affirma avoir convaincu son vieil ennemi politique George Brown ! Les rouges de Dorion étaient consternés. Le lendemain, au Château Saint-Louis, le trio se réunit à nouveau. La conférence se déplaça ensuite à la salle du Conseil exécutif, où Cartier vint les rejoindre. Ce dernier s'assura d'abord que Brown n'était pas accompagné par ses vieux ennemis Holton et Dorion. Il fut heureux de voir que Brown n'espérait plus rien de ces rouges.

Le 20 juin, ils discutèrent de l'opportunité de bâtir d'abord la petite fédération. Curieusement, Cartier était farouchement opposé à cette idée. La présence des provinces maritimes, avançait-il, diluerait le poids du Haut-Canada dans la fédération. Macdonald aussi défendait cette position. Selon lui, la petite fédération retarderait le processus menant à l'union législative : « Les tristes événements qui se passent de l'autre côté de la frontière prouvent que la seule union fédérale ne suffit pas. Au lieu d'une union fédérale, il faut créer une union qui soit législative en fait, en principe et en pratique[26]. » Le régime de l'Union depuis 1840 s'en approchait et il regrettait vivement de devoir faire marche arrière. La grande fédération, au moins, avait l'avantage d'unir toutes les colonies britanniques en une Amérique du Nord britannique. Celle-ci devait toutefois éviter l'erreur commise, jadis, par les Pères fondateurs américains. Ceux-ci avaient erré en créant une fédération trop décentralisée. Brown, pour sa part, jugeait prématuré de bâtir une grande fédération. Il acceptait cependant de garder ouverte la possibilité d'élargir la petite fédération aux colonies désireuses d'en faire partie. Brown aurait tenté de rallier les rouges à la coalition. En leur absence, il craignait de passer pour un renégat. C'est pourquoi il aurait préféré rester à l'écart du ministère, tout en lui assurant son appui dans sa démarche constitutionnelle. Comme condition à son admission, Brown demanda d'abord la moitié des portefeuilles du ministère. Les libéraux n'avaient-ils pas la majorité aux Communes ? Cartier et Macdonald refusèrent. La partie bas-canadienne du ministère était déjà constituée et représentait un bel équilibre. Macdonald offrit deux portefeuilles aux réformistes, pour la section haut-canadienne. Brown jugeait cette offre inéquitable. Les réformistes jouissaient

d'une forte majorité dans le Haut-Canada. Finalement, Macdonald
finit par accepter de lui en accorder trois, soit la moitié. Avant de
donner sa réponse finale, Brown alla consulter le gouverneur général Monck, ainsi que son caucus. Ceux-ci l'incitèrent à accepter ces
conditions et à entrer dans la coalition. Le gouverneur général se
montra très persuasif. Brown sortit de l'entretien avec le sentiment
qu'il plaçait de grands espoirs en lui. « Votre présence, lui dit
Monck, est indispensable afin de défendre votre conception de la
future fédération. » Dans ce combat pour une fédération centrali-
sée, Macdonald avait un allié de taille, le secrétaire aux colonies,
Edward Cardwell. Dans une lettre au premier ministre libéral britannique William Gladstone, Cardwell manifesta sa préférence pour
l'idéal hamiltonien : « Je crains surtout que les intérêts et l'orgueil
des hommes des petites provinces ne les poussent à insister sur l'aspect *fédération* plutôt que sur l'aspect *union,* ne les poussent à se
conformer à la politique de Jefferson plutôt qu'à celle de Washington et de Hamilton, à une politique qui ferait échouer l'Amérique
du Nord britannique sur les mêmes écueils que ceux qui ont fait
éclater les États-Unis[27]. »

L'Amérique britannique

Le nouveau ministère fut placé sous la direction d'Étienne-
Pascal Taché. Respecté de tous, membre permanent de la Chambre
haute, ce sage patriarche était un homme au-dessus de la mêlée et de
la petite politique. Depuis des années, il se préparait à prendre sa
retraite de la vie publique. Mais il dut constamment la remettre à
plus tard. Ni Brown, ni Cartier, ni Macdonald, ni Galt n'avaient
assez d'appui pour assumer le leadership. Le ministère Taché-Macdonald avait de l'autorité, puisqu'il était composé de deux solides
majorités : les conservateurs du Bas et les réformistes du Haut. À ce
solide noyau de députés s'ajoutaient les conservateurs du Haut.
L'opposition, composée des libéraux du Bas, était faible. Lorsque
Macdonald fit à la Chambre basse le compte rendu de ces négociations, Dorion et Holton l'interrogèrent sur les modalités de l'entente. Dorion regrettait amèrement que Brown, son ancien allié, se
fût rallié à l'idée d'une fédération élargie. Cette option politique

menaçait de réduire le poids politique des Canadiens français. Autre défaut, elle présupposait la coûteuse réalisation du chemin de fer intercolonial. Les rouges jugeaient ces travaux publics extravagants.

Le 30 juin, les nouveaux ministres réformistes haut-canadiens furent assermentés : George Brown fut nommé au poste de président du Conseil, Oliver Mowat à celui de ministre des Postes et William McDougall à celui de secrétaire provincial du Haut-Canada. Le gouvernement annonça qu'une mission serait envoyée en Angleterre et dans les provinces maritimes afin de promouvoir le projet d'union fédérale. Le cabinet entendait profiter de la tenue à l'automne d'une convention des provinces maritimes, à Charlotte-town, pour leur proposer un projet plus large et plus ambitieux, l'union de toutes les colonies. Les provinces maritimes, mises au courant de ces intentions, acceptèrent de bon gré de recevoir les délégués du Canada à la Conférence de Charlottetown.

Début septembre, les délégués des différentes provinces se rendirent dans la capitale de l'Île-du-Prince-Édouard. Au cours de la première journée, le 1er septembre, les délégués des provinces maritimes acceptèrent d'envisager la création d'une grande fédération. Puis, après quelques jours de délibération, ils s'entendirent sur certains principes de base. Macdonald prit la parole à plusieurs reprises. Il veilla à limiter le pouvoir des provinces. À un moment donné, le délégué George Coles, de l'Île-du-Prince-Édouard, introduisit la résolution suivante : « Les législatures locales ont pouvoir de légiférer dans tous les domaines non expressément dévolus par la Conférence à la législature centrale. » Macdonald s'opposa à la mesure, donnant en exemple l'échec du fédéralisme américain : « Une cause radicale de faiblesse allait être introduite dans la nouvelle constitution de l'Amérique du Nord britannique. Cela causera notre ruine aux yeux du monde civilisé[28]. » À la fin de la conférence, les délégués se donnèrent rendez-vous à Québec, au mois d'octobre, afin d'officialiser l'entente. Les Pères fondateurs quittèrent l'Île-du-Prince-Édouard en direction de la Nouvelle-Écosse, à bord du *Queen Victoria*. En référence aux sympathies sudistes de l'Angleterre, on appelait ce navire le « croiseur confédéré ». Arrivés à Halifax, les Pères furent reçus à dîner. À un moment donné, Macdonald se leva et déclara qu'ils entendaient faire de l'Amérique du Nord britannique une grande nation, qui serait capable de se défendre elle-même : « [Observez] le vaillant combat de la République sudiste, qui en ce moment ne compte pas beaucoup plus de quatre millions d'habitants, ce qui ne dépasse pas de beaucoup le chiffre de notre population. Pourtant, les Sudistes se sont vraiment vaillamment battus [...]. [Notre but est de] fonder une grande monarchie britannique liée à l'Empire britannique et soumise à la souveraineté britannique[29]. »

La Conférence de Québec se déroula sans accroc majeur. Certes, les délégués de Terre-Neuve et de l'Île-du-Prince-Édouard décidèrent, au terme des pourparlers, de ne pas se joindre à la grande fédération. Mais leur présence n'était pas indispensable. Démographiquement, elles avaient un poids marginal ; géographiquement, elles étaient moins nécessaires que le Nouveau-Brunswick ou la Nouvelle-Écosse. Les délégués des provinces adoptèrent donc les *Résolutions,* qu'on entendait présenter aux Parlements des quatre provinces fondatrices. Macdonald veilla à dissuader les délégués de soumettre les *Résolutions* à un appel au peuple : « Un référendum est anticonstitutionnel et antibritannique. Si, à la suite de pétitions et de réunions publiques, le Parlement est certain que le pays ne veut pas du projet, les députés refuseront de l'adopter. Si, au contraire, le Parlement constate que le pays est favorable à la fédération, inutile de faire appel au peuple. Soumettre ces détails compliqués au pays est d'une absurdité évidente[30]. »

La prestation de Macdonald durant les débats sur les *Résolutions* à la Chambre basse du Canada-Uni révèle ses convictions politiques. C'est lui qui inaugura le débat, le 3 février 1865. Il présenta la démarche du gouvernement pour faire adopter les *Résolutions.* Celles-ci avaient le caractère d'un traité entre les provinces : « Ces résolutions ont le caractère d'un traité, et si elles ne sont pas adoptées dans leur entier, il faudra recommencer les procédés *de novo.* Si chaque province entreprend de changer les détails du plan, il n'y aura plus de fin aux conférences et aux discussions[31]. » À un député qui lui demandait si le gouvernement entendait se soustraire à une consultation populaire, Macdonald donna une réponse fort ambivalente : « Je ne puis répondre tout de suite. Si cette mesure reçoit l'approbation de la Chambre, il n'y aura pas de nécessité de la soumettre au peuple. D'un autre côté, si la mesure est repoussée, il appartiendra au gouvernement de juger s'il doit y avoir un appel au peuple[32]. »

Trois jours plus tard, le 6 février, Macdonald aborda une idée qui lui était chère : l'impératif d'avoir un régime politique stable, permanent, harmonieux. Comme les élites loyalistes en 1775, le Père fondateur craignait l'anarchie, les factions politiques, l'instabilité des gouvernements locaux et la tyrannie des masses. La stabilité du corps politique était impérative pour l'essor du commerce : « L'antagonisme entre les deux sections de la province, le danger d'une anarchie imminente, fruits d'opinions irréconciliables sur la représentation d'après la population dans le Haut et le Bas-Canada, nous présageaient une triste succession de gouvernements faibles, en majorité et en influence, incapables par-là même de réaliser aucun bien. L'état précaire de nos affaires, les graves appréhensions d'une anarchie qui aurait ruiné notre crédit, détruit notre prospérité et anéanti notre progrès, firent surtout impression sur les membres du Parlement actuel[33]. » Le principe monarchique assurerait la stabilité politique. Il présumait que les Canadiens étaient « animés de la même loyauté envers la reine[34] ». À la Conférence de Québec, aucun délégué ne s'opposa au principe monarchique : « Cette résolution rencontra l'approbation unanime de tous les membres de la conférence. Pas un n'exprima le désir de rompre avec la Grande-Bretagne et de ne pas continuer notre allégeance à Sa Majesté[35]. » L'histoire des républiques montrait que l'autorité du chef de l'exécutif y est moins stable que sous un régime monarchique :

> En adhérant au principe monarchique, nous évitons une faiblesse inhérente à la Constitution des États-Unis. Le président étant élu pour une courte période, il ne peut jamais être regardé comme le souverain de la nation ; il est seulement le chef heureux d'un parti politique. Cette anomalie s'aggrave encore davantage par le principe de la réélection ; pendant la durée de ses fonctions, il travaille pour lui et son parti à se maintenir au pouvoir pendant une autre période ; mais en adhérant au principe monarchique nous obvions à tout cela. Je crois qu'il est de la plus grande sagesse que ce principe soit reconnu afin que nous ayons un monarque vers qui pourront se tourner tous les regards, un monarque qui n'appartiendra à aucun parti, en un mot, qui sera le chef et la protection commune de tous[36].

Macdonald ne pensait pas que les prérogatives de la couronne devaient être seulement symboliques. Il voulait laisser à la reine une

liberté considérable : « Nous n'apportons aucune restriction au
choix que Sa Majesté fera de son représentant ; sa prérogative sera la
même qu'aujourd'hui, et elle sera complètement libre [...]. Nous ne
savons pas si ce choix s'arrêtera sur un membre de la famille royale,
qui viendra régner ici en qualité de vice-roi, ou bien sur l'un des
grands hommes d'État que l'Angleterre enverrait ici administrer les
affaires du Canada : nous laissons à Sa Majesté le soin d'en décider[37]. » Au cours des Débats, Macdonald prêcha pour la création
d'une armée permanente. Les colonies seraient appelées à jouer un
nouveau rôle dans l'empire. Elles devraient assumer une plus
grande part dans la défense de l'empire britannique.

> Les colonies sont en ce moment dans un état de transition. Bientôt,
> au lieu d'être une dépendance, nous serons un ami et un allié puis-
> sant. L'Angleterre aura bientôt sous sa domination des nations qui
> seront prêtes et disposées à lui prêter leur concours dans la paix et
> dans la guerre, et à l'aider, si cela est nécessaire, à maintenir sa puis-
> sance contre le monde en armes. L'Angleterre [...] dans la supposi-
> tion où elle serait en guerre avec le reste du monde, aura cet avan-
> tage de pouvoir faire alliance avec les nations à elle subordonnées et
> qui, grâce à leur allégeance au même souverain, l'aideront à lutter,
> comme elle l'a déjà fait, contre le monde entier[38].

Les *Résolutions* ne constituaient pas une déclaration d'indépendance. L'objectif n'était pas de relâcher le lien colonial, mais de le
raffermir : « Quelques-uns ont prétendu que ce projet de confédération était un pas vers l'indépendance, vers une séparation de la mère
patrie. Je n'ai aucune crainte de ce genre. Je crois qu'à mesure que
nous croîtrons en richesse et en force, l'Angleterre sera moins dis-
posée à se séparer de nous que si nous nous affaiblissions et que
nous fussions sans défense[39]. » Plus tard, durant les débats, il lancera
cette formule : « Ceux qui n'aiment pas le lien colonial en parlent
comme d'une chaîne, mais c'est une chaîne en or[40]. » Macdonald
insistait pour calquer les relations entre les provinces et le fédéral sur
le modèle de l'empire britannique :

> Comme nous devons former une province unie, avec des gouverne-
> ments locaux et des législatures subordonnées au gouvernement
> fédéré et à la législature générale, il est opportun que le chef exécutif

de chaque section soit également subordonné à l'exécutif principal de toute la Confédération. Envers les gouvernements locaux, le gouvernement général occupera exactement la même position que le gouvernement impérial occupe actuellement à l'égard des colonies[41].

Vers la fin des débats, le 13 mars 1865, il réitérera son adhésion à une conception hamiltonienne du fédéralisme : « Tâchons de profiter de l'enseignement que cette leçon [la guerre de Sécession] nous donne et n'allons pas nous briser sur le même écueil. Leur erreur fatale, erreur qu'ils ne purent peut-être pas éviter par suite de l'état des colonies à l'époque de la révolution, fut de faire de chaque État une souveraineté distincte à l'exception des cas spécialement réservés par la Constitution au gouvernement général. Le principe véritable qui doit servir de base à une confédération consiste à donner au gouvernement général toutes les attributions et les pouvoirs de la souveraineté[42]. » Ce jour-là, il rejeta la motion de l'opposition obligeant le gouvernement à soumettre les *Résolutions* à un appel au peuple : « Une élection est un trouble civil[43]. » Pourtant, plusieurs Pères fondateurs avaient promis un appel au peuple après la Conférence de Charlottetown. Ainsi, à l'occasion d'un dîner tenu à Toronto, George Brown et Alexander T. Galt avaient fait cette promesse. Selon Macdonald, cet usage n'était pas conforme à la Constitution britannique :

> Nous sommes ici les représentants du peuple et non ses délégués, et en donnant notre concours à une telle loi nous nous dépouillerions de notre caractère de représentants […] cet honorable député connaît trop bien les principes de la Constitution anglaise pour appuyer lui-même un tel procédé […]. Par quel moyen admis et reconnu par notre Constitution pourrions-nous prendre un tel vote ? Il n'y en a pas, et pour le faire il nous faudrait fouler aux pieds les principes de la Constitution anglaise […]. Un appel direct au peuple sur une question de cette espèce peut bien être le moyen que prend un despote, un monarque absolu, pour faire sanctionner son usurpation par le peuple : — ce peut être de cette manière qu'un despote soutenu de baïonnettes peut demander au peuple de voter ou non sur les mesures qu'il propose[44].

Enfin, le dernier acte du processus de fondation de l'Amérique du Nord britannique se joua à l'occasion de la troisième conférence constitutionnelle, qui se tint à Londres en décembre 1866. John A. Macdonald tenta une nouvelle fois de transformer l'union fédérale en une union législative. George-Étienne Cartier réussit à bloquer cette initiative[45]. Macdonald proposa aussi de nommer le nouveau pays « *kingdom of Canada* ». Mais les autorités impériales craignaient que ce nom, aux accents monarchistes, insulte le gouvernement américain. Ils retinrent plutôt la suggestion du Père fondateur du Nouveau-Brunswick, Leonard Tilley. Dans le verset 8 du 72e Psaume de la Bible, il découvrit une formule évocatrice : « *He shall have dominion also from sea to sea, and from the river unto the ends of the earth.* » D'où le nom « *dominion of Canada*[46] ».

Parmi les Pères fondateurs, John A. Macdonald fut le grand gagnant de la création de l'Amérique du Nord britannique. Pourtant, à peine trois ans plus tôt, il était un politicien vulnérable et impopulaire. Il ne semblait pas promis à un grand avenir politique. Penser ainsi c'était toutefois oublier l'influence de l'élite impériale sur les affaires canadiennes. De fait, Macdonald avait des appuis de taille dans l'administration coloniale. Le gouverneur Monck lui donna un coup de pouce inestimable. Aidé de Denis Godley, fonctionnaire colonial britannique retors que les Canadiens surnommaient « le Tout-Puissant », Monck écrivit de nombreuses dépêches au Colonial Office. Il faisait état de l'avancement des négociations et assista aux importantes conférences constitutionnelles. Les vues de Monck étaient profondément monarchistes. Il espérait que l'on fasse du Canada un royaume et que sa charge soit celle d'un vice-roi[47]. Il serait ainsi devenu chancelier d'un nouvel ordre canadien de chancellerie. Lorsque vint le temps de choisir le premier premier ministre du nouveau régime, il ne se tourna pas vers l'homme le plus populaire ou le plus expérimenté, mais vers celui dont les vues épousaient le mieux cet idéal britannique, John A. Macdonald.

En mars 1867, Monck apprit à Macdonald qu'il le désignerait comme premier ministre du nouveau régime. Aucune règle ne permettait de déterminer qui serait l'heureux élu. Le gouverneur pensait qu'il était le plus apte à diriger un ministère, étant donné qu'il avait présidé de main de maître la Conférence de Londres : « En vous autorisant à entreprendre la tâche de former le gouvernement du Dominion du Canada, je tiens à préciser que tout le monde doit clairement comprendre que désormais le poste de premier ministre incombera à *une seule* personne, responsable devant le gouverneur général de la nomination des autres ministres[48]. » En fait, normalement, le titre de premier ministre aurait dû échoir à George-Étienne Cartier. Sa carrière était à son apogée. Il était plus expérimenté que John A. et jouissait d'un appui populaire plus solide dans l'électorat. Non sans raison, Cartier eut le sentiment d'être trahi. Dès l'automne 1867, le chef conservateur canadien-français entama des pourparlers avec Brown, l'homme fort de l'Ontario, afin de poser les bases d'un nouveau parti de coalition. Celui-ci aurait compris A. T. Galt, Richard Cartwright, Thomas D'Arcy McGee, Francis Hincks. Mais Brown ne donna pas suite à cette offre d'alliance[49]. Cet automne-là, lors de la première élection du nouveau régime, le Parti conservateur fut facilement réélu : 108 conservateurs, 72 libéraux[50]. C'est au Québec que les conservateurs eurent les meilleurs résultats, remportant 47 des 65 sièges. Il y eut de l'ingérence cléricale dans plusieurs circonscriptions, mais le nouveau régime n'était guère contesté durant les débats sur les tribunes politiques. La plupart des figures de l'opposition de 1865 avaient décidé de donner une chance au régime. Ce sont d'autres questions qui firent l'objet de débats : la milice, la marine, l'autonomie provinciale[51].

Le régime de 1867 ne donna pas naissance à un pays indépendant. John A. Macdonald fut très clair là-dessus. Il n'était pas question que l'Amérique du Nord britannique s'affranchisse de la mère patrie. « Le lien colonial, disait Macdonald, est une chaîne. Mais c'est une chaîne en or. » Cette vision des choses n'était pas partagée par toute l'élite politique. Beaucoup de libéraux, en particulier au Québec, souhaitaient que le Canada devienne un pays indépendant. Être canadien et être britannique, c'était incompatible. Cette question divisait d'ailleurs les libéraux. Ceux de l'Ontario étaient plus attachés à la Grande-Bretagne. Les libéraux québécois, eux, étaient plus sympathiques aux États-Unis. Ceux de la région de Montréal, en particulier, pensaient que l'axe économique nord-sud était plus susceptible d'assurer la prospérité. Une littérature indépendantiste vit le jour à Montréal dans la première décennie du nouveau régime. Médéric Lanctôt, Lucius Seth Huntington, John Young, Hector Fabre publièrent des essais sur cette question. L'année 1871 exacerba le ressentiment face à Londres. La signature du Traité de Washington entre la Grande-Bretagne et les États-Unis mettait un terme à un siècle de guerres et de luttes diplomatiques. Plusieurs litiges entre les deux pays étaient visés par le traité. Parce que ces litiges concernaient le Canada, la Grande-Bretagne avait nommé Macdonald comme négociateur. Lorsque le contenu du traité fut rendu public, un cri de trahison se fit entendre dans tout le pays. La Grande-Bretagne, de toute évidence, avait signé cet accord dans le but de faire la paix avec un rival menaçant. « J'avoue que mon premier mouvement, admit Macdonald, a été d'annoncer ma démission à Lord Grey, afin qu'il la transmette à Lord Granville[52]. » De retour au Parlement, il tenta de minimiser la gravité des concessions (en particulier l'ouverture des eaux canadiennes aux pêcheurs américains). Mais le mal était fait.

Les critiques libéraux prétendaient que le « britannisme » du premier ministre avait coûté cher aux Canadiens. Plusieurs conservateurs admirent que Macdonald n'était pas le meilleur défenseur des intérêts du pays. L'opposition libérale exploita par la suite le sentiment nationaliste. Même dans le château fort du loyalisme, l'Ontario, des cris s'élevèrent contre la cupidité de l'Angleterre. Le mouvement politique Canada First, établi à Toronto, connut son heure de gloire. S'inspirant des vues de Thomas D'Arcy McGee, de jeunes auteurs travaillèrent à forger un sentiment national. Ce mouvement n'allait cependant pas jusqu'à proposer la rupture du lien colonial[53]. Impérialistes autant que nationalistes, ils prônaient l'expansion du territoire canadien vers l'ouest, jusqu'au Pacifique. Des leaders du Canada First avaient d'ailleurs été au cœur des événements ayant mené à la première rébellion des Métis de la rivière Rouge en 1869[54].

Le scandale du Pacifique

Le scandale du Pacifique est un événement clé qui permet de saisir le style hamiltonien de Macdonald[55]. À l'instar du Père fondateur américain, il pensait que le patronage, la corruption, l'influence étaient inhérents au modèle anglais de gouvernement[56]. Durant les épisodes de ce scandale, qu'il vécut comme une lancinante descente aux enfers, il découvrit que de nombreux Canadiens ne partageaient pas sa vision du monde. L'affaire commença en août 1871 lorsque le ministre des Finances, sir Francis Hincks, signala au capitaliste montréalais sir Hugh Allan que des hommes d'affaires américains cherchaient à mettre la main sur le contrat du Canadien Pacifique[57]. Ce tracé ferroviaire, promis à la nouvelle province de Colombie-Britannique, devrait être l'œuvre d'une compagnie canadienne, souffla Hincks à Allan. Il lui fournit même le nom de ces investisseurs américains. Dès septembre 1871, la compagnie d'Allan était fondée. En théorie elle était canadienne, mais en pratique elle était surtout financée par des intérêts américains, par l'intermédiaire de George W. McMullen, un Canadien lié aux réseaux financiers américains. Allan cherchait aussi à intégrer des partenaires canadiens. Il approcha le sénateur ontarien David Macpherson. Mais ce fut une bourde. Le sénateur se méfiait d'Allan et de la grande bourgeoisie montréalaise. Il riposta en créant son propre consortium, qui rivaliserait avec celui d'Allan pour l'obtention du contrat. Derrière le conflit entre Allan et Macpherson se profilait la rivalité entre la bourgeoisie de Montréal et celle de Toronto.

Afin d'obtenir le contrat, sir Hugh Allan devait rallier Cartier à ses vues. Le gouvernement conservateur ne pouvait se passer de l'appui de ses 45 députés du Québec. Car la majorité du gouvernement était inférieure à ce nombre. Allan pensait gagner l'adhésion d'un bon nombre de ces députés québécois en faisant miroiter la construction de la liaison ferroviaire Ottawa-Montréal-Québec sur la rive nord du Saint-Laurent. Mais sa compagnie, la Northern Colonization Railway, était en concurrence avec la compagnie du Grand Tronc, qui, elle, avait la faveur de Cartier. Allan était donc en conflit avec Cartier. Afin de le faire céder, Allan se mit à soudoyer en douce un nombre impressionnant de notables. Il cherchait à noircir la réputation du chef conservateur. Et, de fait, peu de temps avant les élections fédérales, Cartier s'aperçut qu'il avait perdu plusieurs appuis précieux.

Macpherson, de son côté, gênait John A. Macdonald. À aucun prix, il ne voulait participer à un consortium où les Américains étaient majoritaires. Macdonald avait besoin de l'entente pour affronter l'électorat. Il était coincé entre choisir le projet d'Allan et satisfaire l'électorat québécois, ou appuyer le projet de Macpherson et plaire à l'électorat ontarien. La seule façon de dénouer ce dilemme était de convaincre Allan et Macpherson de faire marche commune. Macpherson était réticent, car il soupçonnait Allan d'être à la solde des financiers américains. La marge de manœuvre d'Allan était donc nulle. Les 29 et 30 juillet, les tractations s'accélérèrent. Allan força Cartier à mettre ses promesses sur papier. Aidé par l'avocat conservateur John Abbott, Allan rédigea deux lettres. La première promettait que le gouvernement accorderait le contrat du Canadien Pacifique à Allan. La seconde précisait que ce dernier financerait la campagne électorale des conservateurs. Lorsque Macdonald apprit l'existence de ce petit marché, il demanda à Allan de renoncer à la première lettre. Beau joueur, ce dernier accepta, tout en maintenant son aide financière au Parti conservateur. Il débours a 300 000 $, une jolie somme pour l'époque. L'élection générale fédérale de 1872 arriva. Grâce aux bons soins d'Allan, les conservateurs furent reportés au pouvoir, mais de justesse : 104 conservateurs, 96 libéraux. En Ontario, ils perdaient de plusieurs sièges ; le Québec restait le château fort conservateur, mais la majorité avait diminué. Cartier fut même battu dans sa circonscription, Montréal-Est. Toutes ces tractations de Hugh Allan avaient donné des sueurs froides à Macdonald. Comme il l'admit : « Allan semble avoir totalement perdu la tête. Il a commis une série de bévues surprenantes. Son imprudence a provoqué d'innombrables problèmes dont la compagnie n'est pas près de se sortir. Il est le plus mauvais négociateur que j'ai vu de ma vie[58]. »

Le scandale public ne commença vraiment qu'au début de 1873. Le Parlement fédéral s'apprêtait à annoncer que le contrat du Canadien Pacifique était attribué à une compagnie formée de deux groupes rivaux, sous la direction du magnat Hugh Allan. Le terminus, prévoyait l'annonce, se trouverait à Montréal. Le 2 avril, aux Communes, se leva Lucius Seth Huntington, député libéral de Shefford dans les Cantons-de-l'Est. D'origine américaine, ce libéral était un peu excentrique, un *loose cannon*. En 1867, il s'était opposé à la Confédération. Deux ans plus tard, en septembre 1869, il avait prononcé un discours fracassant prônant l'indépendance du Canada. Huntington se leva donc et porta une grave accusation contre le gouvernement Macdonald. Cette accusation comportait deux griefs selon lesquels, d'abord, la compagnie présidée par Hugh

Allan, censément canadienne, était en fait soutenue par de puissants financiers américains, ensuite, les ministres conservateurs avaient promis à Hugh Allan la charte du Canadien Pacifique afin de garnir leur caisse électorale lors de la dernière élection fédérale.

Intérieurement ébranlé, John A. Macdonald feignait d'être atteint par cette attaque. Afin de noyer le poisson, il refusa la tenue d'une enquête, prétextant que les règles parlementaires ne permettaient pas de produire les preuves à la Chambre. Voulant néanmoins démontrer sa bonne foi, il accepta de mettre sur pied un comité qui se pencherait sur ces accusations. Le premier ministre en nomma lui-même les membres. Il attribua la présidence au juge retraité Charles Dewey Day, chancelier de l'Université McGill. Celui-ci promit au chef conservateur de renverser la tendance de l'opinion publique. Le 20 mai, Macdonald apprit la nouvelle de la mort, à Londres, de George-Étienne Cartier, son compagnon de combat depuis près de vingt ans. Le décès de son vieil allié, ajouté au stress du scandale, fit augmenter la nervosité du chef conservateur. Il se mit à boire plus qu'à l'accoutumée. Le gouverneur général Dufferin s'en inquiéta :

> Depuis quelques jours, Macdonald a abandonné ses habitudes de tempérance. Il a été amené à prendre de plus en plus de stimulants qu'il n'en faut à son étrange caractère. C'est réellement tragique de voir un homme aussi supérieur atteint d'une infirmité physique et contre laquelle il lutte avec toute la force du désespoir jusqu'à se retrouver anéanti dans un état de complète hébétude[59].

Macdonald continua néanmoins à suivre les travaux du comité parlementaire présidé par Day. Il gardait espoir car il contrôlait bien les réseaux parlementaires. Les libéraux pouvaient difficilement marquer des points au Parlement ; ils le savaient et se tournèrent par conséquent du côté de la presse. Au début de juillet, ils firent publier des éléments de preuve dans le *Montreal Herald*. C'était le journal des marchands libéraux montréalais, dans lequel Huntington signait parfois des articles. Le 3 juillet, une première série de lettres et de télégrammes furent publiés. Dévastatrices, ces pièces révélaient les échanges entre Hugh Allan et les capitalistes américains. Ensuite, le 18 juillet, le journal publia d'autres éléments de preuve, incrimi-

nant cette fois l'action de ministres conservateurs lors des élections :
« Urgent. Personnel. Il me faut dix mille dollars de plus. Ce sera la
dernière fois. Ne me faites pas faux bond. Réponse. » Ces pièces
révélaient que Cartier avait pressé Allan d'envoyer les sommes
nécessaires à sa réélection, ainsi qu'à celle d'Hector Langevin et de
John A. Macdonald. Le *Montreal Herald* dévoilait aussi une liste de
personnalités politiques que le Parti conservateur tentait d'acheter :
A.-B. Foster, George Brown, Donald Smith, Thomas McGreevy. Qui
donc, se demandait Macdonald, avait livré cette correspondance
explosive à l'opposition libérale ? Il finit par découvrir que c'était le
partenaire canadien d'Allan, George W. McMullen. Déprimé, le premier ministre confia au gouverneur général : « C'est un de ces mal-
heurs accablants, dont on dit qu'ils arrivent au moins une fois dans
la vie d'un homme. Sur le coup, j'ai été plutôt secoué[60]. » Durant les
quelques jours qui lui restaient avant son retour aux Communes,
Macdonald se réfugia à sa maison de Rivière-du-Loup. Incapable de
supporter le regard des gens, il se rendit chez un ami dans la région
de Québec. Comme il ne donna aucun signe de vie pendant plusieurs jours, la rumeur publique se mit à colporter les pires hypothèses, dont celle du suicide. Puis, le 10 août, il refit surface à Ottawa,
afin de préparer la rentrée parlementaire.

La conscience de Donald Smith

Quelques jours avant la rentrée parlementaire, le 19 octobre, le
premier ministre reçut une lettre du gouverneur général. Bien que la
lettre fût comme à l'habitude empreinte d'une chaleureuse amitié,
certaines phrases étaient inquiétantes :

> Il est tout aussi indiscutable et évident, que vos collègues et vous
> ont reçu d'énormes sommes d'une personne avec qui vous étiez en
> train de négocier au nom du Dominion et que vous les avez distri-
> buées dans les circonscriptions de l'Ontario et du Québec, et utili-
> sées à des fins interdites par la loi. En agissant de la sorte, je suis inti-
> mement persuadé que vous n'avez fait que vous conformer à une
> tradition solidement établie et que vos adversaires politiques ont
> probablement encouru à des pratiques identiques. Cependant, vos

responsabilités exceptionnelles de ministre de la Justice, garant officiel et protecteur des lois, et votre rôle dans cette affaire ne peuvent fatalement qu'affecter votre position de ministre[61].

Le débat ne reprit au Parlement qu'à partir du 23 octobre. Les critiques de la presse libérale avaient fait plus de tort que le comité parlementaire. Néanmoins, Macdonald était convaincu qu'il s'en tirerait. Le gouvernement allait-il perdre des appuis à la Chambre ? La majorité conservatrice comptait plusieurs indépendants susceptibles de déserter. Les chefs conservateurs firent la cour aux indécis, à l'aide de promesses, de menaces, de pots-de-vin. L'alcool coulait à flots. Au moment des audiences de la commission, le gouvernement disposait de 25 voix de majorité. Celle-ci se mit à fondre. Les principaux ténors libéraux, Mackenzie, Huntington, firent des discours enflammés. Ce dernier lança une phrase lourde de sens : « Vient le temps où l'on doit choisir entre la loyauté au parti et sa loyauté au pays[62]. » Les libéraux faisaient exprès d'éterniser les débats, afin de faire durer le supplice. Afin d'échapper au stress, Macdonald ingurgitait de l'alcool. Mais il risquait, ce faisant, de perdre son sang-froid à la Chambre. Lorsque le premier ministre prit enfin la parole, il accusa Huntington d'être à la solde d'un pouvoir étranger et hostile, bref d'être vendu aux intérêts américains. Il nia avoir conclu un marché avec Allan. L'argent de ce dernier était une simple contribution à la caisse électorale.

> Je laisse à la Chambre, en toute confiance, le soin de juger. Je suis prêt à accepter l'un ou l'autre verdict. Je suis capable de faire face à la décision de cette Chambre, qu'elle soit en ma faveur ou en ma défaveur ; mais qu'elle me soit favorable ou non, je sais, sans vouloir me vanter, car même mes ennemis admettront que je ne suis pas vantard, que personne dans ce pays n'a donné davantage de son temps, de son énergie, de sa santé, de son intelligence et de son pouvoir, quels qu'ils soient, pour le bien du Dominion du Canada[63].

Il termina son discours par la phrase suivante : « Je pense sans crainte faire appel au jugement de cette Chambre, au jugement de ce pays et au jugement de la postérité[64]. » Le libéral Edward Blake profita de ces moments pour prononcer son discours. Il reformula les dernières phrases du premier ministre. « Ce n'est pas à ces sentiments élevés que l'honorable gentilhomme fit appel durant la campagne électorale, ce n'est pas sur le jugement intelligent du peuple qu'il s'appuya, mais sur l'argent de sir Hugh Allan[65]. » Cette réplique eut l'effet d'une bombe. Les libéraux étaient survoltés. Blake ajouta : « Je crois que c'est ce soir ou demain soir que nous verrons la fin de vingt ans de corruption. » Mais le véritable coup de grâce vint de Donald Smith, un homme d'affaires de l'Ouest allié aux conservateurs. Ceux-ci tentaient de l'amadouer, mais l'homme avait une réputation d'incorruptible. Dans son discours, il affirma que le premier ministre n'avait sans doute pas accepté l'argent d'Allan dans un dessein de corruption[66]. Les députés conservateurs se réjouirent de ces paroles, pensant que le gouvernement était sauvé. Ensuite, Smith asséna le coup fatal. Il se dit prêt à voter pour le gouvernement, s'il pouvait le faire selon sa conscience. Mais, justement, sa conscience l'en empêchait. Il rejetait l'accusation de corruption. Mais l'affaire créait néanmoins une « très grave inconvenance. »

Macdonald était humilié, écrasé. Il n'attendit pas le vote. Le lendemain, aux Communes, il annonça sa démission. Plusieurs commentateurs conclurent, à ce moment, que Macdonald n'avait plus aucun avenir politique. Peu d'hommes publics canadiens avaient subi, par le passé, une telle disgrâce. Sa réputation était ternie, sa santé chancelante. Après être passé pour un valet de l'Angleterre lors de la signature du Traité de Washington, il était maintenant soupçonné d'être à la solde des Américains. L'humiliation était totale. Quelques jours plus tard, à l'Hôtel Russell d'Ottawa, Macdonald confia à son auditoire qu'il voulait laisser la direction du parti à un leader plus jeune : « Je ne puis rester beaucoup plus longtemps. Vous trouverez au sein du parti des jeunes hommes que vous serez fiers de suivre avec la fidélité sans faille avec laquelle vous m'avez toujours suivi. J'espère que notre parti donnera le jour à un gouvernement fort, couronné de succès. Cela je n'en doute pas ! Mais j'espère, quant à moi, ne plus jamais faire partie d'aucun gouvernement[67]. »

Les députés indépendants qui avaient déserté le caucus conservateur se rallièrent au chef libéral Alexander Mackenzie, qui put ainsi former un ministère. L'année suivante, en 1874, il remporta des élections générales : 138 libéraux, 67 conservateurs. Durant ce mandat, Mackenzie se heurta souvent à l'obstruction du gouverneur général Lord Dufferin. Ce dernier entendait redonner du lustre à sa fonction.

Faisant preuve d'un activisme zélé, il refusa d'entériner plusieurs lois votées par le Parlement canadien[68]. Il sillonna les quatre coins du pays afin de rencontrer des associations et des notables. Vaniteux, Dufferin aimait distribuer les verbatim des discours qu'il prononçait. Il intensifia aussi la vie mondaine de la haute société à Rideau Hall. Le faste du régime Dufferin gênait les libéraux. Mackenzie, Blake, Dorion pensaient qu'un jeune pays comme le Canada ne pouvait se permettre le luxe d'entretenir une cour. Dufferin rappelait sans cesse à Mackenzie que le Canada n'était pas un pays indépendant : « Vous disiez hier soir que vous n'êtes pas une colonie de la couronne, ce qui est vrai, mais admettez que vous n'êtes pas non plus une république[69]… » Bien qu'il manifestât de l'impartialité en public, Dufferin était très partisan en coulisses. Ses lettres à Macdonald trahissent un préjugé favorable au Parti conservateur. Dans une lettre à Lord Carnavon, secrétaire aux Colonies, il écrivit :

> Il serait prématuré de prévoir l'avenir, mais cela me ferait de la peine de penser que sa carrière politique est achevée. Il est vrai que sa santé est très précaire. Sans cela, il est sûr qu'il pourrait jouer à nouveau un rôle de premier plan, car il est incontestablement le meilleur homme d'État au Canada[70].

Au début de la campagne électorale de 1872, il lui avait envoyé un mot pour lui souhaiter la victoire. Durant le scandale du Pacifique, il resta solidaire de Macdonald jusqu'à la fin. Il faut dire que le chef conservateur était un meilleur courtisan que Mackenzie. Il était flatteur et savait admettre ses erreurs et reconnaître les bons coups du gouverneur général. Un jour, Dufferin déclara : « Si un gouverneur colonial reçoit 10 000 livres par année, ce n'est pas afin de transférer aux autres personnes la solution des questions difficiles[71]. » Quand il était en conflit avec Mackenzie, il justifiait sa position en l'accusant tantôt d'être manipulé par Blake et Cartwright, tantôt de ne pas avoir leur appui.

La Politique nationale

L'attitude de Dufferin n'aida certes pas Mackenzie. Mais la véritable raison de son échec tient à son incapacité de mener une politique économique hamiltonienne. Mackenzie adhérait, avec la plupart de ses ministres (Richard Cartwright, Antoine-Aimé Dorion, Luther Holton), aux postulats économiques du libéralisme anglais, celui de Richard Cobden et John Bright. Ils étaient hostiles à l'intervention de l'État dans l'économie. Proche des intérêts urbains, Edward Blake était toutefois plus protectionniste. Afin de combattre le *dumping* américain, il prônait un protectionnisme modéré. Très influent dans les rangs du parti, Blake démissionna rapidement de son poste, quelques mois seulement après avoir accédé au cabinet. Cette première défection enthousiasma Macdonald, qui s'amusa à ridiculiser son adversaire :

> Tout le monde connaît le principe de la vente par catalogue. L'administration a parcouru le pays et a demandé : Voulez-vous acheter ce tissu ? Il est excellent. Une de ses principales qualités que toutes les bonnes ménagères sauront apprécier, c'est qu'il est composé d'un fil solide provenant tout droit de South Bruce [circonscription de Blake] ! Le peuple de ce pays a été bercé par l'illusion qu'il avait acheté un bon tissu qui ne ternissait pas au soleil, qui résistait au vent et à toutes les intempéries. Mais à peine l'étoffe achetée, le peuple a découvert qu'on en avait retiré le fil le plus solide et, comme peut le remarquer l'honorable député de South Bruce, que le gouvernement a usé de fausse représentation pour s'attirer les faveurs du public. Les gens ne manqueront pas de dire : nous voilà pris de nouveau avec le même vieux tissu brun, comme d'habitude[72].

Mackenzie hérita du pouvoir au moment où le Canada entrait dans une période de dépression économique. Pour stimuler l'économie, il avait espéré signer un traité de réciprocité avec les États-Unis. Dès le début de son mandat, il avait bien chargé George Brown d'une mission importante, soit d'aller à Washington arracher aux Américains un tel traité[73]. Le premier ministre voulait réussir là où son prédécesseur avait échoué. Le gouvernement fédéral américain fit savoir qu'il ne signerait pas un tel traité, à moins qu'une large gamme de produits manufacturés en fasse partie, au même titre que les ressources naturelles (produits de la ferme, de la forêt ou des mines). Acceptant cette concession, Brown obtint une entente avec le département d'État. Mais le Sénat américain refusa de le ratifier. Au Canada, le contenu de l'entente effraya la bourgeoisie industrielle. Attachée à disqualifier l'idée de réciprocité, elle se mit à réclamer vigoureusement une politique visant à défendre la jeune et fragile industrie canadienne. Attentif, Macdonald s'empara de cette idée. À partir de ce moment, il la plaça au cœur de tous ses discours. Il accusait Mackenzie d'être à la solde des amis de Richard Cartwright, « les partisans les plus rigides du libre-échange, les plus fanatiques admirateurs de ce que Carlyle appelait la *dismal science*[74]. »

Le débat sur le protectionnisme, au Canada, n'était pas nouveau. Durant les années 1860, afin de séduire les provinces maritimes, le Canada-Uni avait adopté un tarif assez bas. Ce tarif contrastait nettement avec le tarif très élevé des Américains. Les industries américaines en profitaient pour faire du *dumping*. L'incapacité des Canadiens à arracher aux Américains un nouveau traité de réciprocité fit naître des mouvements de représailles contre le tarif américain. Les libéraux hésitaient à appuyer ces mouvements. Selon la doctrine libérale, le tarif élevé était une taxe imposée à 95 % des Canadiens pour le bénéfice des 5 % restants. Aux yeux des libéraux (Cartwright, Mills, Laurier), un tarif était un privilège de classe, qui protégeait injustement les manufacturiers. Les conservateurs dénigrèrent habilement ces tendances libres-échangistes. Macdonald n'était cependant pas un protectionniste radical. Prudent, il évitait même d'utiliser le mot « protectionnisme », honni par la classe agricole du pays. Car les mesures protectionnistes servaient avant tout les intérêts des industriels et financiers canadiens. En 1876, en intégrant la Politique nationale à son nouveau programme, Macdonald maria son pays aux intérêts de la classe industrielle canadienne. Durant les étés 1876 et 1877, le parti organisa des pique-niques populaires où il défendait ces idées. Le slogan « Politique nationale » était jumelé à un autre : « Le Canada aux Canadiens. » Enthousiasmé par le succès de ces slogans, il accepta au printemps 1878 de diriger les forces conservatrices lors de la prochaine élection générale. Il le faisait par gratitude : « Jusqu'au moment où mes amis me diront qu'ils pensent que j'ai servi assez longtemps, aussi longtemps qu'ils penseront que je puis leur être de quelque utilité, je puis vous affirmer qu'en retour, à cause de tout ce qu'ils ont fait pour moi, il n'est que juste que je ne les laisse pas tomber[75]. »

La Politique nationale de Macdonald ressemblait beaucoup au programme économique des hamiltoniens américains, rassemblés d'abord dans le Parti whig, puis dans le Parti républicain[76]. Ces hamiltoniens prônaient une action énergique du gouvernement fédéral au moyen d'une politique économique nationaliste. Ce programme reçut un nom : le « système américain. » C'est le politicien Henry Clay qui lui donna ce nom. Ce programme était fondé sur trois idées : une politique commerciale protectionniste ; de grands projets de travaux publics fédéraux (ports, canaux, routes, lignes ferroviaires) ; une aide inconditionnelle à la Banque des États-Unis. Ces idées étaient directement inspirées du credo d'Alexander Hamilton. Le nationalisme économique plaisait aux manufacturiers et aux financiers, soucieux d'étendre leurs activités commerciales au-delà des frontières des États. Ces mesures économiques contribuaient à la croissance économique nationale, un préalable nécessaire pour faire monter le niveau de la richesse de toutes les classes de la société.

Macdonald aussi comprit que les intérêts des milieux financiers et de l'industrie devaient être rattachés au gouvernement fédéral. La Politique nationale traduisit la volonté d'affermir la loyauté de la classe industrielle canadienne à l'État fédéral en lui conférant des privilèges spéciaux. La collaboration de la classe industrielle était d'autant plus impérative que l'expansion de l'espace économique canadien était inachevée. En 1876, il n'y avait qu'une superficielle et fragile unité politique. La tâche du Canadien Pacifique, téméraire mais impérieuse, était de faire d'une moitié du continent une unité économique. Plusieurs critiques soutenaient que le mariage du Parti conservateur avec la classe industrielle avait un caractère incestueux. C'est grâce à cette promesse d'une nouvelle politique tarifaire que Macdonald reprit le pouvoir en 1878. Durant cette campagne électorale, il aimait se voir comme un souverain s'apprêtant à retourner sur le trône : « Je reçus un accueil royal qui ne pouvait se comparer qu'à l'accueil réservé à un souverain [...]. Il n'y a pas eu de pareille réception depuis la venue du prince de Galles en 1860[77]. »

La restauration eut lieu. Les conservateurs de Macdonald balayèrent les libéraux de Mackenzie par une forte majorité : 137 contre 69. Durant la première année de ce nouveau mandat, Macdonald mit en place sa Politique nationale. Celle-ci prévoyait d'abord des mesures modifiant la politique tarifaire : 1) une hausse générale des tarifs douaniers variant de 17,5 % à 25 % ; 2) une hausse allant jusqu'à 30 % pour certains produits ; 3) des tarifs plus élevés pour certains produits manufacturés que pour les matières premières ; 4) des taxes très élevées sur les machines de l'industrie textile et les pièces pour la construction navale. La Politique nationale encourageait aussi la construction du chemin fer transcontinental et le peuplement de l'Ouest. Macdonald eut la chance et le plaisir de voir la situation économique s'améliorer et ne tarda pas à établir un lien entre les deux faits. En été 1878, il partit pour l'Angleterre afin de convaincre des financiers de fournir le capital nécessaire à la construction du chemin de fer intercolonial. La réalisation du projet, qu'il avait promise à la province de Colombie-Britannique, devint une véritable obsession. Macdonald profita de son séjour dans la métropole de l'empire pour recevoir un honneur qu'on lui avait jadis promis : le titre de conseiller de la reine (le scandale du Pacifique avait incité la couronne à reporter l'événement). Par tradition, ce titre n'était pas accordé à des coloniaux. Le premier ministre canadien réalisa aussi un vieux rêve, celui de rencontrer Benjamin Disraeli, l'homme qui redéfinit le conservatisme britannique[78]. En effet, Macdonald fut invité à souper chez Lord Beaconsfield. Il eut l'insigne honneur d'être hébergé pour la nuit au Hughenden Manor, dans la campagne anglaise. Disraeli garda une belle impression de John A., comme en fait foi cette lettre écrite le lendemain de leur rencontre : « Il est distingué, agréable et très intelligent ; c'est un homme considérable[79]. »

Durant ce séjour, le premier ministre était accompagné de trois collègues, Charles Tupper, Joseph Pope, David Macpherson. Ils visitèrent l'Angleterre afin de persuader des capitalistes de financer le parachèvement de l'Intercolonial jusqu'en Colombie-Britannique. Macdonald avait promis à cette province, au moment de son adhésion à la Confédération (1871), de finir le tracé dans un délai de dix ans. Durant le mandat libéral, il avait accusé Mackenzie d'avoir ralenti le processus au point de compromettre l'exécution de cette promesse. Les libéraux rétorquèrent en accusant les conservateurs de vouloir mener le pays à la faillite. Après des négociations, Macdonald réussit à signer une entente avec les constructeurs du Canadien Pacifique. La compagnie allait recevoir 25 000 000 $ et

25 000 000 acres de terrain ceinturant le chemin de fer, de Winnipeg jusqu'à Jasper House dans les Rocheuses. Le contrat prévoyait que la ligne serait terminée avant le 1er mai 1891. L'opposition, menée maintenant par Edward Blake, accusa Macdonald de préparer un désastre financier.

Le soulèvement providentiel

Le pessimisme de Blake était en porte-à-faux par rapport au sentiment de l'électorat canadien, enthousiaste à l'égard du retour de la prospérité économique. Ainsi, aux élections générales de 1882, les conservateurs de Macdonald battirent facilement les libéraux. Ils accrurent même leur majorité par deux sièges : 139 contre 71. La puissance des bleus au Québec était à nouveau confirmée. Pourtant, les réserves de Blake à l'égard du Canadien Pacifique n'étaient pas sans fondement. Au début de 1884, le gouvernement conservateur dut voter une mesure pour soutenir financièrement la compagnie. Puis, à la fin de l'hiver 1885, le premier ministre était à nouveau dans le pétrin. Même après avoir reçu des millions, en prêts ou en dons, la compagnie était dans une impasse financière. Son président George Stephen, riche marchand montréalais, tentait d'obtenir une nouvelle aide financière. Le Parlement n'était plus disposé à ajouter un sou à cette aventure. L'autre financier engagé dans la compagnie, Donald Smith, admit candidement : « Si le CP déclare faillite, c'est le gouvernement conservateur qui saute avec lui[80]. » Macdonald en était conscient. Semblait définitivement s'effondrer le rêve d'unifier le continent, d'un océan à l'autre, au moyen du chemin de fer. Seul un événement majeur pouvait, à ce moment-là, renverser la vapeur.

Le jour même où Macdonald annonça à George Stephen que le gouvernement n'accorderait plus d'argent au Canadien Pacifique, il se produisit un incident dans l'Ouest. Il était d'importance mineure, mais John A. sut l'exploiter pour en faire un psychodrame d'enver-gure nationale. Cet incident, c'était la bataille de Duck Lake. Les Métis y avaient mis en déroute un détachement de la police montée du Nord-Ouest et tué une dizaine de policiers et de volontaires. Macdonald en parla comme d'une « grave insurrection » menaçant la sécurité du dominion. L'ingénieur du Canadien Pacifique,

William Van Horne, se trouvait à ce moment-là à Ottawa. Il se porta volontaire pour aller dans l'Ouest et y diriger deux régiments de cavalerie dans le but de rétablir la loi et l'ordre. Mais, pour assurer le transport des troupes de Sa Majesté, il fallait auparavant parachever le tracé ferroviaire. Une vaste campagne de recrutement fut donc lancée pour apporter du renfort à la police montée des Territoires du Nord-Ouest. En deux semaines, les troupes de Van Horne réussirent à se rendre à la rivière Qu'Appelle, à proximité du camp des insurgés. Puis, ils procédèrent à l'arrestation des chefs métis. La correspondance de Macdonald avec le gouverneur général du temps, le général Landsdowne, révèle qu'il exagéra volontairement l'ampleur du drame. Le 31 août 1885, Landsdowne lui écrivit : « Vous considérez le récent soulèvement dans le Nord-Ouest tout au plus comme une crise locale qui ne devrait pas être présentée comme une insurrection [...]. Mais je crains que nous ayons tous fait l'impossible pour l'élever au rang d'insurrection et avec un tel succès que nous ne pouvons plus le réduire à une simple émeute[81]. » Le premier ministre s'empressa de lui répondre, sur un ton manifestement conciliant : « Je crains que vous n'ayez raison en ce qui concerne le caractère du soulèvement. Nous en avons certes exagéré les dimensions à l'intention du public. Nous l'avons fait, cependant, à nos propres fins et, je crois, plutôt habilement. C'était un soulèvement limité tant par le nombre de participants que par la région touchée. Il n'a jamais mis en danger la sûreté de l'État ni entraîné de complications internationales[82]. »

Des irrégularités caractérisèrent le procès de Louis Riel. Dans une région où les francophones et les catholiques ne manquaient pas, les autorités judiciaires finirent par sélectionner six anglophones protestants. Les accusations portées contre le chef métis se résumaient au crime suivant : sujet de la reine, il avait fomenté une rébellion contre la couronne. Pourtant, Riel n'était pas un sujet de Sa Majesté. Il était citoyen américain. Une lettre de Macdonald envoyée au gouverneur général, Lord Landsdowne, révèle la pensée du premier ministre : « Votre Excellence établit une distinction entre la trahison, qui a des incidences politiques, et les autres crimes. Or, il y a trahison et trahison : toute résistance armée à l'autorité de la reine est en principe une trahison, mais peut n'avoir aucune signification politique[83]. » En fait, il était tenté d'aborder l'action des Métis

sous l'angle des crimes de droit commun : « Les meurtres reprochés
à Riel sont d'une telle gravité qu'ils constituent en principe une trahison. Toute l'insurrection pourrait à juste titre être comparée aux
émeutes de Rebecca survenues il y a quelques années en Angleterre,
alors qu'il y eut résistance armée aux troupes de Sa Majesté et mort
d'hommes. Ces troubles [...] furent, en principe, considérés comme
une trahison mais, en réalité, il ne s'agissait que d'émeutes et de
meurtres[84]. »

Les jurés prononcèrent un jugement de culpabilité. Mais ils pro-
posèrent que Riel soit gracié. L'opinion se divisa autour de cette
question, en Ontario et au Québec. Le ministre de l'Intérieur David
Macpherson formula clairement le dilemme. Il fallait choisir entre
l'Ontario et le Québec. Si l'Ontario était sacrifié, les conséquences
pourraient s'avérer dramatiques, les orangistes étant survoltés. Si le
Québec l'était, l'affaire serait vite oubliée. Macdonald fit donc son
nid. Lui aussi avait de la peine à garder son sang-froid : « Il sera
pendu, lança Macdonald, même si tous les chiens du Québec
aboyaient en sa faveur[85]. » Il décida ainsi de sacrifier la province qui,
pendant longtemps, lui avait apporté la gloire politique. Macdonald
avait fait le pari que les Canadiens français oublieraient. Et il est vrai
qu'à court terme, la pendaison n'eut pas d'effets dévastateurs. Aux
élections fédérales de 1887, les conservateurs l'emportèrent à nouveau : 126 sièges contre 89. Au Québec, l'affaire Riel commença à
miner la domination des bleus, ne faisant élire qu'un député de plus
que les libéraux. C'est l'Ontario qui livra la victoire à Macdonald. En
un sens, le Canadien Pacifique fut sauvé, *in extremis,* par Louis Riel.
L'ingénieur de la compagnie, William Van Horne, le comprit. Il
déclara que le Canadien Pacifique, un jour, devrait ériger une statue
à la mémoire du chef métis.

Le testament d'un sujet britannique

Les dernières années de la vie de Macdonald se passèrent sous
le signe de la loyauté à l'empire. Depuis la fondation de l'Imperial
Federation League, à Londres en 1884, un mouvement s'était
dessiné dans les dominions visant à arrêter leur évolution vers
l'indépendance politique[86]. Les artisans britanniques de l'Imperial

Federation League étaient W. H. Forster et Lord Roseberry. Ceux-ci travaillaient à établir des sections locales dans chacun des dominions. Parmi les hommes publics canadiens actifs dans cette ligue, on trouvait G. M. Grant, George Parkin, le colonel George Denison, D'Alton McCarthy. L'intérêt pour le pansaxonnisme transcendait les clivages politiques, bien que les tories y fussent plus favorables. Ce mouvement politique était nourri d'idéologies préraciales qui dominaient la scène intellectuelle européenne : le pangermanisme, le panslavisme, le panlatinisme, le pansaxonnisme. En Grande-Bretagne et dans les colonies, de plus en plus d'hommes publics prônaient un rapprochement des peuples anglo-saxons[87]. Afin d'intéresser les coloniaux, les autorités impériales jonglaient avec l'idée de créer une « fédération impériale », qui leur accorderait une représentation au Parlement impérial. Le plus grand intellectuel canadien du temps, Goldwin Smith, tenta de mettre un terme à ce rêve impérial en publiant, en 1891, le percutant essai *Canada and the Canadian Question*[88]. Il s'agissait de la critique la plus dévastatrice de la « vision macdonaldienne » du Canada. Durant les années 1880, Smith était devenu de plus en plus pessimiste face à la possibilité qu'une véritable nationalité canadienne s'épanouisse au nord des États-Unis. Selon Smith, l'annexion était la seule solution raisonnable aux problèmes qui affligeaient les Canadiens : les obstacles géographiques séparant les régions ; le conflit racial opposant les Canadiens français aux Canadiens anglais ; l'adoption graduelle des idéaux américains. En défiant la géographie, le Canada ralentissait la croissance économique ; en voulant cimenter les régions par des moyens politiques, les politiciens augmentaient la corruption de la vie publique. Il y avait, selon Smith, trois avenues pour dénouer l'impasse : la dépendance coloniale ; la fédération impériale ; l'annexion. Seule la dernière avenue lui semblait réaliste. Elle apporterait la prospérité, éviterait une guerre entre l'Angleterre et les États-Unis et rapprocherait les peuples anglo-saxons. Ce dernier point lui tenait à cœur. Il souhaitait que la fusion du Canada avec les États-Unis accélère la réunion de tous les peuples anglo-saxons. Ainsi, l'annexionnisme de Smith visait à faire avancer une cause supérieure, le pansaxonnisme[89]. Le premier pas à franchir dans cette direction était de conclure un accord de libre-échange commercial avec le voisin du sud.

Deux intellectuels donnèrent une réponse substantielle à l'argument de Goldwin Smith. Le premier, G. M. Grant, souhaitait comme Smith que le Canada travaille au rapprochement des peuples anglo-saxons. Mais il lui reprochait de s'être laissé séduire par des formules brillantes[90]. La géographie, affirmait-il, n'était pas le facteur le plus puissant dans la vie des nations. Rien n'était plus déterminant que les idéaux des peuples. En considérant uniquement le progrès matériel, Smith avait manqué de noblesse. L'autre intellectuel à avoir critiqué Smith était George Parkin, un autre impérialiste. Celui-ci avait participé en 1889 à une tournée des dominions avec l'Imperial Federation League. Ses séjours en Australie, en Nouvelle-Zélande et dans les Indes lui donnèrent la conviction que les instruments modernes de communication et de transport rendaient l'unité de l'Empire britannique aussi réalisable et nécessaire que l'unité du Canada. En fait, l'une et l'autre unités étaient liées. Sa démonstration reposait sur des facteurs géopolitiques[91]. Le Canada jouait un rôle stratégique dans le système impérial en vertu de ses nombreux atouts : ses ports et ses mines de charbon, le Canadien Pacifique qui offrait une voie sécuritaire de communication avec l'Asie et l'Océanie, ses réserves de blé de l'Ouest que le système maritime acheminait vers l'Atlantique. Si l'Empire perdait le Canada, écrivait Parkin, il s'effondrerait ; si l'Empire s'écroulait, le Canada périrait.

En dépit de ces critiques, les idées de Goldwin Smith avaient un certain attrait. Deux mouvements politiques s'en approchaient. D'abord, l'aube des années 1890 laissait voir la montée d'un mouvement pour les droits des provinces. Ensuite, l'opinion publique se voulait maintenant plus favorable au continentalisme économique. Ces deux mouvements étaient certes distincts. Mais plusieurs hommes publics étaient favorables aux deux. L'accession de Laurier à la tête du Parti libéral, en 1887, avait cristallisé ces deux mouvements. Comme la plupart des libéraux québécois, Laurier était provincialiste et favorisait la réciprocité commerciale avec les États-Unis. Mais le caucus libéral était divisé. Si David Mills et Richard Cartwright partageaient les idées de Laurier, les deux anciens chefs, Blake et Mackenzie, avaient de sérieuses réserves. Macdonald vit que les libéraux n'étaient pas unis en bloc derrière leur chef. Il profita de la publication d'un manifeste favorable à l'annexion pour déclencher des élections. Issu de la plume du libéral Edward Farrer, rédacteur au *Globe* de Toronto, le manifeste affirmait que la destinée du Canada était de marier ses intérêts avec ceux des États-Unis. Macdonald saisit cette occasion pour montrer que le libéralisme de Laurier menait à l'annexion.

Âgé de 76 ans, doté d'une santé chancelante, Macdonald eut néanmoins de la difficulté à mener la campagne électorale jusqu'à son terme. Pourtant, le 7 février 1891, à Ottawa, il fit l'un des discours les plus importants de sa carrière. Véritable testament politique, ce discours récapitulait ses idées. Il commença en rappelant que la politique de son gouvernement était d'édifier une grande et puissante nation, partie intégrante de l'Empire britannique, sous l'égide du drapeau anglais. Les partisans canadiens de la réciprocité avec les États-Unis, poursuivait-il, niaient que cette politique mènerait à l'annexion. Pourtant, leurs alliés américains affirmaient qu'il s'agissait seulement d'une étape préliminaire à l'union politique. Le grand avantage que les Canadiens tiraient du lien britannique était qu'ils jouissaient du prestige inspiré par la conscience que, derrière eux, se déployait la majesté de l'Angleterre[92]. Il termina son discours par ces phrases qui sont devenues célèbres :

> Pour ma part, ma position est claire. Je suis né sujet britannique et je vais mourir sujet britannique. Jusqu'à mon dernier effort, jusqu'à mon dernier souffle, je vais m'opposer à cette trahison hypocrite, qui tente par des moyens sordides et des plaidoyers mercenaires de détourner le peuple de son allégeance. Durant mes cinquante années de service public, j'ai été honnête à ma patrie et à ses plus nobles intérêts. J'en appelle avec la même assurance aux hommes qui m'ont fait confiance dans le passé, ainsi qu'à la jeunesse, sur laquelle reposent les destinées pour l'avenir, de m'offrir leur aide dans ce dernier effort pour préserver l'unité de l'empire et la préservation de notre liberté commerciale et politique[93].

Le pourcentage du vote conservateur augmenta à cette élection. Mais le nombre de députés diminua : 121 conservateurs ; 94 libéraux. Le parti de Laurier avait surtout marqué des points en Ontario. Macdonald mourut au cours de la première session de la Chambre. Jour après jour, son état s'était détérioré. À l'annonce de son décès, les parlementaires lui rendirent des hommages bien sentis. Le mot le plus pénétrant vint de son nouvel adversaire, Wilfrid Laurier, qui, incidemment, était appelé à lui succéder comme *monarque*: « Il peut faire, M. l'Orateur, que le peuple canadien voyant s'éclaircir graduellement les rangs de ceux sur lesquels il s'est habitué à compter pour le guider, sente se glisser en son cœur la crainte d'un danger qui menacerait les institutions du pays. En face de la tombe de celui qui fut, plus que tout autre, le père de la Confédération, je souhaite que notre douleur ne soit pas une douleur stérile ; mais qu'on y joigne la résolution la plus ferme de ne voir jamais s'écrouler l'édifice auquel libéraux et conservateurs, Brown et Macdonald, ont travaillé ensemble, et de travailler à ce que le Canada, tout privé qu'il soit des services de ses plus grands hommes, ne périsse pas, mais qu'il vive toujours[94]. » Dans cet hommage aux fondateurs, il n'y avait aucune référence à Papineau ni à Dorion. Laurier était prêt à être consacré politicien de l'heure au Canada.

Dans les autres hommages rendus au patriarche, au Canada comme en Angleterre, on aimait faire remarquer la ressemblance qui existait entre John A. Macdonald et l'ancien premier ministre conservateur Benjamin Disraeli. Dans son fameux *Problems of Greater Britain*, l'impérialiste Charles Dilke avait noté la grande ressemblance physique entre les deux hommes[95]. Mais il y avait aussi l'étroite parenté idéologique. Les deux hommes avaient rénové la pensée conservatrice, redoré le blason des institutions de la couronne et plaidé pour l'expansion de l'Empire. Ces hommages faisaient ressortir la grande qualité politique de Macdonald, l'art de gouverner les hommes. Durant près de quarante ans, il avait réussi à faire cohabiter au sein de la même coalition politique les intérêts les plus divergents, faisant travailler main dans la main orangistes et ultramontains. Cet art consistait souvent à remettre à plus tard les tâches jugées impossibles. C'est pour cela qu'il avait hérité du sobriquet *Old Tomorrow*. Il citait souvent cette phrase du célèbre homme politique britannique que fut William Pitt: « La première, la deuxième et la troisième qualités d'un premier ministre sont la patience. »

CHAPITRE 2

Wilfrid Laurier
1841-1919

Le règne de Laurier est intéressant à plus d'un titre. Il permet d'abord de comprendre que le long règne de Macdonald a façonné un moule. Les autres hommes qui devinrent premiers ministres fédéraux durent, par la suite, s'y conformer pour aspirer au titre de monarque élu. Comme Macdonald, Laurier connut un début de carrière laborieux. Le jeune Laurier assista d'abord à la naissance d'un régime qu'il condamnait. Puis il fut témoin du triomphe cynique et hautain des ennemis du libéralisme. Pendant quelques mois, il goûta aux fruits du pouvoir, comme ministre du gouvernement Mackenzie. La défaite libérale aux élections générales de 1878 amorça une nouvelle traversée du désert. Officieusement chef du parti à partir de 1887, Laurier présida à une patiente reconstruction. Afin de gravir les échelons menant au pouvoir suprême, Laurier dut comme Macdonald devenir le grand rassembleur de son époque. Il réussit à conserver au sein d'une nouvelle coalition autant les vieux libéraux radicaux qu'un certain nombre de conservateurs et de modérés consternés par les abus du régime Macdonald. Dès le début des années 1890, les élites canadiennes virent en Laurier le successeur du vieux patriarche conservateur. Il devint donc premier ministre à l'âge de cinquante-six ans. Il garda le pouvoir pendant quinze ans, soit durant quatre mandats. Il le perdit lors des élections générales de 1911. Mais il resta chef du parti jusqu'à sa mort, en 1919. Ses dernières années furent tragiques. Il fut amené à conclure que le libéralisme de sa jeunesse était mort. Ce libéralisme était celui des Richard Cobden, Thomas B. Macaulay, William Glad-stone[1]. Les libéraux anglais du XIXᵉ siècle cherchaient à limiter l'expansion de l'État et les prérogatives de la monarchie. Attachés à l'autonomie des gouvernements locaux, ils réclamaient des institutions politiques électives, veillaient à limiter la taille de la fonction publique, favorisaient la liberté de commerce (libre-échange) et suggéraient d'abolir les privilèges de l'aristocratie et des Églises. Ces idées étaient soutenues par les petits marchands, les fermiers, les artisans. Elles devinrent anachroniques au début du XXᵉ siècle, avec le triomphe du grand capitalisme.

Wilfrid Laurier naquit le 20 novembre 1841 dans la paroisse de Saint-Lin dans les Laurentides, de l'union entre Carolus Laurier et Marcelle Martineau. Cultivateur et arpenteur, Carolus était un homme débrouillard, opportuniste, passionné par la politique des Patriotes de Papineau. Le jeune Wilfrid fut d'abord envoyé à l'école primaire française de Saint-Lin. Mais son père se ravisa lorsqu'il eut dix ans. Voulant que son fils apprenne l'anglais, Carolus entreprit des démarches pour l'envoyer vivre dans une famille anglaise pendant la semaine. Il connaissait une famille catholique irlandaise, dans le village anglophone de New Glasgow, près de Saint-Lin. Mais, quelques jours avant la rentrée des classes, madame Kirk tomba malade. Carolus trouva pour héberger son fils une autre famille, celle de John Murray, un marchand presbytérien d'origine écossaise. Les Laurier n'entretenaient aucune crainte. Ils connaissaient les Murray depuis longtemps et savaient que leur fils y serait bien traité. Wilfrid relata un jour ce souvenir : « Je me rappelle ces batailles avec les garçons écossais de mon âge, ainsi que les premiers baisers avec les petites Écossaises ; j'avais plus de succès dans la seconde activité que dans la première[2]. » À l'école du village, la maîtresse enseignait les grands classiques anglais, Milton, Shakespeare, Burns. Deux ans plus tard, à l'âge de douze ans, il revint fréquenter l'école de Saint-Lin, bilingue et renseigné sur les subtilités de la culture anglaise. Jusqu'à sa mort, son anglais fut teinté d'un accent écossais. Il se pourrait que ses parents aient voulu, dès sa naissance, lui donner le lustre de la culture écossaise. Ils l'appelèrent Wilfrid, nom très populaire à l'époque, inspiré du personnage du célèbre roman historique *Ivan-hoe*, de l'écrivain écossais Walter Scott[3]. Enfin, en 1854, à l'âge de treize ans, Laurier fut envoyé au collège de l'Assomption, collège prestigieux du Bas-Canada, qui forma plusieurs hommes politiques de l'époque[4]. L'enseignement classique y était prodigué par des ecclésiastiques. Le courant ultramontain commençait à régner. Laurier n'avait ni le caractère, ni l'héritage familial nécessaires pour se plier à la discipline de ses maîtres. La figure de Papineau continuait à être auréolée de prestige. Dans ses moments libres, Laurier se rendait à des assemblées politiques ou à des lectures publiques.

L'intérêt pour la vie publique

En 1861, Laurier s'inscrivit au McGill College afin d'y faire son droit. Il y fit une rencontre déterminante, celle du réputé avocat Rodolphe Laflamme. Ce dernier était un membre influent de l'Institut canadien[5]. À Montréal, le rougisme transcendait les clivages linguistiques et religieux. Comme Antoine-Aimé Dorion, Laflamme était un intermédiaire entre les francophones, d'une part, et les anglophones (Luther Holton, Lucius Seth Huntington) et Irlandais (Bernard Devlin, Francis Cassidy), d'autre part. Par l'entremise de Laflamme, Laurier se lia à plusieurs membres de la « pléiade rouge » : Antoine-Aimé et Jean-Baptiste-Éric Dorion, Louis-Antoine Dessaulles, Joseph et Gustave Doutre[6]. En plus de l'introduire à l'Institut canadien, en 1862, Laflamme lui donna sa première chance, l'embauchant comme stagiaire dans son étude. Le mentor de Laurier appartenait à l'aile radicale du parti rouge, une aile moins nationaliste que libérale et républicaine. Dans le contexte du déclin du parti rouge, depuis la fin des années 1850, certains suggéraient l'annexion aux États-Unis. Les « jeunes turcs » (Louis Fréchette, Arthur Buies, Alphonse Lusignan) y adhéraient. Louis-Antoine Dessaulles était un mentor crédible pour cette voie politique, depuis que Papineau s'était retiré dans son domaine.

Comme plusieurs rouges, Laurier vouait un culte à Abraham Lincoln, chef du Parti républicain américain, populaire dans les États du nord des États-Unis. À la fin des années 1850, cet ancien whig avait proposé au nouveau Parti républicain une synthèse radicalement démocratique qui puisait tant dans l'idéal hamiltonien que dans l'idéal jeffersonien[7]. Lincoln conservait du premier la visée nationaliste (maintenir et cimenter l'Union) et la politique économique de grands travaux publics fédéraux. Il gardait du second l'objectif d'indépendance économique pour le petit propriétaire. Jusqu'au milieu du XIXe siècle, les partis politiques américains étaient restés assez fidèles à l'un ou l'autre des idéaux hamiltonien et jeffersonien. Les adeptes de l'idéal hamiltonien s'étaient unis successivement dans le Parti fédéraliste, le Parti national-républicain, puis le Parti whig. Les jeffersoniens, eux, s'étaient rassemblés dans le Parti républicain-démocrate de Jefferson et Madison puis dans le Parti démocrate de Jackson. L'intensification du conflit entre le Nord et le Sud vint toutefois brouiller les cartes. Les partis politiques en vinrent à ne plus obéir strictement à ces deux idéaux.

Au Canada, l'activité politique s'intensifia en 1864. Le mouvement d'opposition au projet de la Grande Coalition tenait plusieurs activités publiques afin de soulever le peuple. Laurier tissa peu à peu des liens avec ces *oppositionnistes*. Ceux-ci n'étaient pas tous des rouges. Il y avait de jeunes « bleus nationaux », ainsi que des « violets » (mélange de rouge et de bleu)[8]. C'est d'ailleurs un violet, Médéric Lanctôt, qui le tira d'une pénible impasse à ce moment. Au terme de ses études en droit, Laurier avait fait plusieurs tentatives pour se constituer une clientèle, mais en vain. Il était maintenant sans le sou, avec une santé chancelante. Lanctôt lui vint bientôt en aide, en l'intégrant à son cabinet. Laurier devint vite indispensable à son patron, qui était complètement absorbé par la lutte contre le projet de la Grande Coalition. Plus nationaliste que libéral, Lanctôt était une figure populiste à Montréal. Ni britannophile comme les bleus, ni américanophile comme les rouges, Lanctôt était francophile et favorisait l'indépendance du Canada. Il était la figure la plus populaire du mouvement d'opposition montréalais à la Grande Coalition[9]. Actif dans les milieux ouvriers, Lanctôt avait lancé un journal populiste, *L'Union nationale*. Voué à cette cause, le journal rassemblait les *opposionnistes* toutes couleurs confondues : bleus, rouges, violets. Ces oppositionnistes agissaient aussi, à Montréal, au sein d'une société secrète, le club Saint-Jean-Baptiste. Laurier ne nia jamais avoir appartenu à cette société. Le club ne réussit certes pas à faire advenir la Confédération, mais il eut un effet appréciable sur la génération politique subséquente. Par-delà les clivages politiques, plusieurs jeunes loups s'étaient connus au sein de ce club. Ils aidèrent par la suite Laurier à jeter les bases d'un nouveau Parti libéral, plus modéré et plus rassembleur.

Laurier publia quelques articles dans *L'Union nationale,* participa à des assemblées publiques d'opposition à la Grande Coalition et œuvra au sein d'un comité de réflexion qui critiqua le projet d'union fédérale. Le 1er novembre 1866, survint un événement important dans la vie publique de Laurier. Ce jour-là mourut Jean-Baptiste-Éric Dorion. Depuis vingt ans, c'était le pilier du libéralisme dans les Cantons-de-l'Est et les Bois-Francs, à la barre du journal libéral *Le Défricheur.* Son frère, Antoine-Aimé, qui était le chef des rouges, conseilla à Laurier d'assumer la direction vacante du journal. C'était une occasion en or. Cela lui permettrait de gravir un échelon dans les cercles libéraux. Et puis, quitter la ville l'aiderait peut-être à recouvrer la santé. La campagne oxygénerait ses poumons malades. Sans hésitation, il accepta d'aller s'établir dans le village d'Arthabaska pour continuer le travail inauguré par Dorion. Le jeune avocat s'établit donc à Arthabaska, afin d'y établir un cabinet d'avocats et de diffuser les idées libérales. Dans son premier article, il avouait sa sympathie pour la tradition de Papineau et pour ses collègues de l'*Union nationale,* qui avaient combattu la Grande Coalition. Il rassurait cependant ses lecteurs : son libéralisme éviterait les excès commis par certains radicaux, dans les domaines religieux et sociaux. Quatre mois avant le début du nouveau régime, soit en mars 1867, Laurier écrivit un violent article. Ces lignes révèlent comment il percevait le régime de l'Union :

> Quand la charte de 1842 nous fut imposée [...] il n'y avait que deux voies ouvertes, et il fallait choisir entre l'une ou l'autre. Il fallait ou s'en tenir au programme de monsieur Papineau [...] ou accepter la nouvelle constitution, tirer le meilleur parti possible des franchises qu'elle accordait, sauf à se protéger, du mieux possible, contre les dangers qu'elle renfermait. Le nouveau chef se décida pour cette dernière voie, dans l'espérance qu'à l'aide de ce que la charte accordait de bon, le mauvais en serait paralysé. Tout le peuple l'y suivit. En vain la voix de monsieur Papineau cria-t-elle plus tard : « Le gouvernement responsable n'est qu'un leurre ». On cria dans le

camp opposé : « L'Union faite pour nous perdre nous a sauvés ».
Aujourd'hui que l'Union a vécu, où sont ceux qui oseront dire
encore : « L'Union faite pour nous perdre nous a sauvés ! Non,
l'Union faite pour nous perdre n'a pas manqué son but[10]. »

Laurier était à l'aise avec le credo des vieux rouges. Son adhésion au libéralisme de Papineau n'en était pas moins conjuguée à
une défense de la nationalité canadienne-française :

> Il y a vingt-cinq ans la nationalité française n'avait pas autant d'ex-
> pansion qu'aujourd'hui, mais elle était vigoureuse, elle était unie,
> forte, française, pure de tout alliage étranger. Aujourd'hui elle est
> plus vaste, plus nombreuse, mais elle porte dans son sein un germe
> dissolvant : elle est sans forces, elle est divisée, elle n'est pas encore
> anglifiée, mais elle est en voie de l'être. Et c'est l'œuvre de l'Union,
> c'est le résultat infaillible de l'œuvre de Durham [...]. Il nous faut
> revenir entièrement et sans détour à la politique de monsieur Papi-
> neau. Protester de toutes nos forces contre le nouvel ordre de choses
> qui nous est imposé, et user de l'influence qui nous reste pour
> demander et obtenir un gouvernement libre et séparé[11].

Quatre mois plus tard, le nouveau régime était inauguré. Pour
la génération des « jeunes turcs », c'était une grande défaite, la fin du
rêve républicain. Plusieurs se laissèrent aller au pessimisme. Louis
Fréchette exprima la colère de ceux-ci dans son violent poème *La
Voix d'un exilé*, écrit de Chicago et publié en trois étapes, entre 1866
et 1869. Il vaut la peine de s'arrêter sur ces vers vitrioliques, qui cris-
tallisent l'esprit de révolte de ces jeunes turcs. Dédiée aux libéraux
du Bas-Canada, la première partie, écrite en octobre 1866, s'attaquait avec violence à Cartier :

> Les traîtres ! s'ils gardaient pour eux seuls leurs souillures !...
> Mais ils ont souffleté nos gloires les plus pures :
> Ils ont éclaboussé tous nos fronts immortels ;
> Aux croyances du peuple ils ont tendu des pièges,
> Et dressé leurs tréteaux, histrions sacrilèges,
> Jusques à l'ombre des autels.
> Mais il manque à l'orgie un nouveau camarade
> Il faut à ces roués un roi de mascarade,

Un roi de la bamboche, un roi de carnaval !…
Oui, je l'avoue, il manque une chose à la fête :
Le stigmate, il est vrai, décore bien sa tête :
Mais pas comme un bandeau royal[12]

Fréchette poursuivait en contrastant les amis de Cartier avec les résistants de 1837 : « Ô Papineau, Viger, patriotes sublimes !/ Lorimier Cardinal, Chénier, nobles victimes !/ Qu'êtes-vous devenus, héros cent fois bénis ?/ Vous qui, sur l'échafaud, portiez vos fronts sans tache ?/ Vous qui teigniez de sang les murs de Saint-Eustache ?/ Vous qui mouriez à Saint-Denis ? » Aux yeux de Fréchette, la voie du salut se trouvait du côté de la république des libertés, celle d'Abraham Lincoln : « Là, point de rois ventrus ! point de noblesses nées !/ Par le mérite seul les têtes couronnées / Vers le progrès divin marchent à pas de géant ; / Là, libre comme l'air ou le pied des gazelles,/ La fière indépendance étend ses grandes ailes/ Au centre des deux océans. »

La deuxième partie du poème, écrite en mai 1868, était encore plus viotriolique que la première. Le thème de la corruption y avait plus de place :

Tout un peuple vendu, là, sans pitié, sans honte,
Pour quelques vils écus, pour un titre de comte,
Pour quelque parchemin plus ridicule encore !…
Et pour mettre le comble à ce scandale obscène,
Un triste aveuglement donne à l'horrible scène
Le sanctuaire pour décor.
Pour grossir dignement leurs cohortes impies,
Ils ont tout convoqué, requins, vautours, harpies,
Va-nu-pieds de l'honneur, héros de guet-apens,
Hardis coquins, obscurs filous, puissants corsaires,
Bretteurs, coupe-jarrets, renégats et faussaires,
Bandits, voyous et sacripants[13] !

La seconde partie était suivie d'un autre poème, écrit le 8 avril 1868, en réaction à l'assassinat du Père fondateur Thomas D'Arcy McGee. Intitulé *Le Premier Coup de foudre*, le poème était une incitation au tyrannicide. Cet extrait atteint sans doute un sommet de radicalisme politique :

L'un d'eux vient de tomber, seul, au coin d'une borne ;
Sa cervelle a jailli de son crâne sanglant ;
Ses complices émus, œil trouble et face morne,
Se sont regardés en tremblant.
Patriote, on le vit combattre sa patrie !
Démocrate, il en vint à courtiser les grands !
Irlandais, il fut traître à l'Irlande meurtrie !
Canadien, il rompit nos rangs !
Tu viens donc de frapper ta première victime,
Ô peuple ! et qui peut dire où tu t'arrêteras ?
Le crime fait glisser sur la pente du crime
Et le gouffre est béant au bas !
Hâtez-vous ! conjurez l'orage populaire !…
Un sort terrible attend les courtisans des rois,
Quand le peuple n'a plus, dans sa juste colère,
Qu'un poignard pour venger ses droits[14]

« Et qui peut dire où tu t'arrêteras ? », demandait Fréchette. Il faut croire que, dès l'année suivante, Fréchette jugeait qu'il était lui-même déjà allé trop loin. En effet, dans la troisième édition, publiée en 1869, qui incluait les trois parties définitives, Fréchette élimina le poème sur l'assassinat, regrettant sans doute ses paroles. Le pamphlétaire tentait de comprendre la défaite des républicains :

Durham avait passé. D'une indomptable race,
Nulle force n'avait entamé la cuirasse ;
Mais, le glaive émoussé, restait la trahison….
Adieu, patriotisme ! adieu, vertu romaine !
On mit sur les marchés la conscience humaine…
Et Machiavel eut raison !
Ainsi que la fouine, ainsi que la couleuvre,
L'odieuse tactique en rampant fit son œuvre ;
Un priseur éhonté monta sur un tréteau ;
Et, noir accouplement, la loyauté du prêtre,
La foi du patriote et le baiser du traître[15]

Fréchette ne caressait plus d'espoir de sursauts populaires. Il se laissait aller au découragement : « Comme un ruisseau tari, mon

courage s'épuise ;/ Et, brisée au contact de tant de cœurs froissés, /
Dans un dernier sanglot, victime expiatoire, /Ma lyre que Dieu fit
pour célébrer ta gloire,/ S'échappe de mes doigts lassés ». Lassés, les
libéraux modérés et radicaux acceptèrent de se rallier au nouveau
régime.

Le début du régime

Les dix premières années du régime — 1867-1877 — se caractérisèrent par une crise du libéralisme canadien. Cela tient largement au fait que le parti se divisa profondément, dans les
années 1860, sur l'opportunité du projet de la Grande Coalition.
Dans toutes les provinces, sauf en Ontario, les libéraux s'étaient
opposés à la Confédération. Les libéraux ontariens l'appuyaient
davantage en tant qu'Ontariens qu'en tant que libéraux. C'était au
demeurant assez logique. De l'avis de tous, l'Ontario était la province qui avait tout à gagner de la naissance de l'Union fédérale. La
première élection, celle de 1867, ne porta pas sur sa légitimité. Sous
l'influence d'Antoine-Aimé Dorion, les libéraux québécois décidèrent de contrecarrer les mesures qui menaçaient les libertés populaires. Mais la tâche allait être difficile. La Grande Coalition avait
divisé les libéraux des différentes provinces. L'appui des libéraux
ontariens à la Grande Coalition avait suscité un profond malaise. Le
problème de la direction au Parlement fédéral allait se poser pendant plusieurs années. Certes, dès 1866, le chef libéral ontarien
George Brown s'était retiré de la Grande Coalition. Mais il était trop
identifié au ministère de Macdonald pour pouvoir rassembler les
troupes libérales. Dans les provinces maritimes, aucun dirigeant
libéral n'avait assez d'envergure pour aspirer au titre de chef. Au
Québec, Antoine-Aimé Dorion possédait cette stature. Mais ses
dénonciations de la Grande Coalition avaient été jugées trop radicales pour rallier les libéraux ontariens. Au moment des premières
élections à l'automne 1867, Laurier songea à se présenter : « Je me
mêle activement d'élection… Maintenant, on veut me porter candidat et je ne m'y oppose pas. Autant travailler pour moi que pour les
autres[16]. » À la dernière minute, il changea d'idée. Voyant que sa
candidature ne faisait pas l'unanimité, il préféra sauter son tour.

Laurier participa néanmoins activement à la campagne. Afin d'élargir leur coalition, les opposants au Parti conservateur de Cartier s'étaient réunis sous la bannière de l'Association de la Réforme du Bas-Canada. Les vieux radicaux qui avaient tenu le haut du pavé durant les années 1850 et 1860 commencèrent à laisser le champ libre aux jeunes libéraux. Ceux-ci adoptèrent des idées libérales moins radicales. Ces nouvelles figures libérales étaient Louis-Amable Jetté, Félix-Gabriel Marchand, Laurent-Olivier David, Honoré Mercier. Les résultats de l'élection de 1867 confirmèrent le déclin du libéralisme radical. Ainsi, le vote du libéralisme « rouge » était passé de 38 % en 1861 à 33 % en 1863, puis à 18 % en 1867, tandis que le vote du libéralisme modéré augmenta de 16 % en 1863 à 23 % en 1867[17]. Au total, les élections de 1867 étaient décevantes pour les libéraux radicaux et modérés. Les conservateurs l'emportèrent, sans équivoque, au fédéral et dans la province de Québec. Par conséquent, les libéraux des quatre provinces fondatrices restèrent très divisés, et ce, jusqu'au début du scandale du Pacifique, en 1873. Les libéraux québécois ne pouvaient s'empêcher, à l'occasion, de décocher des critiques au nouveau régime, ce qui froissait les réformistes ontariens qui, eux, avaient célébré sa naissance. De plus, les positions commerciales des libéraux québécois, plus continentalistes, heurtaient celles de leurs alliés ontariens. Jusqu'en 1872, le Parti libéral fédéral resta une coalition hétérogène et désorganisée, sans tête directrice.

La carrière parlementaire de Laurier commença dans l'arène provinciale. Depuis 1867, les vieux rouges s'étaient dirigés vers la scène fédérale, laissant la scène provinciale aux plus jeunes. Aux élections provinciales de juin 1871, Laurier se présenta dans la circonscription de Drummond-Arthabaska. Le Parti libéral provincial de Henri-Gustave Joly était une simple coalition de groupes régionaux sans programme bien défini ni organisation structurée. Joly était sans doute plus près du libéralisme modéré (violet) de Louis-Victor Sicotte que du libéralisme radical de Dessaulles ou même de Dorion. L'équipe libérale avait néanmoins de bons candidats : Francis Cassidy, Louis Fréchette, François Langelier, Maurice Laframboise, Luther Holton, Luc Letellier de Saint-Just. Laurier, pour sa part, fit campagne sur les thèmes de l'éducation, de la colonisation, du Conseil législatif (dont il proposait l'abolition), de l'émigration

aux États-Unis. Les conservateurs de Pierre-Joseph-Olivier Chauveau l'emportèrent à nouveau, mais Laurier fut élu. Les libéraux
avaient cependant des raisons de se réjouir. En dépit de l'arrivée
d'un troisième parti (le Parti programmiste catholique), ils augmentèrent la récolte de sièges, ceux-ci passant de 12 à 18. Le journal
libéral radical *Le Pays* nota dans son bilan que la grande faille du
Parti libéral était son manque flagrant d'organisation. La fermeture
du journal, quelques mois plus tard, confirmera la crise du libéralisme. Durant ce premier mandat à l'Assemblée législative de Québec, le député Laurier ne fut pas très actif. L'un des rares thèmes sur
lesquels il prit position fut le principe du double mandat (qui permettait à des députés de siéger dans les deux Parlements). Le jeune
député attaqua ce principe, incompatible avec le principe sacré de
l'autonomie provinciale : « Avec le simple mandat, Québec est Québec. Avec le double mandat, ce n'est plus qu'un appendice d'Ottawa[18]. »

Témoin d'un leadership défaillant

L'automne 1872 marqua un tournant pour les libéraux du Québec. Plusieurs d'entre eux, associés à la relève, cherchaient à repen-
ser le libéralisme. Ils jetèrent les bases d'un nouveau parti, le Parti
national. Son leitmotiv était « l'intérêt du Canada au dessus des partis[19]». Le Parti national n'entendait plus laisser aux conservateurs
certains thèmes nationaux : l'indépendance du Canada, l'autonomie provinciale par rapport au fédéral, la défense des droits des
minorités linguistiques et religieuses, la survie nationale du Canada
français. On conservait certains vieux thèmes de l'héritage libéral :
lutte à la corruption, dénonciation de la collusion entre la clique des
chemins de fer et le gouvernement, mise en œuvre d'une politique
d'austérité dans les finances publiques, opposition à l'activisme étatique dans le domaine économique, généralisation du principe électif dans les institutions publiques. Les principaux artisans du parti
étaient Joseph-François Perreault, Louis-Amable Jetté, Laurent-Olivier David, Frédéric-Liguori Béïque, Francis Cassidy, Wilfrid Laurier[20]. Il s'agissait d'un groupe plus nationaliste et moins anticlérical
que celui des Dessaulles, Laflamme, Doutre. La présence de Cassidy

et de Jetté contribua à apaiser le clergé. L'affaire Guibord n'était pas encore terminée. Devant les tribunaux, c'étaient Cassidy et Jetté qui défendaient les autorités religieuses (Joseph Doutre et Rodolphe Laflamme défendaient, eux, la veuve Guibord). Bien sûr, certains vieux rouges maugréèrent face à cette mutation du Parti libéral. Mais ils se rallièrent, voyant bien qu'il s'agissait au fond du même parti, mais expurgé de son radicalisme. Seul Rodolphe Laflamme refusa de rentrer dans le rang, criant à la trahison de la tradition rouge. La formation du Parti national précéda de quelques mois les élections fédérales. Les thèmes de la campagne étaient l'affaire des écoles du Nouveau-Brunswick, le Traité de Washington, les chemins de fer, l'émigration aux États-Unis. Le succès du Parti national fut relatif. Il récolta 26 sièges, contre 39 pour les conservateurs. À l'échelle du Canada, Macdonald fut réélu facilement : 104 conservateurs, 96 libéraux[21]. Le libéral ontarien Alexander Mackenzie, qui avait fini par s'imposer comme chef, ne faisait pas le poids devant son adversaire. Mais un événement inattendu allait bientôt donner de la cohésion au Parti libéral fédéral. À l'automne 1873, le scandale du Pacifique éclata. Le 5 novembre, le gouvernement Macdonald remit sa démission, et celui d'Alexander Mackenzie prit la relève. Puis, en janvier 1874, Mackenzie déclencha des élections fédérales. Laurier décida de présenter sa candidature. Les libéraux martelèrent le thème de la corruption durant cette campagne avec un grand succès. Le 29 janvier 1874, le Parti libéral fut élu massivement : 138 sièges contre 67. Laurier faisait partie de ce puissant contingent libéral.

Ce premier mandat de Laurier à la Chambre des communes fut riche en enseignements. Il put étudier les faits et gestes des grands ténors du parti : Alexander Mackenzie, Edward Blake, Luther Holton, Richard Cartwright. Il apprit beaucoup des erreurs de son chef[22]. Comme son vieil allié George Brown, Mackenzie était un protestant d'origine écossaise. C'était un ouvrier austère, probe, laborieux, minutieux dans l'étude de ses dossiers. Mais ce n'était pas un chef d'envergure. Un jour, le libéral Goldwin Smith laissa tomber cette phrase assassine : « Le problème n'est pas qu'il ait été maçon, mais qu'il le soit resté[23]. » Chef du parti depuis le début de la décennie, il le resta jusqu'en 1880. Son leadership fut défaillant du début à la fin. L'allégeance des libéraux était partagée entre deux leaders :

Mackenzie et Blake. Ce dernier était intellectuellement supérieur à son chef. Les idées de Blake étaient plus radicales, il avait un petit cercle de disciples irréductibles ; il avait par exemple l'appui de plusieurs jeunes activistes du mouvement *Canada First*[24]. Il accepta certes un siège au cabinet, en 1874, mais, à peine quelques mois plus tard, il le quitta en raison d'un désaccord au sujet des négociations avec la nouvelle province de Colombie-Britannique. Le 3 octobre, il publia un programme radical, *Le Discours à Aurora*. Proche des intérêts urbains, Blake était plus protectionniste que son chef. Pour freiner le *dumping* des industries américaines, il favorisait un protectionnisme modéré[25]. Le manifeste proposait aussi l'extension du droit de vote, la représentation proportionnelle, le scrutin obligatoire, la fédération impériale, la réforme du Sénat.

L'une des choses qui échappa à Mackenzie, c'est qu'il avait besoin pour réussir d'un lieutenant québécois respecté dans sa communauté. Antoine-Aimé Dorion aurait pu remplir cette fonction. Mais celui-ci quitta le parti dès 1874, acceptant un poste de juge à la Cour d'appel du Québec. Letellier de Saint-Just ne pouvait pas, du Sénat, exercer ce rôle. Félix Geoffrion, Joseph-Édouard Cauchon, Rodolphe Laflamme n'avaient pas les qualités nécessaires pour assumer ce rôle. Quant à Laurier, il était inexpérimenté. Pendant un certain temps, Télesphore Fournier assuma ce rôle avec compétence. Mais il n'obtint pourtant jamais la pleine confiance de son chef. Son penchant pour la bouteille déplaisait à Mackenzie, ce baptiste prêchant la tempérance (*teetotaler,* comme on disait à l'époque). Avec le temps, Mackenzie en vint à s'appuyer sur Rodolphe Laflamme. Ce fut une grave erreur car ce dernier n'avait plus de contact avec la base libérale de sa province. Celle-ci se tournait du côté de la relève, plus « violette » que rouge. Ainsi, l'absence d'un solide lieutenant québécois eut des effets concrets dans les décisions du parti. Plusieurs thèmes chers aux libéraux québécois furent négligés : l'élection des sénateurs, la diminution du nombre de ministres et de fonctionnaires, la réduction du salaire du gouverneur général. Mackenzie ne fut cependant pas inactif. Il mit de l'avant plusieurs réformes populaires : la réforme électorale, l'abolition du double mandat et la réduction des subventions aux chemins de fer.

En fait, la grande mutation qui attendait le Parti libéral ne se produisit pas sous la gouverne de Mackenzie. Il restait trop attaché au libéralisme radical des années 1850 et 1860, qui avait longtemps nourri les *Clear Grits* : égalitarisme économique, lutte aux privilèges, dénonciation de la corruption et des monopoles, libéralisation économique. Le credo libéral classique desservait un gouvernement faisant face à une dépression économique. Plus le mandat de Mackenzie avançait, plus l'économie canadienne semblait se détériorer. Le chef libéral refusait d'adopter une politique plus franchement protectionniste. Le ministre des Finances, Richard Cartwright, prétendit à la Chambre des communes qu'un gouvernement ne pouvait pas plus influencer l'économie qu'« un quelconque groupe de mouches sur une roue[26] ». Les conservateurs rétorquèrent, caustiques, que les libéraux étaient des mouches incapables et insensibles.

L'abandon du rougisme

Avant la fin de ce mandat, en 1877, Laurier réussit un grand coup, qui le fit monter en grade au sein de l'équipe libérale. Cette dernière venait d'essuyer plusieurs échecs dans des élections partielles fédérales au Québec. Avec raison, les libéraux les attribuèrent à l'intervention du clergé. Le ténor libéral de la région de Québec, Joseph-Édouard Cauchon, suggéra à Alexander Mackenzie de réagir. Le premier ministre acquiesça en demandant à Rome d'envoyer un délégué apostolique qui enquêterait sur la situation canadienne. Laurier sauta sur l'occasion. Il profita de la venue du délégué, Mgr Conroy, pour convaincre le clergé et les électeurs de mieux comprendre la position des libéraux. Par un beau hasard, le club libéral de Québec l'avait invité à prononcer un discours. Mackenzie et les ministres fédéraux québécois lui déconseillèrent d'accepter. Têtu, il ne les écouta pas. Si l'objectif du *Discours sur le libéralisme* fut d'abord de dénouer le contentieux politico-religieux, Laurier réussit néanmoins à lui donner une portée plus large. Au début de son allocution, Laurier circonscrivit les deux objections qui étaient généralement soulevées contre son parti : 1) le libéralisme est une forme nouvelle de l'erreur, une hérésie condamnée par le chef de l'Église ; 2) le catholique ne peut pas être libéral. Afin de contrer ces deux objections, Laurier prenait d'abord la peine d'établir une précieuse distinction. Son parti adhérait au libéralisme politique et non pas au libéralisme catholique. La censure imposée par le pape au libéralisme catholique ne concernait donc pas son parti. D'ailleurs, ajoutait-il, si la seule façon d'être catholique est de renoncer à être libéral, cela pourrait mener à une dangereuse impasse :

> Si nous n'avions pas le droit d'appartenir au Parti libéral, il arriverait de deux choses l'une : ou nous serions obligés de nous abstenir complètement de prendre part à la direction des affaires de l'État, et alors, la constitution, cette constitution qui nous a été octroyée pour nous protéger, ne serait plus entre nos mains qu'une lettre morte ; nous serions obligés de prendre part à la direction des affaires de l'État sous la direction et au profit du Parti conservateur, et alors, notre action n'étant plus libre, la constitution ne serait encore entre nos mains qu'une lettre morte, et nous aurions par surcroît l'ignominie de n'être plus, pour ceux des autres membres de la famille canadienne qui composent le Parti conservateur, que des instruments et des comparses[27].

« Mon libéralisme, clamait Laurier, est celui des libéraux anglais, les Macaulay, Fox, O'Connell, Brougham. » C'est ce même libéralisme qui avait forgé les institutions parlementaires canadiennes, faisant progresser la liberté d'une façon graduelle, pacifique, non violente. Ce qui n'était pas le cas du libéralisme français, qui s'était avéré incapable de faire régner la stabilité, la concorde, la paix. En plus d'être anticlérical, le libéralisme français avait le défaut d'être révolutionnaire, fomentant émeutes, rébellions et anarchie. Astucieusement, Laurier plaçait en contraste les deux libéralismes, en les caricaturant. Il empruntait la définition du libéralisme au grand historien anglais Thomas B. Macaulay :

> De ce jour [1688] date l'existence organique des deux grands partis qui, depuis, ont toujours alternativement gouverné le pays. À la vérité, la distinction, qui alors devint évidente, a toujours existé. Car cette distinction a son origine dans la diversité de tempéraments, d'intelligences, d'intérêts, qu'on retrouve dans toutes les sociétés, et qu'on y retrouvera aussi longtemps que l'esprit humain sera attiré dans des directions opposées, par le charme de l'habitude ou par le charme de la nouveauté. Cette distinction se retrouve, non pas

seulement en politique, mais dans la littérature, dans les arts, dans les sciences, dans la chirurgie, dans la mécanique, dans l'agriculture, jusque dans les mathématiques. Partout où il existe une classe d'hommes qui s'attachent avec amour à tout ce qui est ancien, et qui, même lorsqu'ils sont convaincus par des arguments péremptoires qu'un changement serait avantageux, n'y consentent cependant qu'avec regret et répugnance. Il se trouve aussi partout une autre classe d'hommes exubérants d'espérance, hardis dans leurs idées, allant toujours de l'avant, prompts à discerner les imperfections de tout ce qui existe, estimant peu les risques et les inconvénients qui accompagnent toujours les améliorations, et disposés à regarder tout changement comme une amélioration[28].

Son éloge du Parti libéral n'en restait pas moins curieux. Plus Laurier avançait dans sa démonstration, plus il était amené à se rapprocher de la sensibilité conservatrice. Ainsi, quelques paragraphes plus loin, il soulignait que la forme de gouvernement, monarchique ou républicaine, importait peu. Ensuite, il avançait que, tout compte fait, la forme monarchique était plus susceptible de tenir en éveil la vigilance du citoyen. Cette sensibilité conservatrice n'était pas seulement notable dans le portrait caricatural qu'il peignait de la France républicaine. Lorsqu'il refaisait l'histoire du Canada, on remarque la même chose. Il admettait certes le bien-fondé de la cause patriote en 1837, ainsi que celle de Lafontaine, mais il était incapable de s'émerveiller devant le libéralisme des années 1850 et 1860. Il ne glissait pas un mot sur son mentor, Antoine-Aimé Dorion. Ce dernier avait tout de même dirigé le parti pendant vingt ans. Il mettait les « excès » de ces années sur le compte de la jeunesse des libéraux du temps. Il reprochait à ces derniers de s'être laissé séduire par les mouvements européens. Laurier passait sous silence le fait que les libéraux de Dorion étaient autant que lui influencés par les libéraux anglais.

En tant que libéral, Laurier se montrait plutôt dur à l'égard des innovations proposées par ses prédécesseurs. Rappelant les griefs de 1837, il affirmait : « Ils ne demandaient rien d'autre que les institutions que nous avons maintenant ; ces institutions nous ont été octroyées, on les a appliquées loyalement[29]. » Laurier négligeait ici le fait qu'en 1867 le principe électif, cher aux libéraux, avait reculé. Il ressort de ce discours que Laurier se sentait nettement plus proche de Cartier que de Dorion. De toute évidence, Laurier avait compris l'intérêt de se placer au centre de l'échiquier politique, ce centre jadis occupé par Cartier. Laurier admit regretter que les successeurs de Cartier eussent renié le père : « Je ne sais plus de quel nom nous appelons ce parti. Ceux qui aujourd'hui semblent y tenir le haut du pavé, s'appellent eux-mêmes le Parti ultramontain, le Parti catholique. Ses principes se sont modifiés comme son nom. Si M. Cartier revenait aujourd'hui sur la terre, il ne reconnaîtrait plus son parti[30]. » L'actuel Parti conservateur était, à son avis, un « faux Parti conservateur », qui jouait d'ailleurs un jeu très dangereux. Il préparait la pire de toutes les guerres, une guerre de religion :

> Vous voulez organiser tous les catholiques comme un seul parti, sans autre lien, sans autre base que la communauté de religion, mais n'avez-vous pas réfléchi que, par le fait même, vous organisez la population protestante comme un seul parti, et qu'alors, au lieu de la paix et de l'harmonie qui existent aujourd'hui entre les divers éléments de la population canadienne, vous amenez la guerre, la guerre religieuse, la plus terrible de toutes les guerres[31] ?

Laurier poursuivait en soulignant : « les Français ont eu le nom de la liberté, ils n'ont pas eu la liberté[32] ». Sa lecture de l'histoire politique moderne était aussi empruntée à Macaulay. Le triomphe de la liberté et du progrès était lié à celui de la Réforme protestante et de l'Angleterre capitaliste. Lorsque vint le temps de définir la liberté, Laurier eut recours au fameux poème *In Memoriam* de Tennyson, poète à la cour de la reine Victoria : « C'est la terre des hommes libres, c'est la terre choisie par la liberté calme et modérée, où, qu'il soit environné d'amis ou d'ennemis, un homme peut dire ce qu'il veut dire. Une terre d'un gouvernement stable, une terre d'un juste et antique renom, où la liberté s'épand lentement de précédent en précédent[33]. » Selon Laurier, la liberté présupposait l'indépendance de l'électeur. Il était permis d'influencer l'opinion de l'électeur par le raisonnement et la persuasion, mais jamais par l'intimidation. Cette dernière pouvait prendre différentes formes : la fraude, la menace, la corruption. Le prêtre pouvait donc participer à la vie politique, mais dans les limites de ce principe d'indépendance de l'électeur. Ces nuances du discours de Laurier lui permirent, dès 1877, de désamorcer la crise religieuse. C'était l'effet net de sa prestation. Mais, à un autre titre, le discours inaugurait un nouveau départ pour le Parti libéral. Sur la scène québécoise à tout le moins, il permettait à ce jeune premier d'aspirer au titre d'héritier de Cartier. C'était lui, dorénavant, qui figurait comme un homme du centre, modéré et réaliste. La noble filiation avec l'Angleterre, les conservateurs québécois l'avaient si longtemps chérie qu'ils en étaient venus à l'oublier. Laurier entendait en faire l'inspiration de son action politique. Ce repositionnement était opportun. Il était fondé sur une observation fine et juste de la donne politique canadienne. Les forces politiques s'embrouillaient depuis quelques années. On sait qu'au Québec les libéraux étaient divisés entre « vieux rouges » et « libéraux nationaux ». Les conservateurs l'étaient tout autant. Depuis la publication du *Programme catholique* des ultramontains, en 1871, les conservateurs étaient divisés entre les « conservateurs affairistes » (de l'école Cartier) et les programmistes (ultramontains). Un nombre croissant de modérés, au sein des deux partis politiques, envisageaient parfois la possibilité de former un gouvernement de coalition[34].

Succès d'estime, le discours de Laurier ne lui assura pas immédiatement un appui massif de votes. Nommé ministre du Revenu de l'intérieur, en octobre 1877, il fut incapable de se faire réélire dans sa circonscription, comme le voulait la coutume de l'époque. Le Parti libéral s'empressa de lui dénicher une circonscription moins hostile, Québec-Est, où il fut élu de justesse un mois plus tard. Puis, en septembre 1878, les libéraux furent battus dans l'élection générale que Mackenzie déclencha : 142 conservateurs contre 64 libéraux dans l'ensemble du Canada ; 47 conservateurs contre 18 libéraux au Québec. Quels facteurs contribuèrent à la défaite ? Un piètre bilan économique, un leadership défaillant, une équipe ministérielle faible, une bourgeoisie commerciale hostile. Le séjour au pouvoir des libéraux fédéraux fut bref. Ils mirent presque vingt ans à s'en remettre.

« La caverne des 40 voleurs »

La défaite de 1878 était un retour à la case départ. Il n'est donc pas étonnant que Laurier ait été plutôt effacé jusqu'au milieu des années 1880. Il fit néanmoins quelques bons coups. Il suggéra par

exemple à Mackenzie de laisser la place à Blake. Ce qui fut fait
le 29 avril 1880. Laurier renoua aussi avec un art qu'il avait négligé
les années précédentes, l'art de la polémique. En effet, en 1881, il
déploya ce talent avec une haute intensité dramatique. Dans une
série d'articles, il fit le procès de la sainte trinité conservatrice de
l'époque : Adolphe Chapleau, Louis-Arthur Dansereau, Adélard
Sénécal. Ce dernier était le plus malmené. Il fut pourtant le mentor
de Wilfrid durant les années 1860. Mais Sénécal avait joint les rangs
conservateurs. En 1877, il mit toute son énergie à faire battre Wilfrid
Laurier dans l'élection fédérale partielle dans sa circonscription.
Laurier prit sa revanche à la suite du retour au pouvoir des conservateurs. Le développement ferroviaire était l'objet de rivalités entre
différentes compagnies. Sénécal était à la fois propriétaire d'une de
ces compagnies et trésorier du Parti conservateur, ce qui alimentait
les critiques[35]. En avril 1881, Laurier publia une série d'article dans
le journal libéral de Québec, *L'Électeur,* dirigé par les frères Charles
et François Langelier. Ces articles incriminaient Sénécal, l'accusant
d'avoir jadis ruiné des associés et de s'apprêter à en faire autant avec
le trésor public. Le premier article, publié le 17 avril 1881, portait le
titre suivant : « Sénécal et Chapleau sur le point de livrer le chemin
de fer du Nord au South Eastern pour trente ans[36] ». Il accusait le
gouvernement conservateur dirigé par Chapleau d'avoir consacré
un million et demi de dollars au chemin de fer, avant de le céder à
une compagnie dans laquelle Sénécal possédait des intérêts.
D'autres journaux emboîtèrent le pas. La feuille conservatrice *Le
Canadien* reprit les mêmes griefs. Un article plus violent fut publié
dans *L'Électeur* du 20 avril, sous le titre « La caverne des 40 voleurs ».
Cette analogie avec la fameuse légende donnait du piquant à la
condamnation.

> Cette caverne de 40 voleurs que l'on croyait n'exister qu'au pays
> des légendes, existe bel et bien réellement parmi nous. Elle n'est
> pas comme on pourrait le croire, au fond des bois, protégée par
> des roches inaccessibles, défendue par des sentinelles armées. Les
> voleurs qui y cherchent refuge ne sont pas d'obscurs bandits, cachés
> le jour, rôdant la nuit. Bien au contraire, ils promènent leur effron-
> terie au grand soleil ; ils se pavanent dans les rues ; ils boivent au
> comptoir des restaurants : la fumée de leurs cigares se retrouve

partout. Du reste, ces voleurs ne sont pas les premiers venus, et tout voleurs qu'ils sont, il leur a été confié une tâche glorieuse, celle de restaurer les finances de la province de Québec! Cette caverne de voleurs c'est l'administration du chemin de fer du Nord, et le chef de la bande s'appelle de son vrai nom, Louis-Adélard Sénécal[37].

Le brûlot de Laurier dévoilait les techniques de corruption des conservateurs. Il ne prétendait pas qu'il s'agissait d'un simple dérapage. Dans ce ministère, le vol avait été érigé en système :

> Aussi qu'est-il arrivé? L'administration du chemin du fer du Nord, aujourd'hui, c'est le vol érigé en système. Que personne ne se récrie ; le mot que nous employons, n'implique ni violence ni irritation d'humeur. Nous ne faisons qu'appeler les choses par leur nom. Quand les contrats publics sur le chemin de fer, se donnent sans compétition, par faveur, et moyennant considération payée en argent ; quand sur tous les ouvrages qui s'y font, un pourcentage est prélevé par l'administration ; quand les marchandises consumées sur le chemin, sont payées à des prix exorbitants, et que le surplus des bénéfices ordinaires du commerce est partagé, en parts plus ou moins égales, par l'acheteur et le marchand ; quand tous les amis du gouvernement voyagent gratuitement sur le chemin, si ce n'est pas là, le vol érigé en système, qu'est-ce donc[38] ?

Il est intéressant de remarquer un thème libéral récurrent à cette époque, soit la dénonciation des spéculateurs. Dans l'esprit populaire, cette classe sociale parasitait le système économique. Bien que Laurier fût partisan de la séparation du spirituel et du temporel, ses textes étaient marqués d'un sens moral aigu et de références religieuses. Comme en fait foi cette allusion aux « voleurs du temple » :

> M. Sénécal et sa bande entraînés par la fièvre de leurs spéculations véreuses, n'ont pas su, depuis quelque temps, envelopper leurs opérations de ce mystère dont ils les entouraient d'abord. Cependant si ces faits ont transpiré, ils ne sont encore connus que d'un petit nombre. Dans la ville de Montréal, dans la ville de Québec, combien ne se trouve-t-il pas des centaines de personnes, non pas dans le Parti libéral, mais dans le Parti conservateur, qui connaissent la

vérité de ce que nous affirmons ? Mais ces faits ne sont pas encore connus de la masse des électeurs. C'est pour la masse des électeurs que nous écrivons ; car si les voleurs doivent être chassés du temple, si le pays peut encore être sauvé, il faut la volonté et l'action de tout le peuple[39].

Sénécal engagea des poursuites contre le journal. La police vint arrêter le gérant Ernest Gagnon. Cela n'effraya pas ses rédacteurs. Le lendemain fut publié l'article « L'histoire se répète », où Sénécal était comparé à l'intendant Bigot, cet administrateur corrompu tenu responsable du déclin de la Nouvelle-France. L'épisode est intéressant à un autre titre. Il montre que ce combat contre le ministère conservateur était mené conjointement par les libéraux et par les ultramontains (Joseph-Israël Tarte, du *Canadien*). Sénécal intenta une poursuite à Laurier pour diffamation. Le procès fit les manchettes durant l'automne 1881. Les jurés étant divisés, la cour ne put rendre un verdict.

Le despotisme qui engendre la rébellion

L'élection fédérale du 20 juin 1882 fut celle du Canadien Pacifique comme celle de 1878 fut celle de la Politique nationale. Les libéraux eurent de la difficulté à faire entendre leurs critiques. Il était difficile de remettre en question la solidité financière de la compagnie, au moment où celle-ci battait des records dans la rapidité de la construction. Blake et ses acolytes attaquèrent la Politique nationale et le Canadien Pacifique à un moment où ces deux piliers de la politique conservatrice remportaient un franc succès. Les difficultés libérales étaient telles que ni Blake ni Laurier ne s'attendaient à gagner. Chacun souhaitait au mieux gruger la majorité conservatrice. Le vote du 20 juin ne changea pas le visage politique du pays. Les conservateurs augmentaient légèrement leur majorité (142 contre 64). Le Québec restait le château fort des bleus. Ces derniers se maintenaient solidement au pouvoir en Ontario et dans les autres provinces. En 1878, la dépression économique avait tué les libéraux ; en 1882, la prospérité permettait aux conservateurs d'étendre leur emprise à d'autres provinces. Durant les années 1880, les premiers gestes qui permirent aux libéraux de marquer des points touchaient aux questions irlandaises : le *Home Rule* en Irlande et les activités de l'Ordre d'Orange au Canada[40]. Sur les deux questions, Blake fit preuve de courage politique. Même s'il était un protestant évangéliste et un descendant de loyalistes irlandais, Blake vint à sympathiser avec les griefs de l'Irlande catholique[41]. Par ailleurs, le chef libéral se montra hostile à la tentative des orangistes canadiens visant à obtenir un statut légal. Bien que l'opinion ontarienne fût fort divisée sur cette question, Blake s'y opposa. L'État, affirma-t-il, ne pouvait reconnaître une société secrète.

C'est l'affaire Riel, en 1885, qui propulsa vraiment Laurier sur la scène publique et l'aida à élargir la coalition libérale. En prenant une position nuancée, mais ferme, il éloigna les conservateurs de l'électorat catholique et canadien-français. La rébellion des Métis, l'arrestation de Riel, sa condamnation et sa pendaison déclenchèrent une grave crise nationale. Ces épisodes firent ressortir que la succession de Cartier, comme chef des conservateurs canadiens-français à Ottawa, n'avait pas été réglée. Trois prétendants se disputaient le titre : Adolphe Chapleau, Hector Langevin et Adolphe-Philippe Caron. Aucun n'avait encore réussi à se hisser au statut jadis occupé par Cartier. Par défaut, c'est Laurier qui fut amené à prendre sa place comme chef des Canadiens français au gouvernement fédéral. Les discours qu'il prononça sur l'affaire Riel lui firent perdre quelques appuis au Canada anglais. Mais ils lui permirent cependant de se situer, à la suite de Cartier, comme le grand défenseur des intérêts canadiens-français et du petit propriétaire. La citation qui suit est célèbre. Les historiens en ont hélas occulté la seconde partie, qui révèle la nature de son libéralisme : « Si j'étais né sur le sol de la Saskatchewan, j'aurais moi aussi tenu un fusil sur mes épaules pour combattre l'oppression du gouvernement canadien, *et l'avarice honteuse des spéculateurs*[42]. » Après l'arrestation du chef métis, Laurier fit un discours aux Communes. Il compara le rôle de Riel à celui joué jadis par Papineau :

> Peu d'hommes ont exercé sur leurs compatriotes autant d'ascendant que M. Papineau à une certaine époque de l'histoire du Bas-Canada, et personne n'a jamais été mieux que lui doué par la nature pour être l'idole d'une nation [...]. Était-ce simplement son élo-

quence, son intelligence d'élite, ou même son pur patriotisme?
Sans aucun doute, tout cela y contribuait ; mais la raison principale
de son autorité sur ses concitoyens, c'est qu'à cette époque ses compatriotes étaient une race opprimée et qu'il était champion de leur
cause[43].

Quelques mois plus tard, après la pendaison de Riel, Laurier
prononça un discours magistral aux Communes. Il attaqua Macdonald, l'accusant d'être le vrai responsable de la rébellion.

La rébellion est toujours un mal, c'est toujours une offense contre
la loi fondamentale des nations ; moralement, ce n'est pas toujours
un crime. Dans la semaine même qui a précédé l'exécution de Riel,
le Ministre de la Milice a ainsi exprimé son opinion sur les rébellions : « Je déteste tous les rebelles ; je n'ai aucune sympathie pour la
rébellion, bonne, mauvaise ou indifférente ». Je dis plutôt, ce qui est
détestable — j'emploie le mot dont l'honorable monsieur s'est servi
— ce qui est détestable, ce n'est pas tant la rébellion que le despotisme qui engendre la rébellion ; ce qui est détestable, ce ne sont pas
les rebelles, mais les hommes qui, ayant les avantages du pouvoir,
n'en remplissent pas les devoirs ; ce sont les hommes qui, ayant le
pouvoir de redresser les torts, refusent de prêter attention aux pétitions qu'on leur adresse ; ce sont les hommes qui, lorsqu'on leur
demande un pain, donnent une pierre. L'honorable monsieur
déteste tous les rebelles, dit-il. Je me demande s'il comprend dans ce
sentiment de haine le grand rebelle [George-Étienne Cartier] dont
la fière statue se dresse ici à portée de mon bras. J'oserai dire que si
cet homme, auquel le gouvernement a fait élever une statue ici,
avait pu revenir à la vie aujourd'hui et reprendre sa place sur les
bancs des ministres, il serait rappelé qu'un jour il avait été un
rebelle lui aussi[44].

Les références de Laurier, dans son analyse de l'affaire Riel, sont
américaines. Après la guerre de Sécession américaine, nota Laurier,
le général Grant avait favorisé une politique de pardon face aux
chefs sudistes. Il était un plus grand patriote que Andrew Johnson
qui, lui, favorisa un tribunal pour haute trahison : « On voit le résultat aujourd'hui. Vingt ans à peine se sont écoulés depuis que cette

rébellion, la plus formidable qui ait jamais désolé le monde, a été
subjuguée, et précisément à cause de la politique de clémence adoptée par les vainqueurs, les deux sections de ce pays sont aujourd'hui
plus intimement unies que jamais auparavant, plus intimement
même qu'elles ne l'avaient été lorsqu'elles avaient combattu pour
l'indépendance[45]. » Laurier terminait son discours par un éloge du
courage des Métis, citant un poème de Lord Byron, « Le prisonnier
de Chillon » : « Souffle éternel de l'âme indépendante ! Nulle part tu
n'es plus brillante qu'au sein des cachots, ô Liberté car là tu habites
dans le cœur, le cœur que ton seul amour peut captiver : et quand
tes fils sont plongés dans les fers […] dans les fers et dans la téné-
breuse horreur d'un caveau humide, leur martyre prépare le
triomphe de leur patrie[46] ! » L'éloquence de Laurier ravit une partie
de la presse canadienne-anglaise. Avec humour, son chef Blake
déclara : « c'est la preuve royale de la domination française[47] ». Ce
dernier fit à nouveau preuve de courage. Lors de la première rébellion des Métis, à la fin des années 1860, Blake était le chef des libéraux provinciaux. Il s'était alors fait du capital politique en prônant
la ligne dure. En 1885, les libéraux fédéraux ontariens étaient divisés
sur le caractère juste de la pendaison. Pendant que Blake et David
Mills la condamnaient, Alexander Mackenzie et Richard Cartwright
l'approuvaient. Blake prétendait que Riel avait perdu la raison.
Certes, cette position de clémence n'était peut-être pas dénuée de
calcul. Elle permettait au Parti libéral de se rapprocher des électorats
canadien-français, catholique et québécois.

Blake, Mowat et la thèse provincialiste

Doté d'une santé chancelante, Blake avait déjà menacé à plusieurs reprises de démissionner durant son mandat de chef libéral.
Ainsi, à la veille des élections de 1887, il tenta de convaincre Oliver
Mowat (premier ministre libéral ontarien) de prendre le relais. Ce
dernier refusa. En février 1887, pour une seconde fois, Edward Blake
dirigea les troupes libérales dans une élection générale. Il pensait
qu'un meilleur sort attendait les siens. L'année précédente, des élections générales s'étaient tenues dans toutes les provinces du dominion. Les conservateurs avaient réussi à l'emporter seulement dans

deux provinces marginales, le Manitoba et la Colombie-Britannique. L'Est avait voté sans équivoque pour les rouges : Fielding avait balayé la Nouvelle-Écosse, Blair avait obtenu une bonne majorité au Nouveau-Brunswick, Mercier avait remporté une majorité au Québec, Mowat avait décroché sa quatrième victoire en Ontario. À la surprise générale, durant la campagne électorale de 1887, Macdonald sut renverser la vapeur. Il réussit à convaincre les électeurs que Blake était un libre-échangiste non avoué. N'était-il pas conseillé en matière de commerce par Richard Cartwright ? Ce dernier, il faut le dire, appuyait la stratégie de Blake du bout des lèvres. Même si le chef libéral se disait d'accord avec la politique tarifaire en vigueur, les industriels canadiens n'étaient pas rassurés.

Le jour de l'élection, le 22 février 1887, les conservateurs récoltèrent la majorité des sièges : 126 contre 89[48]. Mais les libéraux trouvaient une source d'espoir dans le résultat obtenu au Québec. Ils avaient remporté la moitié des suffrages et des sièges. L'emprise de Macdonald sur le Québec avait été minée par l'affaire Riel. Les libéraux avaient creusé une mince brèche, que Laurier pourrait à l'avenir exploiter[49]. Le recul des conservateurs était évident dans la région de Québec et celle de Trois-Rivières. Dans la région de Montréal, ils maintenaient leur acquis. La pendaison de Riel avait laissé des marques. Les conservateurs pro-Riel, Trudel, Tardivel, Pelletier, faisaient campagne contre les hommes de Macdonald : Sénécal, Chapleau et Tarte.

À l'échelle nationale, toutefois, la performance de Blake restait décevante. Fatigué et malade, il achemina une lettre de démission à son caucus. Mais cette fois-ci, il ne changea pas d'idée. David Mills et David Burpee se ruèrent à son chevet. Ils lui parlèrent de la succession. Alité, Blake leur dit : « Il n'y a qu'un choix possible, c'est Laurier. » Ils allèrent lui annoncer la nouvelle. Étonné, Laurier alla discuter avec le démissionnaire. Il affirma n'avoir pas la sécurité financière lui permettant de se lancer dans une telle aventure. De plus, ajouta-t-il, les libéraux étaient populaires au Canada anglais. N'était-il pas risqué de jeter leur dévolu sur un chef canadien-français ? Aux yeux de la majorité protestante, il était un catholique ; aux yeux des Canadiens français, il était un anticlérical. Blake n'en démordait pas. Il était là, malade, étendu sur un sofa. La femme de Blake, assistant à la scène, lança à Laurier la phrase décisive : « Vous

êtes le seul à pouvoir accomplir la tâche. » Il comprit qu'il n'avait pas
le choix. Il accepta à une condition : dès que Blake recouvrerait la
santé, il s'engageait à redevenir le chef. Laurier avait peut-être
accepté, mais il hésitait encore. À une réunion du caucus, en
juin 1887, Cartwright et Mills présentèrent une motion appuyant sa
candidature. Il devint ce jour-là le chef du Parti libéral. Il le resterait
pendant plus de trente ans, jusqu'à sa mort, en fait.

Le séjour de Blake à la tête du parti ne semble pas avoir été relui-
sant. D'un point de vue électoral, il fut incapable de battre un
régime conservateur jugé de plus en plus sclérosé par l'opinion
publique. Pourtant, il est indéniable que Blake laissa un legs important : le provincialisme, soit la défense de l'autonomie provinciale. Il
vaut la peine de s'arrêter ici à la genèse de cette idée. Dès les premières années du régime, l'interprétation que faisait Macdonald de
la Constitution minait le principe de l'autonomie provinciale[50]. La
contestation du centralisme macdonaldien vint d'abord d'hommes
politiques ontariens : Edward Blake, Oliver Mowat, David Mills. Le
provincialisme reposait sur deux idées : 1) les provinces avaient créé
la Confédération ; 2) les provinces conservaient leur souveraineté et
l'exerçaient dans le cadre de l'Acte de l'Amérique du Nord britannique.

En novembre 1867, déjà, le libéral ontarien David Mills avait
proposé une mesure inspirée du provincialisme, en présentant une
motion visant à mettre fin au double mandat[51]. L'indépendance des
provinces serait compromise, disait-il, si un député pouvait représenter simultanément une circonscription fédérale *et* une circonscription provinciale. Puis, en 1872, il proposait une réforme du
Sénat : les sénateurs devraient être élus par les électeurs ou nommés
par les Parlements provinciaux. Enfin, il s'opposait au pouvoir de
désaveu (des lois provinciales) du fédéral. Mills ne prêcha pas dans
le désert. Sa lecture provincialiste rejoignit celle d'Oliver Mowat[52].
Premier ministre ontarien de 1872 à 1896, Mowat réussit à miner la
vision centralisatrice macdonaldienne. Dès le début des années 1870, Mowat fut impressionné par les idées de Mills et ils nouè-
rent bientôt des liens d'amitié. Comment Mowat pouvait-il contester le droit de désaveu du fédéral, lui qui adhéra, après tout, aux
Résolutions de la Conférence de Québec ? Aux yeux de Mowat, il n'y
avait là aucune contradiction. Le gouvernement fédéral, disait-il,

avait légalement le droit absolu de refuser de reconnaître une loi provinciale. De la même façon, le gouvernement impérial avait le droit de refuser une loi de l'un de ses dominions. Les délégués de la Conférence de Québec pensaient toutefois que le droit de désaveu du fédéral devait être soumis aux mêmes contraintes que celles qui limitent le droit de désaveu du gouvernement impérial. Comme Macdonald, Mowat pensait que le fédéralisme canadien était calqué sur le modèle impérial. Mais il en tirait des conséquences radicalement différentes, affirmant que le pouvoir de désaveu ne devait s'exercer que de façon exceptionnelle.

Durant les années 1870 et 1880, le gouvernement Mowat prétendait que le fédéral exerçait son pouvoir de désaveu d'une façon exagérée. Il en vint à la conclusion qu'il n'y avait pas d'autre solution politique que de l'abolir. C'est pourquoi il accepta l'invitation d'Honoré Mercier de participer à une conférence interprovinciale en octobre 1887[53]. Cette conférence marquait la montée du provincialisme au Canada : au Parlement fédéral d'abord, avec une opposition libérale dirigée par des provincialistes convaincus : Blake, Mills, Laurier ; dans les provinces ensuite, la plupart des Parlements provinciaux étant dominés par des libéraux autonomistes : Mercier au Québec, Mowat en Ontario, Fielding en Nouvelle-Écosse[54]. Présidée par Mowat, la conférence entérina des résolutions sur le pouvoir de désaveu, ainsi que sur d'autres questions relatives à l'Acte de l'Amérique du Nord britannique. Macdonald repoussa ces griefs, mais, dans les décennies suivantes, le gouvernement fédéral hésita à recourir au pouvoir de désaveu[55]. Laurier adhéra complètement à la thèse provincialiste, en faisant même la pierre d'assise de sa pensée. Peu de temps après être devenu chef du parti, il prononça un discours dans la circonscription québécoise de Mégantic :

La faute incombe aux hommes qui, au lieu de gouverner selon la nature de nos institutions, ont violé le principe des libertés locales et des intérêts locaux, principe dont la reconnaissance est le fondement même de notre Constitution. Dans un pays comme le nôtre, avec une population hétérogène, l'union fédérative est la seule qui puisse assurer la liberté civile et politique. La séparation des pouvoirs législatifs est le plus puissant facteur d'unité, Hélas, la Constitution a placé dans les mains du gouvernement une arme terrible

qu'il a utilisée à discrétion pour violer les libertés locales des provinces : le droit de veto est l'arme la plus arbitraire qu'une tyrannie
ait jamais offerte à un gouvernement fédéral[56].

Le coup de pouce d'un fanatique

Vers la fin des années 1880, Laurier dut prendre part à des
débats sur l'avenir de l'Empire britannique. Il était opposé à l'annexion et à la fédération impériale. L'horizon du Canada était celui
d'une évolution graduelle vers l'indépendance politique. Ainsi, à la
Chambre des communes, en mars 1889, il déclara : « Lorsque le
Canada choisira, pour parler comme Lord Palmerston, de se tenir
debout lui-même, la séparation se produira non seulement dans la
paix, mais aussi avec amitié et amour, comme le fils quitte la maison
de son père pour devenir lui-même père de famille[57]. » Il y avait
quelque chose d'hamiltonien dans sa façon d'envisager la séparation : « Le jour viendra où ce pays aura à prendre sa place parmi les
nations de la Terre, mais je ne veux pas voir mon pays acquérir son
indépendance dans l'hostilité d'une race contre les autres. Je ne veux
pas que l'indépendance de mon pays se fasse dans le sang de la
guerre civile. Je veux que l'indépendance de mon pays s'instaure à
l'issue de l'évolution normale et régulière de tous les éléments de sa
population vers la réalisation d'une aspiration commune[58]. » Ce
débat sur l'indépendance était lié à celui qui portait sur la politique
commerciale. Sous la direction de Blake, le Parti libéral avait
renoncé au libre-échangisme du mouvement *Clear Grit* à la faveur
d'une politique de protectionnisme modéré[59]. Après sa démission,
Richard Cartwright fit une offensive afin de ramener le parti vers les
positions du libéralisme libre-échangiste. Laurier était plus proche
de Cartwright que de Blake sur ces questions. Toutefois, il savait
qu'en cette matière une grande prudence était de mise. L'anathème
« annexionniste » était lancé pour un rien à cette époque sur les tribunes politiques. Il faut dire qu'il y avait de véritables annexionnistes dans les rangs libéraux. Le plus notoire était Erastus Wiman,
un homme d'affaires libéral canadien ayant fait fortune à New York.
Sa connaissance du milieu des affaires des deux pays lui permit
d'amener la question sur le devant de la scène. Il avait la caution

intellectuelle de Goldwin Smith, l'auteur du livre « annexionniste » *Canada and the Canadian Question.* Il trouva un appui enthousiaste dans les secteurs agricoles et ceux des mines et du bois. Cette campagne se fit surtout en Ontario, dans la région de Toronto, autour du journal *The Mail,* jadis associé au Parti conservateur.

La politique du *Mail* était définie par un autre sympathisant annexionniste, l'éditeur Edward Farrer. D'origine irlandaise, il était une figure célèbre du journalisme canadien. Il en était venu à croire à l'inévitabilité de l'union politique entre le Canada et les États-Unis. Le *Globe* de Toronto aussi en vint à modifier sa politique commerciale. Durant les élections de 1887, il avait appuyé la position plus protectionniste d'Edward Blake. Toutefois, lorsque Wiman et Farrer plaidèrent en faveur de l'union commerciale, le *Globe* modifia ses vues. Le sentiment impérial, prédisait-il, pourrait être favorisé par l'union commerciale. Laurier, pour sa part, tentait de trouver le juste milieu. Il se montra opposé tant à la politique tarifaire conservatrice qu'à la position extrême de l'union commerciale avec les États-Unis : « La réciprocité a toujours été un objectif libéral. Le gouvernement conservateur a fait des efforts futiles pour implanter une politique de réciprocité par des moyens coercitifs. Je peux dire que le temps est venu d'abandonner cette politique de coercition pour montrer au peuple américain que "nous sommes frères" et de leur tendre la main, sans diminuer le respect des devoirs que nous avons contractés à l'égard de la mère patrie[60]. » Durant la campagne électorale de 1891, Blake s'inquiéta de la politique commerciale de Laurier et Cartwright. Il décida d'envoyer une lettre à ses anciens électeurs de la circonscription de Durham West. Il prétendait qu'une telle politique mènerait à l'annexion aux États-Unis. La lettre de Blake blessa Laurier et déplut à plusieurs journaux libéraux. Le jour du scrutin, les conservateurs remportèrent 121 sièges contre 94. En donnant raison aux sombres prédictions de John A. Macdonald, la lettre de Blake priva peut-être Laurier d'un premier mandat de premier ministre. Laurier se consola en notant que les libéraux étaient majoritaires au Québec pour la première fois depuis 1867.

Entre la défaite de 1891 et la victoire de 1896, Laurier agit avec une grande prudence. Il tenta de faire la preuve qu'il était maintenant en mesure de succéder à Macdonald. Durant ce dernier mandat dans l'opposition, il réussit à élargir la coalition libérale, comme

John A. l'avait fait au début des années 1860. Il fit l'unité des troupes libérales et attira vers lui plusieurs conservateurs insatisfaits, comme Joseph-Israël Tarte et D'Alton McCarthy. Plusieurs événements contribuèrent à créer un contexte favorable aux libéraux. D'abord, les problèmes de succession à Macdonald semèrent la zizanie au sein des rangs conservateurs. Ensuite, Laurier affermit l'unité du parti en organisant un premier grand congrès libéral pancanadien, en juin 1893, à Toronto. Enfin, dans un contexte de dépression économique, les fermiers devinrent très favorables au thème libéral de la réciprocité commerciale. L'événement le plus déterminant dans le succès des libéraux fut relié à la croisade d'un conservateur, le protestant fanatique D'Alton McCarthy. Président de l'Imperial Federation League depuis le milieu des années 1880, McCarthy exploita l'anticatholicisme qui s'était déployé durant l'affaire Riel. Dès le début des années 1890, il se mit à parcourir l'Ontario, le Manitoba, le Nord-Ouest pour dénoncer le « scandale des écoles séparées » et la « domination française ». Cette croisade de McCarthy donna d'abord naissance à un mouvement : l'Equal Rights Association. Déçu de voir que le nouveau premier ministre, le catholique John Thomson, était aussi complaisant face au clergé, il créa un nouveau parti, l'Equal Rights League. Fortement populiste, il poursuivait deux grands objectifs : empêcher toute coercition fédérale sur les provinces en matière de langue ou d'éducation, adopter une politique commerciale protectionniste.

Le 29 janvier 1895, le Comité judiciaire du Conseil privé confirmait que le gouvernement fédéral avait le droit d'intervenir pour réparer l'injustice causée en 1890 par la loi du gouvernement manitobain Greenway. Cette loi, rappelons-le, avait permis la création d'un système d'enseignement non confessionnel, ce qui heurtait les droits de la minorité catholique (largement canadienne-française) dans cette province. Le gouvernement conservateur, dirigé maintenant par Charles Tupper, réagit en soumettant un projet de loi réparateur. Laurier critiqua sévèrement le projet, qui violait le principe de l'autonomie provinciale. Le chef de l'opposition favorisait plutôt la tenue d'une enquête afin de mieux connaître la situation dans cette province. Si cette enquête révélait que des torts devaient être réparés, il s'engageait à demander une politique de réparation. Il voulait éviter à tout prix que le fédéral intervienne dans les compé-

tences d'une province. Il ne faut pas, disait-il, « enfreindre l'indépendance de la législature provinciale[61] ». Sur le parquet des Communes, paradoxalement, Laurier s'allia à la démarche de deux
camps extrémistes du Parti conservateur : d'un côté, la faction
« equal-rightiste » de McCarthy, de l'autre, la faction « conserva-
trice-catholique » canadienne-française dirigée par Joseph-Israël
Tarte. Pour des raisons opposées, ces deux factions tentaient
d'ébranler le gouvernement conservateur. Laurier justifia cette
curieuse alliance en disant que les seules choses unissant ces deux
hommes, le courage et la conviction, faisaient gravement défaut au
gouvernement. L'action de McCarthy fut décisive. Organisant une
petite guérilla aux Communes, il réussit à réunir les forces anticoer-
citives. Tupper abandonna son projet de loi et déclencha des élections générales. La probabilité de son élection étant très forte, Laurier put recruter des candidatures de premier ordre, notamment
celles de trois premiers ministres provinciaux : Oliver Mowat
(Ontario), Andrew George Blair (Nouveau-Brunswick), William
Fielding (Nouvelle-Écosse). Le jour du scrutin, le 23 juin, les conservateurs obtinrent plus de voix (46 % contre 45 %), mais les libéraux
remportèrent plus de sièges : 118 députés contre 88. Le Québec était
à nouveau un château fort, mais cette fois-ci du libéralisme. Les libéraux y déclassèrent les bleus par 33 sièges de majorité (49 contre 16).
Amorcé lentement avec l'affaire Riel, le déclin des conservateurs au
Québec franchissait un nouveau pas, décisif cette fois.

Le Jubilé, la Conférence impériale et les Boers

La prise du pouvoir par Laurier fut longtemps retardée à cause
de ses vues à propos des États-Unis. Au Canada, il était de loin
l'homme politique le plus solide depuis la fin des années 1880, mais
il portait les stigmates du catholicisme aux tendances républicaines.
En laissant planer le spectre de l'annexion, ses adversaires réussirent
à l'éloigner du pouvoir. Afin de se rendre plus attrayant aux yeux des
élites canadiennes, Laurier mit un peu d'eau dans son vin. Ce qui ne
l'empêcha pas, dès son arrivée au pouvoir, d'informer les membres
de son cabinet qu'il entendait entretenir des relations cordiales avec
les voisins du sud. Au cabinet, le ministre le plus sympathique aux

Américains était Richard Cartwright. Ce dernier appartenait à une riche famille loyaliste. Il avait commencé sa carrière dans les rangs conservateurs, puis avait adhéré au Parti libéral durant les années 1870 en raison d'un désaccord sur la politique commerciale. À l'instar de son chef, il prônait une intensification des relations commerciales avec les États-Unis. Il suggéra à Laurier que le Canada, à l'avenir, négocie lui-même ses traités avec les États-Unis. Le premier ministre canadien en fit la demande au ministre britannique des Colonies, Joseph Chamberlain, et celui-ci l'accepta. Dans la mise en œuvre de sa politique commerciale, Laurier manqua cependant de chance. Au moment précis où les électeurs canadiens appuyaient le continentalisme économique, les forces protectionnistes triomphèrent aux États-Unis. En effet, les démocrates américains, qui prônaient un tarif bas depuis plusieurs années, perdirent le pouvoir. Le nouveau président républicain, William McKinley, était le principal propagandiste d'une politique de tarif élevé. C'était même le thème principal de sa campagne présidentielle. Pour Laurier et Cartwright, la victoire de McKinley représentait une mauvaise nouvelle. Dès l'été 1897, le gouvernement américain adopta les mesures les plus protectionnistes de son histoire. Le tarif adopté était même plus élevé que celui promis par McKinley en campagne électorale. Le gouvernement Laurier n'avait donc guère le choix. Son premier budget, au lieu de proposer la réciprocité avec les États-Unis, adopta comme mesure principale un tarif préférentiel pour les pays britanniques et les pays à bas tarif. Le budget désappointa les libres-échangistes canadiens, mais plut beaucoup aux élites économiques en Angleterre[62].

Néanmoins, Laurier gardait espoir. Il était encouragé par le climat de bonne entente qui régnait entre les États-Unis et la Grande-Bretagne. Dès le début de la guerre hispano-américaine (avril 1898), les Américains furent agréablement surpris de noter que les Britanniques cherchaient à devenir des alliés. Le premier ministre canadien pensait que la vieille rivalité entre l'Angleterre et les États-Unis s'estompait car elle n'était pas fondée sur le bon sens[63]. Au début de l'année 1898, avant de partir pour le Jubilé de la reine Victoria et la Conférence impériale à Londres, Laurier fut assailli de questions aux Communes. En réponse à une question du chef de l'opposition, Robert Borden, il expliqua sa position : « Il existe un courant de pensée à l'étranger, il existe un courant de pensée en Angleterre et au Canada, qui est peut-être représenté au sein de ce Parlement et qui souhaite lancer le Canada sur la voie du militarisme affligeant actuellement l'Europe. Je ne suis pas prêt à appuyer une telle politique[64]. »

Les autorités impériales avaient arrêté la date de la Conférence impériale au 24 juin, immédiatement après celle du Jubilé, qui lui se tenait le 22 juin. Durant les activités mondaines ayant précédé le Jubilé, Laurier reçut plusieurs distinctions, dont le titre de « sir ». C'est Lord Strathcona (Donald Smith) qui fit les démarches afin que Laurier reçoive cette distinction. Le premier ministre commença par dire non, mais Strathcona finit par le convaincre. À moins de vouloir offenser la reine, il était impossible de refuser un tel honneur. Durant ce séjour à Londres, Laurier fut étonné par le caractère trépidant de la vie dans la haute société : « Un séjour en Angleterre est à maints égards un plaisir, même s'il suscite un certain inconfort pour le non-initié. Le tourbillon des affaires internationales à Londres, le plaisir de côtoyer des hommes de grande distinction, le confort de la vie urbaine et rurale au sein d'un pays enraciné dans la tradition, où le loisir est un art et l'hospitalité une science, exercent un formidable attrait. Mais c'est tout de même éreintant. L'interminable ronde des dîners et des réceptions vient à bout même d'une santé plus forte que la mienne[65]. » Le 18 juin, dans un discours à Liverpool, il s'emporta quelque peu : « Si un jour l'Angleterre vient à être en danger, que le clairon sonne et malgré la faiblesse de leurs moyens, les colonies voleront à son secours[66]. » Cette déclaration provoqua rapidement des réactions en chaîne au Canada. Pour le reste du séjour, le premier ministre fut plus prudent. Ainsi, au cours de la Conférence impériale, il réussit à convaincre les autres premiers ministres de refuser le projet de fédération impériale prônée par Joseph Chamberlain. Laurier se rendit compte qu'il était difficile de résister aux pressions des autorités impériales. La vie mondaine à Londres, nota-t-il, est inextricablement liée à la vie politique. Il est impossible d'être agréable dans la première et inflexible dans la seconde. Laurier décrivit avec précision l'expérience qu'il vécut dès sa première participation à une conférence impériale. Ses remarques sont étonnantes quand on sait que l'homme nourrissait une estime inébranlable à l'égard des institutions britanniques :

En plus d'une attention authentique et spontanée, on sentait une incessante et infatigable campagne impérialiste. Nous étions vus moins comme des individus que, abstraitement, comme des hommes d'État coloniaux qu'il fallait impressionner et déstabiliser. L'Anglais accorde autant d'importance à la politique, et notamment à la politique extérieure, qu'au commerce, même s'il camoufle ses intentions sous un air d'indifférence polie. Une fois convaincu que les colonies méritent d'être conservées, il s'applique à les rapprocher davantage de Londres avec une habileté et une persévérance remarquables. Lors d'une telle campagne, dont personne ne peut saisir l'ampleur avant de s'y retrouver en plein cœur, la pression sociale est la plus subtile et la plus efficace des forces. En 1897 et en 1902, ce fut l'insistance personnelle de Chamberlain qui a été la plus forte, mais à partir de 1907, c'est la pression de la société qui a été la force principale. C'est difficile de résister à la flatterie d'une gracieuse duchesse. La volonté d'hommes publics faibles peut ainsi être emportée en une seule soirée. Rares sont ceux qui peuvent résister longtemps. Nous avons mangé et bu en compagnie de la famille royale, d'aristocrates et de ploutocrates et nous n'avons parlé que d'empire, d'empire, d'empire[67].

Un an après la Conférence impériale, Laurier fit face à une première crise politique. Le 12 octobre 1899, l'Angleterre déclara la guerre aux Boers d'Afrique du Sud. Dès le lendemain, avant même de convoquer le Parlement, il accepta d'armer et d'envoyer mille soldats volontaires canadiens en Afrique du Sud. Au sein du caucus québécois, cependant, plusieurs députés émirent de fortes réticences à aller dans ce sens. Selon Henri Bourassa, l'envoi de troupes violait un grand principe constitutionnel, « *no taxation without representation* ». Les Canadiens n'avaient aucun représentant au sein des instances impériales. Par conséquent, avançait-il, la politique militaire de l'Angleterre n'imposait aucune obligation au Canada. Plusieurs députés canadiens-français se réunirent chez Joseph-Israël Tarte, autour de Laurier. Bourassa interrogea son chef : « Monsieur Laurier, tenez-vous compte de l'opinion de la province de Québec ? » Laurier : « Mon cher Henri, la province de Québec n'a pas d'opinion : elle n'a que des sentiments. » Bourassa continua ses explications. Laurier reprit : « Mon cher Henri, les circonstances sont difficiles. » Bourassa : « C'est parce que les circonstances sont difficiles que je vous demande de rester fidèle à votre parole. Gouverner, c'est avoir assez de cœur pour savoir, à un moment donné, risquer le pouvoir pour sauver un principe. » Laurier conclut : « Ah, mon cher ami, vous manquez d'esprit pratique[68]. » C'est autour de ce différend que les deux hommes se séparèrent. Bourassa lui transmit par la suite une lettre de démission des Communes, dont voici un extrait :

> L'arrêté ministériel qui décrète l'enrôlement et l'expédition de nos troupes réserve, paraît-il, l'avenir et empêche cette action d'être considérée comme un précédent. Le précédent, Monsieur le ministre, c'est le fait accompli. Le principe en jeu est l'axiome par excellence du libéralisme anglais, c'est la base même du régime parlementaire : *no taxation without representation*. Et l'impôt du sang constitue la forme la plus lourde des contributions publiques. Il s'agit de savoir si le Canada est prêt à renoncer à ses prérogatives de colonie constitutionnelle, à sa liberté parlementaire, au pacte conclu avec la métropole après soixante-quinze ans de luttes et à retourner à l'état primitif de colonie de la Couronne[69].

Le débat se poursuivit plusieurs mois. Le 30 mars 1900, Bourassa présenta une motion aux Communes afin de combattre les tendances impérialistes du gouvernement. Il insistait sur le fondement libéral de sa position : « J'éprouve une antipathie innée pour les tories de cœur et d'instinct. Je suis un libéral de l'école anglaise. Je suis un disciple de Burke, de Fox, de Gladstone. Je suis libéral et je mourrai libéral. Et libéral je resterai, même à travers les flots du torysme qui peuvent submerger un instant les champs du libéralisme. Et ni roi, ni gouverneur, ni ministre, même dans mon propre parti, et nulle force aveugle ne peuvent m'imposer des convictions qui ne sont pas les miennes[70]. » La réponse de Laurier fut profondément burkienne : « Mon honorable ami est jeune et enthousiaste, il est à cet âge heureux où les théories brillantes et chevaleresques ont plus d'importance que les qualités et les choses pratiques[71]. » Le premier ministre continua en invoquant l'argument hamiltonien : la recherche de l'harmonie, de la paix, de l'unité : « L'honorable député est un de mes amis personnels et un de mes partisans politiques ; il sait aussi bien que tout autre député que s'il est une chose à laquelle

j'ai consacré ma vie politique, c'est le développement de l'union et
de l'harmonie entre les différents éléments de notre population
[…]. L'œuvre d'union, d'harmonie et de concorde entre les deux
principales races de ce pays n'est pas encore terminée[72]. »

Des complots contre le chef

Laurier fut sévèrement critiqué durant son premier mandat. À
sa gauche, Bourassa lui reprochait son anglophilie. À sa droite, les
impérialistes l'accusaient d'être déloyal à l'Empire. L'opposition
conservatrice était toutefois beaucoup trop divisée pour représenter
une menace sérieuse. En pleine possession de ses moyens, le premier
ministre mena ses troupes à la victoire durant les élections générales
de 1900. Les libéraux remportèrent 133 sièges, soit 15 de plus
qu'en 1896. Les conservateurs en perdirent 8, passant de 88 à 80. Le
Québec était l'assise principale du pouvoir libéral fédéral. Cette victoire magistrale donna à Laurier un faux sentiment de sécurité. Car,
au cours de ce deuxième mandat, il vit son autorité mise à dure
épreuve. Des rumeurs de complot le menacèrent et hypothéquèrent
ses chances de réélection. Laurier montra de grandes qualités de
chef cette année-là. Jusque-là, il était reconnu comme un redoutable
tribun, un orateur brillant, un chef habile. Mais certains doutaient
qu'il fût un vrai guerrier.

Le premier homme public à miner le leadership de Laurier fut
Joseph-Israël Tarte, une légende de la politique canadienne[73]. Tarte
était un homme d'action, vif, toujours en mouvement. Son caractère changeant et bouillant fit qu'il était craint autant par ses amis
que par ses ennemis. Entre 1870 et 1900, l'homme avait retourné sa
veste d'innombrables fois. Au milieu des années 1890, il savait que
Laurier était voué à un grand avenir. Il joignit ses rangs, devint son
organisateur pour la région ouest de la province. Dès la formation
du premier cabinet, il fut nommé ministre des Travaux publics.
Laurier n'entretenait aucune illusion à l'égard de Tarte : « Qui a bu
boira, qui a trahi trahira », disait-il. Probablement qu'il estima que
Tarte ferait moins de dommages dans son ministère que dans l'opposition. L'intégration de Tarte à son équipe montrait à quel point
son parti était devenu une grande coalition. En se rapprochant des

piliers de l'école de Cartier (Joseph-Israël Tarte, Adolphe Chapleau, Arthur Dansereau), Laurier occupait désormais le centre de l'échiquier politique, un centre très largement défini. Mais cela créait des tensions avec l'aile radicale du parti, les vieux compagnons de combat de Laurier : Charles et François Langelier, Honoré Beaugrand, Raymond Préfontaine. Tarte eut une influence considérable sur l'ouverture de Laurier aux conservateurs. Ainsi, en 1899, lorsque Dansereau fut limogé par erreur par le ministre des Postes, William Mulock, Laurier écrivit à Tarte, afin de le calmer :

> Ce que je regrette dans tout cela, c'est que nous allons sans doute perdre la plus grande partie des éléments les plus sûrs et les plus raisonnables du groupe s'inspirant de Cartier, qui était sur le point de se joindre définitivement à nous. [...] Tout ce que vous dites des radicaux et des difficultés qu'ils nous ont occasionnées à l'automne 1897 n'est pas lié à la situation qui prévaut maintenant[74].

Les premières sources de friction importantes introduites par Tarte commencèrent lors de la guerre des Boers. Il était vu comme le ministre au cabinet qui empêchait Laurier d'avoir une politique plus sympathique aux intérêts britanniques. Tarte était détesté en Ontario, considéré comme le symbole de la « domination française ». Un nouvel incident se produisit, en été 1902, après que le premier ministre eut quitté le Canada afin de participer à la deuxième Conférence impériale. Durant son absence, des journaux canadiens prétendirent que le chef libéral était fatigué, voire gravement malade. Tarte ne put s'empêcher de penser à une éventuelle succession. Qui avait des chances de lui succéder ? Fielding serait le candidat naturel ; mais il n'était pas imbattable. Tarte se laissa aller à supposer qu'il avait ses chances. L'Ontario lui était hostile, certes. Mais il pouvait renverser la vapeur. S'il se faisait le champion du protectionnisme, cette province oublierait vite ses anciennes opinions sur l'Empire. Il entreprit une croisade en faveur d'un tarif plus élevé, visitant villes, manufactures, villages. Il était devenu évident que Tarte était déjà engagé dans une campagne à la direction. À son retour au pays, le premier ministre convoqua son ministre. Dans un entretien privé, il lui demanda de démissionner du cabinet. Tarte ne résista pas et partit.

Un deuxième complot se trama en 1903, autour de l'affaire Dundonald. Ce dernier était un héros militaire britannique qui s'était illustré durant la guerre des Boers. Londres le nomma commandant de la milice canadienne. L'arrivée du militaire fit monter d'un cran le sentiment impérialiste au pays. Les vétérans de la guerre des Boers firent pression sur le gouvernement fédéral pour établir une armée permanente. Dundonald devint le catalyseur d'une vigoureuse campagne de propagande. Le journal *La Presse,* proche de Laurier, accusa le militaire d'empiéter sur le pouvoir civil : « Lord Dundonald cherche à nous imposer au Canada le militarisme cher à son chef M. Chamberlain. Il voudrait que nous ayons une armée de cent mille hommes, prêts à se lancer dans les aventures qu'il plairait aux spéculateurs anglais de faire naître, comme cela est arrivé pour le Transvaal[75]. » Irrité par cette croisade, Laurier pensait que le cabinet n'avait pas à se faire dicter une ligne de conduite par un militaire. Bourassa vint en aide à Laurier sur cette question. Depuis qu'il avait pris connaissance du rapport confidentiel de la Conférence impériale de 1902, le député nationaliste avait mis de l'eau dans son vin. Il s'était rapproché du premier ministre, tout en restant indépendant aux Communes. Le député demanda que le gouvernement lance un avertissement au militaire. Les représentants de l'Angleterre au Canada, ainsi que le Parlement impérial, devaient savoir que le pouvoir militaire est soumis au pouvoir civil et que, au Canada, l'État obéit aux principes du gouvernement responsable. Cet appui de Bourassa créa une accalmie.

Un an plus tard, Lord Dundonald revint hanter le premier ministre. Une maladresse du ministre de la Milice, Sydney Fisher, mit le feu aux poudres. Le ministre, qui était aussi le chef des libéraux des Cantons-de-l'Est, fit l'erreur de biffer le nom d'un militant conservateur sur la liste des officiers soumise par Dundonald, pour cette région de la province. Même si cette pratique était courante, le militaire exploita la prétendue bévue pour recréer une crise nationale. À l'occasion d'un banquet à Montréal, le 4 juin, il critiqua cette « ingérence du politique » dans les affaires de l'armée. Un ami de Dundonald, le député-colonel Sam Hughes, interpella Laurier aux Communes. Le premier ministre répondit promptement, mais en commettant un impair : « Nous avons un gouvernement responsable. Lord Dundonald est un étranger (*foreigner*). » Enragés, les conservateurs se mirent à l'invectiver. Laurier s'amenda : « J'ai voulu dire *stranger*. » C'était un lapsus, ou une erreur d'anglais. Mais les conservateurs n'acceptèrent pas ses excuses. Un lord anglais habitant au Canada était traité d'étranger par un premier ministre canadien-français. Quelques jours plus tard, Laurier releva le général de ses fonctions. Le gouverneur général Lord Minto sanctionna l'arrêt, à reculons. La presse conservatrice mena une vendetta contre le premier ministre. Même des libéraux anglophones se mirent de la partie. Ce qui à l'origine était un simple conflit entre Dundonald et le ministre Fisher devint une crise nationale. Laurier finit par imposer sa volonté. Le général quitta enfin le Canada.

Le calvaire de Laurier n'était pas terminé. Une troisième affaire menaçant son leadership se déclara à quelques mois des élections générales prévues en novembre 1904. Il s'agissait d'un complot visant à vendre *La Presse*, le journal du Parti libéral à Montréal, à des intérêts conservateurs. Ce complot, s'il se réalisait, ouvrirait la voie à une défaite libérale aux prochaines élections. L'idée du complot vint du riche homme d'affaires canadien-français Rodolphe Forget. Fréquentant les clubs conservateurs, il était en relation avec les grands industriels canadiens-anglais du chemin de fer. Candidat conservateur dans la circonscription de Charlevoix, il promettait à ses électeurs la construction d'une ligne qui relierait leur région à celle de Québec. Pour arriver à ses fins, il travaillait à miner la puissance du *lauriérisme* au Québec. Il savait que Laurier resterait imbattable tant que les conservateurs ne contrôleraient pas un influent journal canadien-français. Il fit le calcul qu'en mettant la main sur *La Presse*, dans les semaines précédant le vote, les conservateurs seraient en mesure de miner le Parti libéral à sa source. Le premier geste que fit Forget fut de s'allier aux magnats des chemins de fer Donald Mann et Alexander Mackenzie. Depuis le début des années 1890, ces industriels appuyaient l'équipe de Laurier. Mais leurs intérêts ne convergeaient plus avec ceux du gouvernement libéral. Cette alliance de Forget avec Mann et Mackenzie fut facilitée par l'avocat montréalais J. N. Greenshields. Avocat personnel de ces magnats du chemin de fer, il était aussi lié à la Shawinigan Power, une compagnie qui avait les mêmes intérêts que celle de Forget, la Montreal Light Heat and Power. Deux autres individus s'ajoutèrent aux conspirateurs : Hugh Graham, éditeur du *Montreal Star* (qui cherchait à mettre la main sur un journal francophone à Montréal), et David Russell, un riche promoteur qui achetait des journaux pour le compte des conservateurs. Le plan de ces hommes était simple : 1) acheter le journal *La Presse* afin de lui donner une orientation conservatrice ; 2) révéler des scandales impliquant le gouvernement Laurier ; 3) « acheter » des défections au sein du caucus libéral ; 4) remporter les élections générales.

Le 11 octobre, la première partie du plan réussit. Le directeur de *La Presse* Arthur Dansereau rencontra son patron, le propriétaire Trefflé Berthiaume (ami de Laurier), lors d'un concert à Montréal. Ils se rendirent par la suite à la résidence de J. N. Greenshields. Ce dernier les attendait, en compagnie de Russell et de plusieurs avocats. Dansereau « travailla » un Berthiaume sur la défensive, à l'aide de quelques bonnes bouteilles. Il l'incita à vendre son journal aux agents de Mann et Mackenzie pour un million de dollars. Le propriétaire de *La Presse* finit par céder. Quelques jours plus tard, Dansereau partait pour l'Europe, muni d'un contrat lui garantissant un revenu mensuel de mille dollars pendant dix ans. La transaction vint cependant aux oreilles de gens qui avaient intérêt à la dévoiler au grand jour. C'est Joseph-Israël Tarte qui fut le premier mis au courant. Pour des raisons obscures, il décida de ne pas publier cette information dans son journal. Il alla plutôt vendre le scoop à Olivar Asselin, journaliste au *Nationaliste,* quotidien fondé par les partisans de Bourassa. Tarte savait qu'Asselin sortirait la nouvelle. Il était candidat contre Forget dans la circonscription de Charlevoix aux prochaines élections[76]... Le 16 octobre 1904, moins de trois semaines avant le scrutin du 3 novembre, *Le Nationaliste* sortait le scoop. Le journal révélait au grand public que Hugh Graham et Rodolphe Forget s'apprêtaient à verser plus d'un million de dollars pour acquérir *La Presse*. De plus, l'article prétendait que le propriétaire Trefflé Berthiaume avait déjà reçu 600 000 $ en échange de son silence. Une semaine plus tard, Asselin publiait d'autres révélations à la une du *Nationaliste*. Il accusait les comploteurs de créer un nouveau « trust de journaux ». Il y décrivait les liens entre les politiciens et les hommes d'affaires impliqués dans l'opération. Par la suite, Asselin rencontra Berthiaume et lui expliqua qu'un journal n'était pas une entreprise ordinaire. Sa valeur dépendait de la confiance qu'il inspirait à ses lecteurs. *La Presse* n'aurait plus aucune valeur une fois que Laurier aurait dénoncé la vente à des spéculateurs retors. Les arguments du journaliste persuadèrent Berthiaume d'annuler la transaction quelques jours avant le scrutin fédéral. Asselin sauva Laurier du pétrin. Il fit cela moins pour le premier ministre, qu'il ne tenait plus en grande estime, que pour éviter un scénario encore pire, la prise du pouvoir par une oligarchie impérialiste.

Ces trois « affaires », Tarte, Dundonald, Forget, mirent à rude épreuve le leadership de Laurier. Le jour du scrutin, le 3 novembre 1904, les libéraux remportèrent à nouveau une solide victoire. Le parti améliorait sa majorité aux Communes par 5 sièges, passant de 133 à 138. Les conservateurs perdirent cinq sièges, passant de 80 à 75. C'était encore le Québec qui permettait à Laurier de garder le pouvoir. Dans cette province, les libéraux remportèrent 53 sièges, les conservateurs seulement 11. Les libéraux étaient aussi majoritaires dans les Maritimes et dans l'Ouest. Les conservateurs firent des gains significatifs seulement en Ontario, où ils étaient maintenant majoritaires.

La multiplication des courtisans

Le troisième mandat de Laurier ne fut pas marqué par de grands coups d'éclat. On assista cependant à la création de deux nouvelles provinces, l'Alberta et la Saskatchewan. La question la plus litigieuse concernait les droits des minorités religieuses. Le projet de loi relatif à celles-ci prévoyait que la minorité catholique aurait le droit d'établir ses propres écoles et de partager les fonds publics. Laurier plaida pour la tolérance religieuse. Les parlementaires canadiens-anglais s'opposèrent à ce projet de loi ; Laurier finit par apaiser la crise des écoles du Nord-Ouest en proposant un compromis, au moyen d'un amendement. Outre cette crise, ce troisième mandat se caractérisa surtout par des scandales politiques. Déjà à l'époque de Macdonald, le champ de patronage du premier ministre était vaste. Sous Laurier, ce champ prit encore de l'expansion. C'est de lui que relevait la nomination des juges, des sénateurs, des procureurs, des commis, des traducteurs, des maîtres des postes, des douaniers, des inspecteurs en immigration. Ces postes étaient attribués sur avis du premier ministre ou de ses proches collègues du cabinet. Parmi les tâches du ministère, la distribution des faveurs était la fonction la plus absorbante. Laurier aimait répéter une anecdote d'Abraham Lincoln. La voici. On demanda à ce dernier durant la guerre de Sécession si les problèmes qu'il avait connus sur le front étaient attribuables à un changement dans le commandement de l'armée. Avec l'humour qui le caractérisait, Lincoln rétorqua : « Non, c'est ce satané branle-bas autour du job de maître des postes à Brownsville, Ohio. » Un aspect important du patronage était l'attribution de titres et de distinctions par la couronne. Avec les années, un flou s'était installé dans la démarche menant à l'attribution d'un titre. C'était souvent le résultat de pourparlers informels entre le cabinet britannique, le gouverneur général canadien et le cabinet du gouvernement fédéral. Plusieurs libéraux pensaient que l'inflation des titres créait des distinctions de classe dans la société canadienne. Selon eux, la couronne utilisait ces titres afin d'exploiter le sentiment d'appartenance à l'Empire. Pourtant, la plupart des hommes publics feignaient d'accorder de l'importance à ces titres. Ils finissaient toutefois par les accepter, après avoir émis une protestation du style : « Ce genre d'honneur ne m'intéresse pas, mais ma femme y trouve un certain plaisir. » Ou encore : « Nous n'accordons pas d'importance à cela ; mais nous ne voudrions offenser personne en refusant cet honneur. » Il y avait même une façon subtile de faire monter les enchères : « Je ne suis pas attaché aux titres. Je préférerais ne pas en recevoir. Mais si j'en accepte un, ne serait-il pas préférable que je sois chevalier plutôt que baronnet, puisqu'un Sud-Africain de la même stature que moi vient tout juste d'en recevoir un ? »

De l'idéalisme de sa jeunesse, Laurier avait conservé un certain mépris pour le snobisme social de la vie publique britannique. Afin d'atténuer le caractère colonial de l'octroi des titres, Richard Cartwright l'incitait à affirmer le principe de la responsabilité ministérielle. Laurier trouva un compromis. Le gouverneur général allait conserver la prérogative de préparer une liste, mais le premier ministre se réserverait le droit de soulever des objections ou de fournir des noms supplémentaires. Laurier avait aussi établi une ligne de conduite pour le « titrage » des membres de son parti. Il l'exposa dans une lettre adressée à l'un de ses collègues : « À mes yeux, personne ne mérite davantage que vous de recevoir une distinction de la Couronne ou du peuple. Mais je me suis vigoureusement opposé à la suggestion formulée par Lord Minto pour que votre nom apparaisse sur la liste. Mon opposition se fonde sur des motifs politiques que vous connaissez bien. L'acceptation d'honneurs par un homme activement engagé dans la vie politique d'un pays est une erreur. Je pense en outre que nous avons déjà assez de titres dans le cabinet[77]. » Laurier était cependant dans une position délicate. Il avait déjà été anobli à l'occasion du Jubilé de la reine Victoria en 1898. Comment pouvait-il établir des critères que lui-même n'était pas en mesure de respecter ? Son raisonnement était perspicace :

> Certains pourraient rétorquer que je n'ai pas appliqué cette règle à mon propre cas. Mais ce raisonnement est tout faux. Le titre que je porte maintenant me fut octroyé sans que je n'en fusse préalablement informé et même si j'avais déjà affirmé que ce serait une erreur politique. J'étais placé dans une situation telle que j'aurais commis une erreur politique encore plus grave si je l'avais refusé à ce moment. Cela aurait été disgracieux, dans l'enthousiasme du Jubilé de la reine, de répondre par un refus à l'annonce publique de la faveur royale. Je n'aurais pas pu agir autrement à l'époque. J'ai souvent eu l'occasion de comprendre ensuite que l'attribution de ce titre — qui était le résultat d'une décision amicale mais malencontreuse qu'avaient prise Lord Aberdeen et Lord Strathcona — avait constitué une grave erreur politique et je n'ai cessé de le regretter par la suite[78].

Laurier avait sans doute raison. Mais ses scrupules n'étaient pas complètement imaginaires. Il savait qu'à plusieurs égards son régime commençait à ressembler à celui de Macdonald. Peu à peu, il s'était aperçu que la marge de manœuvre d'un premier ministre canadien était bien restreinte. Se maintenir au sommet exigeait de suivre la voie tracée par John A. Macdonald, soit de gouverner à la façon d'un sultan turc. Afin de faire taire les critiques, Laurier fit adopter une loi électorale qui visait à mettre fin aux manifestations de corruption les plus graves. Enfin, à l'automne 1908, Laurier demanda au peuple de lui accorder un quatrième mandat. Le slogan libéral était : « Laissons Laurier finir son travail ». Le chef libéral décida encore de concentrer son énergie dans les deux grandes provinces, l'Ontario et le Québec. Le chef conservateur Robert Borden, lui, mit l'accent sur les scandales dans lesquels le gouvernement était impliqué. Le jour du scrutin, le 26 octobre 1908, les libéraux l'emportèrent avec 135 sièges contre 85. La majorité du gouvernement avait diminué, mais Laurier restait très solide. C'est le Québec, à nouveau, qui donnait le pouvoir aux libéraux. Les conservateurs restaient faibles dans les Maritimes, mais gagnaient du terrain dans l'Ouest. L'Ontario était majoritairement conservateur, mais pas assez pour faire triompher Borden.

Le virage du Canada central

Le dernier mandat de Laurier fut marqué par de sérieux débats sur le statut du Canada au sein de l'empire. Ils naquirent autour du projet de loi navale soumis aux Communes en 1909. À l'occasion de ces débats, Laurier répondit aux critiques du député conservateur George Foster, qui l'accusait de ne pas remplir ses obligations militaires à l'égard de l'empire. La réplique de Laurier donne un bon aperçu de sa conception de la nationalité canadienne :

> Nous sommes des sujets britanniques. Le Canada est l'une des nations filles de l'empire, et nous connaissons parfaitement les droits et les obligations qui découlent de notre situation honorable […]. J'espère que jamais ne viendra le jour où nous serons jetés dans les conflits de l'Europe. Mais je n'ai aucune hésitation à dire que la suprématie de l'empire britannique est absolument essentielle non seulement au maintien de cet empire, mais aussi à celui de la civilisation dans le monde. Je n'hésite pas non plus à affirmer que si vient le jour où la suprématie britannique sur les mers est menacée, ce sera le devoir de toutes les nations filles de se tenir autour de la mère patrie et d'ériger un rempart contre toute attaque. J'espère que ce jour ne viendra jamais, mais dans le cas contraire, ce serait mon devoir de consacrer ce qui reste de ma vie et de mon énergie à secouer le pays et à persuader mes compatriotes, en particulier ceux du Québec, que le salut de l'Angleterre est le garant du salut de notre pays, de notre liberté civile et religieuse et de tout ce que nous chérissons dans la vie[79].

Laurier pensait éviter la division de l'électorat libéral. En 1909, dans une lettre à son vieil ami, le sénateur Dandurand, il admit que cela pouvait se produire. Il reconnut que le centre de l'échiquier politique, occupé depuis quinze ans par son parti, était en train de se rétrécir sous l'effort conjugué des nationalistes de Bourassa et des impérialistes canadiens-anglais : « Nous sommes sans aucun doute sur le point d'assister à une petite agitation de la part des nationalistes et des conservateurs qui s'associent finalement au sein d'un parti stable. Mais je ne nourris pas de vives appréhensions. Je suis bien conscient que notre politique n'est pas populaire, mais je ne pense pas qu'ils puissent tromper le public à son sujet[80]. » L'adoption par le Parlement de la Loi sur le service naval attisa le sentiment nationaliste au Canada français. Henri Bourassa amorça une campagne dénonçant l'impérialisme et le militarisme de cette mesure. C'est dans la foulée de cette campagne que Bourassa fonda *Le Devoir*. Selon la Ligue nationaliste, il s'agissait d'un pas décisif menant à l'embrigadement des Canadiens dans les desseins impériaux de la Grande-Bretagne[81]. Le 3 novembre 1910, les électeurs envoyèrent un avertissement à Laurier. Une élection partielle se tint dans son ancien fief de Drummond-Arthabaska. Elle fut remportée par le candidat nationaliste Arthur Gilbert. Laurier n'était plus le maître incontesté au Québec.

Si le château fort libéral commença à vaciller avec le débat sur la loi navale, c'est celui qui porta sur le libre-échange qui provoqua la chute finale. Entre 1896 et 1906, le Parti libéral avait dû revenir à des positions plus protectionnistes. Laurier n'avait guère eu le choix. Les États-Unis étaient, à ce moment-là, résolument opposés au libre-échange. Dans quatre élections consécutives, 1896, 1900, 1904, 1908, le Parti républicain (qui prônait un tarif élevé) avait tenu les rênes du pouvoir aux États-Unis. À l'inverse, au Canada, dans quatre élections consécutives, 1896, 1900, 1904, 1908, le parti prônant un bas tarif l'emporta. Mais la donne changea au début des années 1910. Le président républicain William Howard Taft entama des négociations avec le gouvernement Laurier. Les délégués canadiens eurent la surprise de voir que ce président était prêt à aller beaucoup plus loin que prévu. Taft fit une proposition de libre-échange complet. Mais les Canadiens ne voulaient pas aller aussi loin. Les négociateurs finirent par trouver un terrain d'entente autour d'une réciprocité

commerciale assez large[82]. L'entente ouvrit les frontières américaines à tous les produits canadiens, sans tarif, ou à un tarif très bas,
pendant que le Canada ouvrait ses frontières à un tarif qui allait
légèrement au-delà des réductions déjà accordées à d'autres pays. La
mesure passa au Congrès américain, malgré quelques résistances.

Le 26 janvier 1910, euphorique, le ministre des Finances William Fielding présenta l'accord commercial aux Communes. Le chef
de l'opposition, Robert Borden, était muselé. Car même des députés du caucus conservateur (dans les Prairies surtout) applaudirent.
L'opposition à l'accord commercial commença, en fait, sous une
forme très embryonnaire. Mais elle prit rapidement de l'ampleur
car elle venait de milieux puissants. La classe industrielle et financière canadienne, en particulier sa faction torontoise, sonna
l'alarme. Elle craignait les conséquences à long terme de l'accord
commercial. Opportuniste, Borden se mit à attaquer l'accord et à
réclamer un appel au peuple. Laurier accepta ce défi tellement il
était convaincu que les électeurs approuvaient cet accord. La lutte
électorale s'annonçait difficile car le vrai leader du mouvement
d'opposition à l'accord venait des rangs libéraux. Il s'agissait de Clifford Sifton, un ancien ministre du cabinet. Après avoir démissionné
en réaction à la politique de Laurier dans l'affaire des écoles du
Nord-Ouest, Sifton était néanmoins resté membre du caucus.
Maintenant, il décidait de rompre avec le parti. Laurier ne comprit
pas son opposition à la réciprocité. La départ de Sifton donna lieu à
un dialogue fameux. Laurier : « Pourquoi vous quittez ? » Sifton :
« Parce que je ne crois pas en la réciprocité. » Laurier : « Vous y avez
déjà cru, pourtant ? » Sifton : « Oui, mais les conditions ont
changé. » Laurier : « Non, c'est vous qui avez changé. Votre opposition est personnelle. Pourquoi[83] ? »

C'est Sifton qui organisa le Mouvement de la révolte des 18. Ce
mouvement d'opposition à la réciprocité émanait de l'élite industrielle torontoise. Sifton était épaulé par Zebulon Lash, un avocat à
la solde des industriels Mackenzie & Mann. Les propagandistes du
mouvement invoquèrent des arguments économiques : « nous pouvons nous suffire à nous-mêmes » ou « nous avons bien fait par le
passé sans la réciprocité, alors… » Le Canada étant dans une ère de
prospérité, Laurier était victime de son propre succès. En réponse à
Sifton, les partisans de la réciprocité opposèrent de solides argu-

ments. La prospérité, disaient-ils, avait donné aux Canadiens la confiance nécessaire pour qu'ils rivalisent avec les Américains. Si les manufacturiers étaient favorisés par la Politique nationale, un juste retour des choses signifiait que c'étaient désormais les fermiers, les petits marchands, les artisans qui avaient droit à la manne. Mais, en fait, il se pourrait que les arguments politiques aient plus lourdement penché dans la balance. Borden et Sifton lancèrent des appels au lien impérial et à la loyauté britannique. « Le rail et le tarif, disaient-ils, avaient cimenté le Canada. » La réciprocité, en intensifiant les échanges commerciaux entre le nord et le sud, allait briser l'unité du pays. New York, Boston, Chicago, Detroit allaient devenir des destinations naturelles pour les Canadiens : « Là où le trésor se tourne, le cœur suit. » Lancé dans l'union commerciale, le Canada basculerait insensiblement dans l'union politique. À l'appui de ce plaidoyer, les journaux conservateurs relevaient des citations d'hommes publics américains prétendant que l'accord commercial était le premier pas vers l'annexion des provinces canadiennes. Plus la campagne électorale avançait, moins Laurier réussissait à désamorcer ce genre d'arguments. Il était vain de rappeler qu'il s'agissait d'un simple accord de réciprocité commerciale, bien plus inoffensif qu'une union commerciale. Dans certaines régions du pays, afin de dissuader les fermiers, les protectionnistes ne se contentèrent pas d'agiter l'Union Jack. Ils soulignaient que les partisans de l'accord étaient français et catholiques. Dans la province de Québec, cependant, la réciprocité n'était pas le thème principal de la campagne. Les nationalistes et les conservateurs s'unirent pour battre Laurier. Bourassa dénonçait l'impérialisme de Joseph Chamberlain et l'escalade militariste. Vingt-huit candidats se présentèrent sous la bannière nationaliste. La flotte navale était un premier pas vers la conscription : « Ni Laurier, ni Borden ne sont père d'un enfant », lançait Bourassa, pour signifier qu'ils étaient insensibles aux conséquences d'une guerre sur les familles.

Dans un effort désespéré, Laurier prétendit que l'accord s'inscrivait dans une continuité historique. Car John A. Macdonald avait aussi tenté de négocier un tel accord. En Ontario, dans une assemblée publique, il déclara que le Père fondateur avait été un Moïse de la réciprocité, incapable d'atteindre la terre promise : « Je suis le Josué qui mènera le peuple vers son but. » Au Québec, il insistait plutôt sur les conséquences d'un vote pour les conservateurs : « Un vote pour Borden est un vote pour Bourassa ». Le soir du 21 septembre 1910, la victoire des conservateurs était consacrée : 134 sièges allèrent aux conservateurs et aux nationalistes, 87 seulement aux libéraux. Le parti de Laurier restait majoritaire au Québec, remportant 38 sièges, contre 27 pour les conservateurs et les nationalistes. Les Maritimes continuaient aussi de soutenir les libéraux. Le vote ontarien, massivement conservateur, fut décisif. Dévasté, Laurier proposa une surprenante explication de sa défaite. Elle étonne venant d'un homme qui avait lutté toute sa vie pour s'élever au-dessus des rivalités religieuses, ethniques et linguistiques. Dans une lettre à un partisan, Laurier confia que l'Ontario ne voulait plus d'un premier ministre catholique : « C'est dans la province de l'Ontario que nous avons été défaits. Nos pertes ailleurs ne furent pas très amples et auraient simplement réduit notre majorité, mais l'Ontario vota solidement contre nous. Il devient de plus en plus manifeste, pour moi, que notre défaite n'est pas attribuable à la réciprocité, mais au fait que le premier ministre était un catholique. Toute l'information qui me parvient de cette province étaye ma conviction en ce sens[84]. »

L'empire maritime et la Grande Guerre

Laurier redevint chef de l'opposition. Il aurait préféré se retirer paisiblement, dans son cabinet d'avocats, et s'adonner à la rédaction de la biographie d'Antoine-Aimé Dorion, tâche qu'il disait reporter depuis longtemps. Mais comme aucun de ses lieutenants n'avait la popularité nécessaire pour le remplacer, il hésitait à tirer sa révérence. Qui sait, Laurier espérait peut-être que les conservateurs ne garderaient pas longtemps le pouvoir. L'alliance contre nature des nationalistes et des conservateurs n'était pas appelée à se perpétuer. Le chef libéral avait de l'estime pour son adversaire, Robert Borden. Dans l'arène politique, le nouveau premier ministre était honnête, intègre, rigoureux. Afin d'avoir une assise dans la province de Québec, Borden offrit des ministères aux nationalistes Henri Bourassa et Armand Lavergne. Ils déclinèrent cette offre, voulant conserver leur indépendance. Mais le chef nationaliste permit que des membres de son caucus acceptent un ministère. Ce que firent Louis Pelletier, Bruno Nantel et Pierre Blondin. Le grand débat qui monopolisa l'attention du Parlement jusqu'au déclenchement de la Première Guerre mondiale porta sur la contribution du Canada à la marine de l'Empire britannique. Depuis la publication du livre *The Influence of Sea Power Upon History* par A. T. Mahan en 1890, les impérialistes britanniques rêvaient d'édifier un « empire maritime[85] ». La politique militaire de Laurier avait été la cible, avant les élections, des critiques des conservateurs et des nationalistes. C'était maintenant au tour des conservateurs de Borden d'en formuler une. Laurier caricatura la position des impérialistes canadiens, qui prétendaient qu'un danger sérieux menaçait l'Angleterre. Ces impérialistes, lança-t-il, prétendent que la mère patrie est à genoux devant l'Allemagne et qu'elle attend désespérément du secours de ses colonies. Le chef libéral rappela que cette crainte n'était pas fondée. En effet, Laurier citait une correspondance entre Winston Churchill, le chancelier de l'Amirauté et le cabinet Borden : elle révélait que la situation n'était pas dramatique. Il n'y avait aucune urgence dans la mer du Nord. Le 12 décembre 1912, Laurier fit un long discours pour exposer sa position : « L'Angleterre est toujours l'Angleterre. Elle ne s'agenouille devant personne. Elle ne demande de faveur à personne. Elle ne se présente pas ici en requérante et encore moins en mendiante. Mais, à l'intention de nos ministres, elle répond : voici les faits, jugez-en vous-mêmes et agissez comme vous l'entendez. C'est ainsi qu'elle s'exprime, et nous n'en attendions pas moins de la part des hommes d'État et du peuple anglais[86]. »

La politique de Borden consistait à contribuer financièrement à l'effort de construction de la flotte navale britannique, plutôt qu'à créer une flotte canadienne qui l'aurait épaulée. Laurier désapprouvait : « C'est une politique hybride, un mélange de chauvinisme et de nationalisme. Sauf méprise de ma part au sujet de la nature profonde du peuple canadien, s'il est fidèle à son idéal, s'il est fidèle à son propre sang, il exprimera dans toutes les provinces du pays son insatisfaction au sujet de cette politique hybride[87]. » Le chef libéral se campait dans une position plutôt délicate. Dans ce débat sur la sécurité de l'Empire, sur la défense de l'Angleterre, il était toujours susceptible d'être accusé de déloyauté. La survie de l'empire, disait Laurier, était liée à deux principes :

Cette agglomération de continents sous la Couronne britannique recèle quelque chose qui frappe l'imagination, quelque chose qui a toujours exercé, pour moi à tout le moins, une grande fascination. Mais j'ai toujours cru et je continue de croire que la base la plus solide de l'Empire britannique est, après la Couronne britannique, l'autonomie locale des différentes dépendances; ce qui revient à dire qu'elles établissent elles-mêmes leurs destinées en relation avec les fins que vise l'empire. La Couronne est un grand lien, le ciment qui tient ensemble les continents épars du monde entier. La Couronne est un lien purement sentimental; mais ce lien, s'il est purement sentimental, s'est montré plus fort que les armées et les marines; il s'est montré à la hauteur à chaque occasion[88].

Bourassa, lui, s'opposait à une politique de défense impériale, puisque les Canadiens n'avaient pas voix au chapitre. Borden pensait qu'aucune politique étrangère permanente ne devait être adoptée car la politique impériale était définie sans le consentement des dominions. Laurier, lui, pensait que le dominion devait définir lui-même sa politique étrangère et contrôler sa défense. Le chef libéral lança un slogan qui insistait sur la nature démocratique de sa position : « La seule voie que nous pouvons avoir doit être sous le contrôle du Parlement canadien, du gouvernement canadien, du peuple canadien. » En janvier 1913, Winston Churchill transmit au cabinet fédéral deux messages au ton arrogant, ce qui donna des arguments aux libéraux. En plus de prétendre que le Canada n'avait pas la compétence pour bâtir et maintenir une marine, il plaidait pour un contrôle permanent de l'Amirauté sur la défense canadienne. Le 9 avril, Borden tenta d'ajourner les débats. Laurier répliqua par un discours-fleuve sur le principe sacré de la liberté des débats. Ce discours a une importance primordiale pour qui veut saisir la nature de son libéralisme. Celui-ci était profondément anglais en ce qu'il était fondé sur la coutume et la stabilité politique :

J'ai entendu dire que ces règles parlementaires sont archaïques. Ce n'est pas mon avis. Ces règles ne sont pas archaïques. Elles n'ont pas été faites pour une journée ou une période donnée. Elles ont été faites pour traverser les âges. On peut dire d'elles, comme on peut dire des maximes du droit civil qui nous sont parvenues par les juristes romains et qui sont la base du droit civil de la plupart des nations d'Europe, qu'elles représentent la raison cristallisée en écrits. Les maximes du droit civil ont été appliquées aux relations avec le peuple dans la vie civile, et les maximes de notre procédure parlementaire ont été acceptées comme la base de tous les débats tenus dans les assemblées délibératives[89].

L'éloquence de Laurier ne parvint pas à faire changer d'opinion un nombre suffisant de députés : 101 députés appuyèrent le projet de loi contre 68. L'appel à l'histoire lancé par le chef libéral sembla toutefois avoir trouvé des oreilles attentives au Sénat, où le projet fut bloqué. La Chambre haute accepta l'amendement de Laurier, qui subordonnait le projet de loi à un appel au peuple.

À la fin de la session parlementaire, Laurier s'était promis d'aller trouver refuge dans sa maison d'été d'Arthabaska, une chose qu'il n'avait pas faite depuis fort longtemps. Mais, le 4 août, il dut retourner d'urgence à Ottawa pour donner suite à la demande du cabinet impérial de préparer les dominions au déclenchement de la guerre. Le Parlement se réunit en une session spéciale. Laurier assura le gouvernement qu'il allait suspendre ses critiques tant qu'il y aurait danger sur le front, afin que le Canada accorde un soutien unanime à l'Angleterre : « Nous sommes des sujets britanniques, et aujourd'hui nous faisons face aux conséquences de ce noble fait. Nous avons longtemps joui des bénéfices de la citoyenneté britannique. Aujourd'hui, c'est notre devoir d'accepter les responsabilités et les sacrifices qui en découlent. Nous avons longtemps dit que lorsque la Grande-Bretagne est en guerre nous sommes aussi en guerre. Aujourd'hui, nous savons que la Grande-Bretagne est en guerre et que le Canada l'est aussi[90]. » Dans une assemblée publique, en septembre, au parc Sohmer, il s'adressa aux jeunes hommes avec gravité et émotion :

Cet appel adressé à notre race implique un sacrifice. Nous en appelons aux jeunes hommes en particulier, et à vous, jeunes hommes, j'ai une seule chose à vous dire : je vous envie. Nous vous demandons un grand sacrifice, et il se pourrait que certains ne reviennent jamais, victimes de leur courage, mais ils dormiront dans la terre de nos ancêtres. Mais nous ne nous laisserons pas infléchir par de telles considérations. Lorsque Dollard et ses seize compagnons partirent pour sauver la jeune colonie, ils savaient qu'ils ne reviendraient pas et leur courage grandit avec l'espoir d'une mort triomphante. S'il reste quelques gouttes du sang de Dollard et de ses compagnons dans vos veines, vous vous enrôlerez dans un régiment, parce que cette cause est aussi sacrée que celle pour laquelle Dollard et ses compagnons ont donné leur vie. Il s'agit d'un sacrifice volontaire. La Grande-Bretagne ne nous a rien demandé. Elle accepte avec gratitude ce que nous faisons pour elle ; mais elle ne nous impose aucune obligation. Je le répète encore, le Canada est un pays libre. Si des Canadiens furent effrayés par le monstre de la conscription dans le passé, ils doivent reconnaître maintenant que ce monstre était un mythe[91].

Quelques jours plus tard, Laurier développa ses idées sur la conscription. Sa position était enracinée dans la tradition politique anglaise. Selon lui, la conscription était une négation de l'esprit des libertés anglaises : « Nous sommes un peuple libre, absolument libre. La charte sous laquelle nous vivons a mis en notre pouvoir de dire que nous devrions prendre part à une telle guerre ou pas. C'est au peuple canadien, au Parlement canadien et au gouvernement canadien, à eux seuls, de décider. Cette liberté est à la fois la gloire et l'honneur de la Grande-Bretagne, qui nous l'a offerte, et du Canada qui l'a exercée pour aider la Grande-Bretagne. La liberté est le mot clé de toutes les institutions britanniques. Vous la trouverez du plus bas au plus haut échelon de l'échelle. » Par conséquent, il n'y avait que les peuples issus d'autres traditions politiques qui pouvaient y avoir recours. L'idée de conscription répugnait à l'esprit anglais :

> Il n'y a pas de conscription en Grande-Bretagne. Il n'y en a jamais eu, il n'y en aura jamais. Nous avons entendu d'éminentes autorités dire que la Grande-Bretagne sera forcée de suivre le courant et d'adopter la conscription comme l'ont fait la France, l'Allemagne et l'Italie. La conscription répugne au caractère britannique. Les Britanniques ne sont jamais enclins à aller à la guerre, sont lents à y aller, jamais préparés avant de s'y lancer, mais parviennent généralement à en sortir vainqueurs. Il n'y a pas de coercition exercée sur les dépendances de la Grande-Bretagne qui ont atteint le statut

de dominion, comme le Canada, l'Australie, la Nouvelle-Zélande, l'Afrique du Sud, et sur les dépendances de la Couronne comme l'Inde[92].

Sur ces questions, les nationalistes n'étaient pas artificiellement alliés aux conservateurs. Ces deux camps prétendaient que l'engagement du Canada dans la guerre était automatique, car les Canadiens étaient restés des sujets britanniques. Les libéraux, eux, prétendaient que le Canada était une nation libre au sein de l'Empire. Laurier voyait la guerre comme un conflit entre deux philosophies : « Il existe une puissance supérieure à la force brute, et l'Empire britannique, fondé sur la liberté, est plus durable que l'Empire germanique, fondé sur le sang et l'acier[93]. » Dans ses discours visant à inciter les Canadiens français à s'enrôler, Laurier parlait souvent du destin de la France. Au début du mois d'août 1915, au cours d'une assemblée dans son village natal, Saint-Lin, devant dix-huit mille personnes, il lança un appel qui avait des accents religieux : « Ce ne sont pas nos cathédrales, nos églises, que les Allemands démolissent, mais les monuments et les trésors de la France, et ce sont les femmes françaises qui sont violentées et massacrées. Canadiens français qui m'écoutez, y en a-t-il un parmi vous qui puisse rester impassible devant de tels actes ? […] Je réclame pour ma patrie l'honneur suprême de porter des armes à la défense de cette cause sainte, et si j'appuie ce gouvernement, c'est parce que j'ai à cœur d'effectuer mon devoir[94]. »

Au cours de 1916, la situation s'aggrava en Europe. Les Alliés essuyèrent plusieurs défaites sur le front. Un sentiment de panique permit à Andrew Bonar Law et à David Lloyd George de déloger le premier ministre Asquith. Le gouvernement britannique se résolut à adopter la conscription (en Australie on la repoussa). Enfin, des troubles éclatèrent en Irlande et l'armée britannique répondit par une terrible violence. Laurier fut bouleversé par cet événement : « Je sais, dit-il à un ami, que je juge les événements de très loin. » Puis il continua : « Mais à la lumière de ce que je sais, je n'hésite pas à répéter ce qu'on dit de l'exécution du duc d'Enghien par Napoléon : "c'est pire qu'une bévue, c'est un crime". » Ces événements en Irlande firent réfléchir Laurier sur les limites du modèle britannique. Il resta néanmoins optimiste. La règle anglaise, confia-t-il à un ami, assure la stabilité : « À l'égard de John Bull, je ne peux me résoudre à être aussi sévère que vous. C'est vrai que l'autorité exercée sur l'Irlande par l'Angleterre durant les trois derniers siècles a eu un caractère abominable. Mais songez aux efforts que le Parti libéral anglais a faits depuis un siècle pour extirper le mal et donner un gouvernement responsable à l'Irlande. Rappelez-vous aussi que dans un pays constitutionnel comme l'Angleterre, les réformes sont toujours et nécessairement lentes. Après tout, cette lenteur assure la stabilité[95]. » Enfin, lorsque le Parlement reprit ses activités, en janvier 1916, les libéraux eurent la surprise de voir le nationaliste Alfred Sévigny être élu comme président de la Chambre des communes. Aux yeux de Laurier, il s'agissait d'une bien drôle de conversion politique. Sévigny s'opposait depuis quelques années à toute participation militaire du Canada à des conflits européens. Laurier le ridiculisa aux Communes :

> Sévigny devint un pécheur repentant. Mais je n'ai jamais vu un pécheur — j'en ai vu beaucoup dans ma vie — autant se délecter de s'être repenti. Il n'eut guère de pénitence. Il est maintenant sous les rayons du soleil ministériel ; il se prélasse dans les largesses de la manne ministérielle. Il est le récipiendaire de distinguées faveurs ministérielles. Je ne dis pas cela pour me plaindre de sa conversion. Loin de là, je déplore qu'il n'aille pas plus loin. Si je lui trouve une faute, c'est de ne pas pousser sa conversion jusqu'au bout, parce que je ne suis pas certain qu'il ait déjà, dans le comté de Dorchester, confessé son péché à ses électeurs et leur ait demandé pardon de les avoir induits en erreur en 1911[96].

La fin du libéralisme

En 1917, deux événements plongèrent Laurier dans un profond pessimisme : l'adoption du Règlement 17 et la conscription. Le premier événement le prit par surprise. Durant le premier demi-siècle de la Confédération, le gouvernement ontarien appliqua avec souplesse les règles de l'enseignement du français aux communautés canadiennes-françaises. Le premier ministre libéral Oliver Mowat, qui régna pendant vingt-cinq ans, avait trouvé un compromis. Tous les écoliers ontariens devaient apprendre l'anglais, mais les écoles des communautés canadiennes-françaises avaient la liberté d'enseigner aussi le français. Les croisades du Equal Rights Association de D'Alton McCarthy, à partir des années 1890, réclamèrent que seule la langue anglaise soit enseignée dans les écoles. Le Règlement 17 ne proscrivait pas complètement l'enseignement du français. Mais il le restreignait tellement que c'était en pratique un projet de lente assimilation à la majorité anglophone. Selon Laurier, son adoption était un déni de la tradition politique libérale. Sur le plan philosophique, le règlement heurtait son libéralisme ; sur le plan partisan, il risquait de faire éclater le parti. Les libéraux ontariens seraient jetés dans les bras du Parti tory ; les libéraux québécois seraient lancés dans ceux du Parti nationaliste. Laurier se laissa aller à de graves réflexions. « J'ai vécu trop longtemps et il est temps pour moi de partir. » À un ami ontarien, il écrivit :

> J'en suis venu à la conclusion que j'ai vécu trop longtemps et que je ne suis plus d'aucune utilité. La raison en est que je ne trouve plus dans le Parti libéral d'aujourd'hui les mêmes sentiments qui y régnaient lorsque vous et moi étions plus jeunes. Mon opinion est confirmée par votre constat selon lequel le sentiment des Ontariens est absolument favorable à une application stricte du Règlement 17 et à la lutte contre tout homme ou tout parti qui envisagera d'accorder plus de privilèges au français dans la province de l'Ontario[97].

L'idée que le Parti libéral n'était plus animé par les mêmes idéaux est un leitmotiv de sa correspondance de la fin des années 1910. Dans un échange avec le chef libéral ontarien, N. W. Rowell, il affirmait que le Règlement 17 traduisait une gradation vers l'abolition de l'enseignement en français. Cette mesure, ajoutait-il, est « absolument tyrannique ». « Si le Parti libéral ne peut plus adhérer aux principes préconisés, adoptés et maintenus par les Mowat et Blake, je ne peux que vous répéter qu'il est pour moi plus que temps de démissionner[98]. » Mais Laurier n'avait pas dit son dernier mot. Le 9 mai, aux Communes, le député libéral Ernest Lapointe proposa une résolution. Elle stipulait que le Parlement fédéral, tout en reconnaissant le principe de l'autonomie provinciale et l'obligation pour tout écolier de recevoir une éducation en anglais, incitait l'Assemblée législative ontarienne à garantir le privilège pour les enfants nés de parents français de recevoir aussi un enseignement dans cette langue. À l'occasion de ce débat, Laurier fit l'un de ses meilleurs discours : « Je suis de la vieille école de Mowat et Blake, l'école des droits provinciaux. Je réaffirme fermement cette doctrine. La province de l'Ontario, et la province de l'Ontario seule, déterminera et devra déterminer elle-même la décision à prendre. Mais est-il interdit par le code des nouveaux convertis à la doctrine des droits provinciaux que je me tienne ici à la tribune devant mes compatriotes de l'Ontario pour exprimer ma position ? Est-il interdit que je présente, respectueusement, la pétition d'un humble serviteur d'origine française[99] ? » Puis, Laurier attaqua J. S. Willison, du *Toronto News,* ce libéral ontarien qui menait une croisade en faveur du Règlement 17 :

> Un journal publié dans la ville de Toronto, édité par un homme capable, un écrivain éminent qui s'est donné la mission d'être le plus vigoureux partisan d'un lien plus serré avec l'Empire britannique, a dans les derniers dix jours inauguré un nouveau programme, dont le premier article est « Une langue et une langue seulement ». Dans les circonstances présentes, cela signifie qu'une seule langue pourrait être enseignée dans les écoles de l'Ontario. Messieurs, je me demande si cette nouvelle théorie pour raffermir l'unité de l'empire est appliquée au pays de Galles [...] dans les Highlands en Écosse, à Malte, en Égypte, en Afrique du Sud. Messieurs, s'il y a une chose aujourd'hui qui fait la gloire de l'Angleterre — un fait sans équivalent dans l'histoire du monde — c'est qu'aujourd'hui sur les champs de bataille en Flandre, il y a des hommes qui ne parlent pas un mot d'anglais mais qui, pour l'Angleterre, sont allés au front, prêts à sacrifier leur vie. Si le Britannique, lorsqu'il alla en Inde, à Malte, en Afrique du Sud, avait implanté la doctrine « une langue et une langue seulement » et avait supprimé la langue des autres peuples qui étaient placés sous son dominion, croyez-vous, messieurs, que vous auriez vu le grand et noble spectacle qui a stupéfié le monde et qui le stupéfie encore[100] ?

Après le débat, Laurier rencontra son vieil ami Raoul Dandurand à son bureau, afin d'évaluer l'état de ses appuis au sein du

parti. Laurier : « J'ai vécu trop longtemps. J'ai survécu au libéralisme. Les forces du préjugé ont été trop fortes pour mes amis.
C'était une erreur pour un catholique romain d'origine française de
prendre le leadership, ai-je dit à Blake il y a trente ans. » Dandurand : « Oui, mais ces trente ans… » Laurier : « Je démissionne et je
vais l'annoncer à la Chambre cet après-midi. » Ce pessimisme
contraste nettement avec l'optimisme de son *Discours sur le libéralisme*. Il crut jadis que la civilisation apporterait paix et fraternité
entre les nations. Dans une lettre à un sympathisant, il admit s'être
trompé : « Il fut un temps où je pensais que les inventions récentes,
en rapprochant les peuples du monde, susciteraient un sentiment de
fraternité, mais c'est l'inverse qui s'est produit. Les nations ont
ouvert des voies de communication entre elles, non pas dans un but
d'amitié et de paix, mais pour s'agresser mutuellement avec plus
d'acharnement encore que jadis. La présente guerre est un malheu-
reux échec pour ceux qui espéraient que la civilisation progresse
davantage[101]. » Laurier ne s'opposait pas à la conscription pour des
raisons stratégiques. En s'y opposant, il le faisait par conviction.
Conviction qu'il pensait d'ailleurs partager non seulement avec la
majorité du Canada français, mais aussi avec celle du Canada
anglais. Le mouvement conscriptionniste manquait certes de poids
dans les provinces anglaises. Mais, selon Laurier, c'était un mouvement artificiel car la majorité des Canadiens anglais ne voulaient pas
de la conscription :

> Le sentiment en faveur de la conscription, qui fait indéniablement
> des gains dans les provinces britanniques, n'est pas authentique. Le
> peuple britannique est hostile à la conscription. Mais ce qui est pré-
> senté comme l'attitude du Québec le choque. Ceux qui y favorisent
> la conscription le font non parce qu'ils la croient nécessaire, mais
> parce que le Québec y est représenté comme étant opposé […]. En
> regard des prochaines élections, je crains que les préjugés ne soient
> la seule arme de l'adversaire[102].

Les rumeurs se multipliaient au sujet de l'action que le gouvernement fédéral pourrait prendre pour stimuler l'effort de guerre.
Certains parlaient d'un gouvernement national ou d'un gouvernement de coalition, comme il s'en était formé un en Angleterre.

Laurier repoussait cette idée, soupçonnant que c'était une tactique visant à détruire le Parti libéral. Le premier ministre libéral ontarien N. W. Rowell l'incitait à entamer des pourparlers avec Borden. Laurier, sans être fermé à toute idée de gouvernement national, n'était pas prêt à faire un compromis sur la conscription. Dans une lettre à Rowell, il précisa :

> Le gouvernement a constamment perdu du terrain, mais bon nombre de ceux qui n'en sont pas satisfaits ne veulent pas que la direction des affaires tombe entre les mains d'un leader d'origine française. Analysez la situation comme bon vous semble et dites-moi franchement s'il ne s'agit pas maintenant de la seule et unique difficulté [...]. Dans ces circonstances, un gouvernement national est proposé. Qu'est ce qu'un gouvernement national ? Ce n'est rien de plus qu'un gouvernement de coalition sous un autre nom. Et après l'expérience vécue en Grande-Bretagne durant cette guerre, vous avez encore foi dans cette solution ? Le seul fait que vos amis de Toronto et vous envisagiez un gouvernement de coalition est une preuve supplémentaire que je ne suis plus d'aucune utilité[103].

Le chef libéral était conscient que l'opinion majoritaire au Canada anglais refusait maintenant qu'un Canadien français définisse la position du Canada dans les affaires de l'Empire. En février 1917, le premier ministre britannique David Lloyd George convoqua une Conférence impériale. Borden y adopta une attitude beaucoup plus impérialiste que celle prônée jadis par Laurier[104]. Le 18 mai, le premier ministre annonça aux Communes le projet d'un service militaire obligatoire sélectif. Laurier s'y opposait en prétendant que l'urgence d'une telle mesure n'avait pas été démontrée. L'Angleterre et les États-Unis avaient certes adopté la conscription, mais ils n'étaient pas aussi divisés que le Canada sur le plan national. L'Irlande était divisée, mais aucun homme d'État britannique n'avait eu l'audace d'y adopter la conscription. Laurier s'inquiétait de la situation politique en Ontario. C'est dans cette province que se tramait le complot destiné à imposer la conscription. Les libéraux ontariens, observait-il, s'apprêtaient à abandonner l'esprit du « libéralisme » : « En 1896, je défendais les vrais principes du libéralisme, au risque de perdre, mais je gagnais parce que les libéraux québécois

restaient fidèles. En 1917, je resterai toujours fidèle au vrai libéralisme, toujours au risque de perdre, mais je gagnerai si les libéraux
ontariens restent fidèles[105]. » Dans cette province, il n'y avait plus
rien de l'héritage du *Clear Grit.* « Le torysme est comme le serpent. Il
change souvent de peau, mais reste toujours le même reptile. » Écri-
vant à sir Allen Aylesworth, il réitéra cette idée que le torysme avait
détruit dans cette province les principes du libéralisme.

> En fait, l'Ontario n'est plus l'Ontario : il est redevenu la vieille et
> petite province du Haut-Canada, encore gouvernée de Londres. Il
> n'y a qu'une seule différence et elle tient seulement dans le nom. Le
> Haut-Canada était gouverné à partir de Downing Street par l'inter-
> médiaire du Family Compact qui siégeait à York, maintenant
> Toronto. Le Canada est maintenant gouverné par une junte sié-
> geant à Londres, connue sous le nom de « The Round Table », et par
> ses filiales à Toronto, à Winnipeg, à Victoria, où les Tories et les Grits
> reçoivent leurs idées de Londres et les imposent insidieusement à
> leurs partis respectifs. En ce qui a trait aux tories, je ne suis pas sur-
> pris, ils sont dans leur élément, loyaux aux instincts de leur nature,
> aux traditions de leurs ancêtres. Mais dans le cas des Grits, oh ! pour
> le vieil esprit du libéralisme vigoureux qui a prévalu durant ma jeu-
> nesse ! Vraiment, j'ai vécu trop longtemps [...]. Maintenant que le
> gouvernement s'apprête à introduire une politique qui est contraire
> à toutes les traditions du libéralisme, que feront les libéraux onta-
> riens ? Je ne sais ce qu'en penseront les membres de la base ; mais les
> leaders, eux, ont déjà reçu et accepté les directives émises par la
> Round Table[106].

À la fin de mai 1917, les négociations entre Laurier et Borden
s'accélérèrent. Laurier ne croyait pas que le peuple canadien voulait
la conscription. Ce n'était pas la solution au problème de recrutement de l'armée. À son avis, la conscription avait un tout autre
but : « La situation militaire n'ayant pas changé, la raison doit être
recherchée ailleurs ; et ailleurs, la raison n'est autre que purement politique, et l'objectif est non pas de gagner la guerre mais
de gagner les élections. Permettez-moi de vous entretenir davantage
de la situation[107]. » L'idée d'un gouvernement d'union recevait
l'appui de groupes hétéroclites : les conscriptionnistes, les partisans

conservateurs désireux de fragmenter le Parti libéral, des racistes cherchant à isoler le Québec, des financiers et des spéculateurs « cherchant à faire la passe ». Des assemblées libérales se tinrent dans les principales villes du pays afin de déterminer la position à adopter face aux scénarios de gouvernement d'union. La position conscriptionniste s'avéra majoritaire. Cependant, plusieurs des conscriptionnistes libéraux hésitaient à défier l'autorité du chef. Ils rêvaient de voir Laurier « sauver le pays », en acceptant l'idée d'un gouvernement d'union. D'autres étaient prêts à larguer Laurier, mais étaient incapables de se rallier à Borden. Ce dernier, après tout, était très impopulaire dans l'opinion publique.

Le 11 juin, Borden présenta la Loi sur le service militaire, qui donnait l'autorisation d'inscrire tous les hommes sujets britanniques en classes réparties suivant l'âge et le statut familial. Laurier présenta un amendement qui stipulait que le projet de loi devait être soumis à un référendum avant d'être appliqué. Le débat fut déchirant. Certains libéraux se séparèrent de Laurier à ce moment. Laurier ne leur en tint pas rigueur. Il attribua leur désertion à l'influence sinistre de la Round Table : « Ceux que je tiens responsables sont les libéraux du groupe de la Round Table, qui, en raison de leur alliance avec les tories, ont forcé le gouvernement à embrasser la solution de la conscription, au risque de diviser définitivement le pays. Comment tout cela va-t-il se terminer ? Je préfère ne pas me prononcer[108]. » Enfin, quelques mois plus tard, le 12 octobre 1917, Borden annonça la formation de son gouvernement d'union. Même si les libéraux faisaient face à une défaite presque certaine, bien peu de ténors libéraux acceptèrent de se rallier à Borden. Charles Murphy, William Pugsley, D. D. Mackenzie restèrent fidèles à leur chef. Même le conscriptionniste George Graham refusa l'appel de Borden. En fait, parmi les libéraux fédéraux, seuls A. K. Maclean, Hugh Guthrie et F. B. Carvell entrèrent au cabinet. Les autres libéraux qui y entrèrent venaient de l'arène provinciale ou de la société civile : en Ontario, Borden recruta Rowell, le général Mewburn, le sénateur travailliste Robertson ; en Saskatchewan, Caldet ; en Alberta, Sifton ; au Manitoba, Crerar ; au Québec, Ballantyne. En somme, le premier ministre ne réussit pas à recruter de candidats prestigieux.

La campagne électorale ne tarda pas à être déclenchée. Laurier continua à nier l'urgence de la conscription : « Je n'ai jamais entendu un général dire qu'il avait assez de soldats. » La situation du Canada, rappelait-il, n'était pas celle de l'Australie ou de la Nouvelle-Zélande, deux pays qui n'avaient pas comme le Canada à alimenter une industrie des munitions. En Australie, ajoutait-il, la conscription avait été battue par référendum, tandis qu'en Afrique du Sud, elle ne fut même pas envisagée. Laurier disait : « Toutes les classes populaires s'opposent à la conscription. » Durant cette campagne, le chef libéral fut traîné dans la boue : « Laurier est l'instrument de Bourassa », « Un vote pour Laurier est un vote pour le Kaiser ». Le résultat de l'élection fut une victoire écrasante des candidats du gouvernement d'union : 153 unionistes, 82 libéraux. Au Québec, les libéraux avaient remporté 62 sièges. Les Canadiens français avaient voté massivement contre la conscription ; les Canadiens anglais, massivement pour.

Les mois passèrent et les résultats de la conscription tardèrent à se manifester. En plus de coûter cher, elle ne produisait guère plus de résultats que les campagnes d'enrôlement volontaire. Même le *Globe* de Toronto, qui appuya la conscription, finit par l'admettre : « La loi sur le service militaire a coûté des millions et a produit de bien maigres résultats. Si le gouvernemnt avait dépensé le quart de cet argent dans le recrutement volontaire, on aurait recruté plus d'hommes. » Finalement, la guerre se termina en novembre 1918. Laurier songea alors sérieusement à se trouver un dauphin. Il échangea par exemple une correspondance avec W. L. Mackenzie King. « Il me semble, écrivit Mackenzie King, que bien peu de chose suffirait à rallier les forces progressistes autour du libéralisme, à ce moment-ci, et j'espère que certains de nos amis seront assez braves pour appuyer un mouvement pour surmonter les préjugés et les jalousies locales, rendant possible une véritable reconstruction[109]. » Laurier lui répondit : « Vous devriez rester au Canada et prononcer le plus de discours possible, sans attendre une candidature officielle. » Dans une conversation entre les deux hommes sur le leadership, devant témoins, Laurier raconta l'histoire d'un vieil habitant à qui on demanda, la veille de sa mort, près de laquelle de ses deux anciennes épouses il désirait être enterré. Entre les deux, répondit-il ; mais un peu plus près de Cécile. Laurier aussi avait sa préférence : c'était pour la candidature de Fielding. À soixante-dix ans, le fidèle allié de Laurier pourrait prendre la relève le temps d'un mandat, avant de céder la place à un homme plus jeune comme Mackenzie King. Ce dernier avait été tenu trop loin du Parlement pour espérer gagner le prochain congrès à la direction.

Laurier resta attaché, jusqu'à la fin de sa vie, à un certain idéal égalitaire. Ainsi, en 1918, un an avant sa mort, dans un débat sur les titres héréditaires, il lança : « Y a-t-il des raisons pour lesquelles on devrait décerner des titres au Canada ? Chacun reconnaîtra, je crois, qu'au Canada, les insignes, les titres, les honneurs, l'apparat ne s'enracineront jamais. Nous sommes dans un pays démocratique constitué ainsi par les circonstances. Si mes amis se joignent à moi, je suis bien disposé, si nous pouvons le faire sans manquer de respect à la Couronne, à apporter nos titres sur la place du marché et à les offrir à l'encan[110]. » Le libéralisme de Laurier n'était pas celui des défenseurs de la grande entreprise capitaliste. Le pays dans lequel vécut le jeune Laurier était fait de fermiers, d'artisans et de petits marchands. L'idéal du travail libre du *yeoman* (tenancier) de Lincoln exerça sur lui une grande attraction. Tellement que sa bibliothèque comptait un rayon complet de livres sur l'ancien président américain. Dans les dernières semaines de sa vie, à la lecture de *Maria Chapdelaine,* il ne put s'empêcher de formuler quelques réflexions sur les défricheurs, équivalents canadiens des *yeomen* américains. Bien qu'il eût aimé ce roman, il ne put s'empêcher d'en faire quelques critiques. Le 8 septembre 1918, il écrivit à un ami :

> Hémon n'a pas été aussi habile à saisir l'esprit de ce peuple robuste. Il le dépeint comme un peuple travaillant, mais sans joie, avec une sorte de résignation sombre et fataliste, qui tire du sol une existence misérable, déplorant son destin, mais persistant dans celui-ci. Ce n'est pourtant pas l'attitude de nos pionniers qui ont attaqué nos forêts, non pas par nécessité mais par choix. À preuve, regardez le personnage de Samuel Chapdelaine... Tous ces pionniers, il est vrai, aiment s'étendre sur les obstacles qu'ils ont à surmonter et exagérer la rudesse de leur vie. Odilon Desbois, un pionnier que j'ai bien connu à Arthabaska, a dit un jour en ma présence : « Je suis sur le onzième plateau de Trigwick, loin du pain, encore plus de la viande. » C'est l'histoire invariable de notre peuple ; il aime crier à la pauvreté et à la famine. Hémon aurait dû se souvenir que « le Français né rouspéteur » demeure rouspéteur[111].

Le 17 février 1919, Laurier s'éteignit. Il fut frappé par une hémorragie cérébrale. Avant de rendre l'âme, il dit à sa femme Zoé : « C'est fini. » Laurier fut exposé au musée Victoria d'Ottawa, dans une salle du Parlement transformée en chapelle ardente. Les Canadiens lui rendirent hommage comme ils ne l'avaient fait à aucun politicien avant lui.

CHAPITRE 3

William Lyon Mackenzie King
1874-1950

Une grande mutation caractérisa le libéralisme en Occident
entre 1880 et 1920[1]. Fatigués des débats entre partisans de la science
et de la religion, du matérialisme et de l'idéalisme, du socialisme et
du libéralisme, une génération d'intellectuels s'attachèrent à définir
une *via media*, une voie intermédiaire sur le plan philosophique et
politique : T. H. Green, L. T. Hobhouse, Sidney Webb en Angleterre,
John Dewey, Herbert Croly et Walter Lippmann aux États-Unis,
Alfred Fouillée et Léon Bourgeois en France, Wilhelm Dilthey et
Max Weber en Allemagne. Sur le plan politique, la conséquence
de la création d'une *via media* a consisté à rapprocher la sensibilité
libérale de la sensibilité socialiste. La première évolua vers le
progressisme, la seconde vers la social-démocratie. Au Canada,
ce qu'on appela durant les années 1930 le Nouveau Libéralisme
était une alliance des progressistes et des sociaux-démocrates. Le
libéralisme classique du XIXe siècle s'attachait à limiter l'expansion
de l'État, à restreindre la prérogative royale, à affirmer l'autonomie
des gouvernements provinciaux, à réduire la taxation et à promouvoir la liberté de commerce. Il s'agissait, en bref, d'un libéralisme
individualiste, réfractaire à toute forme d'ingénierie sociale. Son
réformisme visait surtout à abolir les privilèges de tous acabits :
privilèges de l'aristocratie, privilèges des Églises établies, privilèges

économiques des monopoles, et à systématiser le principe électif à toutes les institutions civiques et politiques[2].

Ce libéralisme classique n'était pas dominant dans la politique canadienne au XIXe siècle. Mais de nombreux hommes politiques y adhéraient : William Lyon Mackenzie, Edward Blake, Goldwin Smith, pour l'Ontario ; Louis-Joseph Papineau, les frères Dorion, Louis-Antoine Dessaulles, pour le Québec ; Thimothy Anglin, William Fielding, Andrew Blair, pour les Maritimes[3]. C'est durant le long règne politique de William Lyon Mackenzie King que se produisit la mutation du libéralisme canadien[4]. L'étude de la pensée de cet homme public révèle que le libéralisme classique était encore profondément enraciné au Canada jusqu'au début des années 1930. Mackenzie King resta un adepte de ce libéralisme classique jusqu'à un moment très tardif de son règne politique. Il fut certes attiré par le *social gospel* et le Nouveau Libéralisme durant sa jeunesse, mais il s'y convertit seulement au début des années 1940.

Né à Kitchener, en Ontario, en 1874, le jeune William Lyon assumait un double héritage. Son père, John King, appartenait à une vieille famille loyaliste. Sa mère, Isabel Grace Mackenzie, était la fille du célèbre rebelle républicain haut-canadien William Lyon Mackenzie[5]. D'origine écossaise, les deux familles fréquentaient l'église presbytérienne. Avocat sans envergure, John King avait néanmoins de bons contacts à l'Université de Toronto. William Lyon y fit son droit. Dès cette époque, il fut exposé aux auteurs du Nouveau Libéralisme anglais, dans les cours de l'historien George Wrong. La ville de Toronto valait bien des leçons. Elle initia le jeune homme aux nouvelles réalités de la vie urbaine et industrielle. Il fut épaté par le livre de C. S. Clark, *Of Toronto the Good*, qui révélait les bas-fonds de sa ville d'adoption. Ce livre lui apprit que les chastes élites protestantes fréquentaient assidûment les bordels. Le jeune William Lyon se découvrit une première mission : se lancer dans la réhabilitation des prostituées. Il rêvait de devenir un missionnaire social, à la façon dont le décrivait l'intellectuel anglais Arnold Toynbee père. Cet intellectuel britannique avait forgé l'expression « révolution industrielle » dans un ouvrage clé du mouvement pour le *social gospel*[6]. Afin de combattre les excès du capitalisme, Toynbee avait fondé des missions sociales dans les quartiers pauvres de Londres. Fasciné par l'expérience des missions sociales, Mackenzie King décida de poursuivre ses études à l'Université de Chicago[7]. La célèbre intellectuelle américaine Jane Addam en avait implanté une, qu'elle nomma la Hull House[8]. L'étudiant canadien participa avec entrain aux activités de cette mission jusqu'à l'obtention, en 1896, de son diplôme de maîtrise en sciences sociales. De retour à Toronto, en 1897, il mena une enquête sur l'exploitation des ouvriers dans les usines. Publiées dans un journal torontois, ses conclusions attirèrent l'attention des autorités en place, notamment un ami de son père, William Mulock, ministre des Postes du gouvernement Laurier. William Lyon repartit par la suite pour l'Université Harvard afin d'y poursuivre ses études de doctorat. Il y fit une rencontre marquante, celle de Charles Eliot Norton. Antimoderniste, cet intellectuel contribua à la genèse de la sensibilité thérapeutique américaine. C'est lui qui conduisit Mackenzie King aux œuvres de Thomas Carlyle et de Matthew Arnold[9]. C'est au cours de ce séjour à Cambridge qu'il noua ses premiers liens avec des fils de familles ploutocratiques américaines : les Gerry, les Vanderbilt, les Grant. Sa scolarité de doctorat terminée, Mackenzie King partit en voyage en Europe. Quelques semaines plus tard, il reçut un message du ministre des Postes, William Mulock. Ce dernier le voulait dans son ministère. Ce fut le début d'une longue carrière au sein du gouvernement fédéral.

Un « *peace-maker* » de l'âge industriel

Face à la montée des conflits ouvriers, le gouvernement Laurier décida d'intégrer une division « relations de travail » au sein du ministère des Postes, qui serait dirigée par le ministre Mulock. Ce dernier savait que Mackenzie King était l'homme de la situation. En 1900, il le nomma rédacteur en chef de la publication gouvernementale *Labour Gazette*. Rapidement, William Lyon devint le plus jeune sous-ministre de l'histoire du Canada. Occupant ce poste jusqu'en 1908, il devint un spécialiste aguerri des relations de travail[10]. Le gouverneur général Lord Grey se prit d'affection pour lui, l'affublant du sobriquet «*peace-maker*» (le même qu'on avait donné au roi George IV)[11]. Le gouverneur général l'introduisit dans la société de Rideau Hall. Célibataire, Mackenzie King était tout indiqué pour accompagner des hôtes en séjour à la maison des représentants de

Sa Majesté. Lord Grey et Lady Laurier considéraient cependant qu'il devait rapidement se trouver une épouse s'il voulait prétendre aux plus grands honneurs. Mackenzie King, lui, était plus pressé de monter en grade[12]. Ambitieux, il pressait Laurier de lui dénicher un ministère. Le premier ministre jugeait plus important qu'il se fasse élire dans une circonscription. Enfin, à l'occasion des élections générales de 1908, Laurier accepta que Mackenzie King se présente dans une circonscription. Lors de cette victoire libérale, le jeune politicien fut élu. Dans la constitution de son cabinet, le chef libéral créa le ministère du Travail et nomma Mackenzie King à sa tête. Depuis une décennie, l'ascension du jeune homme avait été fulgurante, mais la chance allait bientôt l'abandonner. Dans les couloirs du Parlement, on percevait une odeur de fin de règne. Les libéraux dominaient la politique fédérale depuis le milieu des années 1890. La coalition que Laurier avait construite était en train de s'effondrer. Laurier avait peine à défendre l'autonomie politique du Canada, dans le contexte de la militarisation de l'Empire britannique[13]. La défaite libérale aux élections générales de 1911 était la fin d'une époque.

Mackenzie King perdit son siège. Il se sentit désorienté et perdu pendant près de trois ans. Il n'eut aucune occupation professionnelle stable avant 1914. Des amis américains le tirèrent de l'oisiveté. À Harvard, il avait été l'ami intime de John Rockefeller fils. Celui-ci l'invita à prendre en charge le service des relations industrielles de la Fondation Rockefeller[14]. Il accepta d'en devenir le directeur, mais à certaines conditions. Nourrissant toujours des ambitions politiques, il tenait à conserver sa citoyenneté canadienne. Renoncer à sa nationalité aurait été un suicide politique. Il savait déjà qu'il lui serait difficile d'expliquer sa décision de ne pas aller au front en Europe. Il possédait maintenant un alibi convaincant. Il était plus utile en maintenant la « paix industrielle » dans les usines et les mines américaines, paix indispensable à l'effort de guerre. Ces années au service des Rockefeller firent réfléchir Mackenzie King. Au terme de ces années, il coucha ses réflexions sur papier.

L'idée d'humanité

Industry and Humanity fut publié en 1918. Il est possible de découvrir dans cet essai certaines des idées qu'il tenta de défendre durant sa carrière politique. Le thème principal du livre est la recherche de la paix. Dans le premier chapitre, intitulé « Le désordre industriel et international », Mackenzie King soulignait le caractère prophétique du roman *Frankenstein*. Mary Shelley avait écrit cette parabole pour nous avertir des dangers d'un progrès aveugle qui trahirait l'idée d'humanité. Cette sombre histoire, se demandait Mackenzie King, serait-elle autre chose qu'une parabole lucide de la guerre qui venait de détruire une partie de l'humanité en Europe ? Ces folles idées permettant aux tyrans de dominer la Terre avaient été conçues par des théoriciens politiques :

> Où donc, si ce n'est dans les laboratoires, qu'ont été inventés ces produits de l'Industrie moderne qui devaient entasser tant de ruines ? Les instruments que l'homme a créés paraissent aujourd'hui si puissants que le génie humain n'est plus capable de dominer ses propres inventions, et il en sera ainsi aussi longtemps que les hommes se refuseront à reconnaître que le tout est plus grand que ses parties, que les droits de l'humanité sont supérieurs à ceux de l'Industrie ou de la Nationalité[15].

Aux yeux de l'homme du commun, « l'État militariste apparaîtra comme le monstre, et ses dirigeants comme autant de Frankensteins ». Le problème se situait autant dans le pouvoir démesuré de l'Industrie que dans celui de la Nationalité :

> Pour ceux qui considèrent l'Industrie avant tout dans ses rapports avec l'Humanité, la parabole prend une signification plus grande encore, car ils y voient à quel prix l'Industrie a été dirigée vers la transformation des ressources mondiales en instruments de destruction. Qui peut dire jusqu'à quel point l'application des connaissances scientifiques et les inventions de la science ont été consacrées à augmenter, à perfectionner les moyens de meurtre, sur terre, sur mer et dans les airs[16] ?

Selon Mackenzie King, les droits de l'Industrie et de la Nationalité devaient s'incliner devant ceux de l'Humanité. Pour étayer son argumentation, il empruntait une distinction au savant Louis Pasteur. Selon ce dernier, deux lois contraires étaient en lutte : une loi de sang et de mort, qui oblige les peuples à toujours être prêts pour le champ de bataille ; une loi de paix, de travail et de salut, qui vise à libérer l'homme des fléaux qui l'affligent. L'une cherche les conquêtes violentes, l'autre l'émancipation de l'humanité. Mackenzie King voulait poursuivre la mission de Louis Pasteur. Ce dernier avait dégagé les éléments de désordre et de fermentation dans la maladie ; il restait aux hommes à circonscrire ces mêmes éléments dans le conflit, la dispute et la haine. Grâce au microscope, Pasteur avait d'abord perçu dans le sang les microbes destructeurs. Son intelligence lui avait ensuite permis d'observer les facteurs semblables à ces germes qui étaient aussi à l'œuvre dans la société. Il pouvait donc voir dans les individus et les sociétés le même conflit qu'il avait découvert dans l'organisme humain. Ce conflit, c'était la lutte entre la loi de mort et la loi de paix. Les causes profondes de la guerre ne se trouvaient pas, ultimement, dans les luttes entre classes, nations ou races. Ces luttes n'étaient que des symptômes :

> La cause, c'est ce que William James appelle « une certaine cécité chez les hommes », cécité dont nous sommes tous affligés, et qui ne nous permet pas de comprendre les sentiments des êtres et des peuples différents de nous. Cette cécité paraît de bien peu d'importance. C'est elle cependant que l'on trouve à la base de toutes nos intolérances, sociales, religieuses et politiques. Dans l'ensemble final des choses, elle est responsable de tout le désordre et des conflits des nations autant que de ceux des individus[17].

Mackenzie King ne croyait pas que les intérêts des humains fussent nécessairement antagonistes. Les nations pouvaient être en conflit, mais leurs intérêts réels les rapprochaient plutôt. Les hommes, aussi bien que les nations, étaient attirés dans des conflits et en venaient à se haïr ; pourtant, rappelait-il, « leurs intérêts étaient en réalité identiques plutôt qu'opposés ». Une minorité d'hommes, après avoir obtenu les positions enviées, exerçaient une domination sur leurs semblables, accaparaient toutes les ressources et finissaient par commettre l'acte décisif qui entraîne le conflit. Dans l'industrie comme dans la politique internationale, la direction des affaires devait être partagée entre tous les intéressés. Elle devrait être largement représentative et non pas autocratique. Mackenzie King reprenait ici l'analogie de Pasteur pour décrire les problèmes politiques de son temps :

> Ce qu'il y a d'affreux, c'est que dans les individus, les organisations, les nations, le bien lui-même, une fois corrompu, est susceptible de se transformer en mal. L'ange déchu est apte à devenir un démon de perversité, — et que ce soit dans le corps humain ou dans le corps politique, quand le mal est le maître, l'infection est sûre de se propager, de ne plus pouvoir ensuite être maîtrisée tant que les forces qui luttent contre elle ne seront pas capables d'en triompher et de reconquérir le terrain perdu [...]. Un temps peut venir où les communautés, prises dans leur ensemble, seront si sensibles aux choses sociales qu'il sera possible de différencier leurs éléments nocifs avec autant de précision qu'on le fait déjà pour le corps humain. Il est en effet aisé aux savants d'isoler les corpuscules du sang des germes pathologiques[18].

Au cours de son raisonnement, Mackenzie King modifia la formule de Pasteur : la loi de la Paix, du Travail et du Salut devint la loi de la Paix, du Travail et de la *Santé*. Lui qui avait conseillé la famille Rockefeller savait bien que le danger de la guerre des classes était présent. Les horreurs de la guerre internationale, écrivait-il, pâlissaient devant celles que pouvaient provoquer les haines de classes. Il ridiculisait les notions naïves de progrès, évoquant à nouveau la fable de Shelley. Le sacrifice de vies humaines lui apparaissait contestable :

> C'est ainsi que les hommes de notre temps sont tellement revenus à l'adoration de Moloch et qu'ils ont si bien pris les idoles de leur propre fabrication pour les fins suprêmes de l'existence, que le sacrifice des vies humaines est communément considéré comme essentiel aux besoins de la Nationalité et de l'Industrie. Le sacrifice de l'existence à des fins nobles et impératives est et restera toujours une contingence du Progrès. Cependant, il y a une différence

énorme entre sacrifier des existences afin que puisse être affirmé un principe, et les sacrifier à l'Ambition. Si le Progrès à accomplir est digne de son nom de progrès, il n'avancera jamais par des gains acquis à quelques hommes aux dépens des autres, mais uniquement par le sacrifice consenti pour le bien de tous[19].

Au cœur de l'idée d'humanité de Mackenzie King se trouvait la notion de personnalité, qui gagnait en popularité à cette époque : « De toutes les considérations auxquelles on en peut venir, le respect de la personnalité humaine est la plus importante. » Sans un respect pour la vie individuelle, écrivait-il, les valeurs sociales perdaient leur sens. La démonstration de King aboutissait à une grande conclusion. La meilleure façon de trouver la paix, sur le plan international, était de l'instaurer d'abord au sein de l'Industrie[20]. Ainsi, *Industry and Humanity* n'était pas un manifeste social-démocrate au sens strict. Il s'agissait plus d'un écrit progressiste, en ce qu'il cherchait encore à respecter certains principes du libéralisme classique. Il n'était pas question, dans cet essai, d'accorder à l'État les pouvoirs qu'il conférerait plus tard à l'État-providence fédéral. Néanmoins, le libéralisme de Mackenzie King était déjà bien loin de celui de son grand-père. La démocratisation des institutions politiques et civiques n'était plus son principal souci. Maintenant, l'objet de la réforme était moins la communauté politique que l'Industrie. Son grand-père avait vécu dans un monde de petits propriétaires. Lui tentait d'établir la paix dans un monde radicalement nouveau, un monde de salariés et d'employés. Il reste que Mackenzie King, jusqu'à sa mort, fut hanté par la crainte de trahir les idéaux qu'il avait reçus en héritage.

Les années 1920 et la percée des progressistes

Durant son séjour aux États-Unis, pendant la guerre, Mackenzie King resta en contact avec le Parti libéral. Cette distance lui permit d'échapper à la crise du parti lors de la formation du gouvernement d'union, en 1917. Il affirma être resté fidèle à Laurier. Quoi qu'il en soit, cet éloignement avantagea Mackenzie King après la mort de Laurier. Au congrès à la direction, il put se présenter comme le candidat de la réconciliation entre l'aile québécoise et l'aile canadienne-anglaise. William Fielding aurait normalement dû avoir plus de chances. Mais il avait un grand défaut : il avait abandonné Laurier afin de participer au gouvernement d'union. Seul Mackenzie King pouvait tendre la main aux députés québécois restés fidèles à Laurier. En 1919, il était peut-être l'*underdog*, mais il était le seul à pouvoir observer cette vieille règle de la politique canadienne, selon laquelle le vote québécois ne peut être longtemps ignoré. À la surprise générale, il l'emporta au troisième tour de scrutin[21]. Au moment de son élection comme chef du Parti libéral, en 1919, Mackenzie King adhéra loyalement au libéralisme classique de Laurier : 1) une politique économique de bas tarif et d'équilibre budgétaire ; 2) un fédéralisme fondé sur l'autonomie provinciale ; 3) une politique nationale d'autonomie à l'égard de l'Empire[22]. Durant la première tranche de son règne politique, soit les années 1920, il lui sera facile de défendre ces idées. Les circonstances le poussèrent même à aller dans ce sens.

L'élection générale de 1921 donna un curieux résultat : 116 libéraux, 64 progressistes, 50 conservateurs[23]. Faibles en Ontario, les libéraux étaient en bonne position au Québec. Mais ils échouèrent à obtenir une pleine majorité de sièges. Pour gouverner, Mackenzie King dut compter sur l'appui constant de deux députés indépendants. En tant que nouveau premier ministre, sa tâche était simple, mais délicate : élargir la coalition libérale tout en obtenant une nouvelle fois la confiance des électeurs qui venaient de voter pour le Parti progressiste[24]. Ces progressistes, aux yeux de Mackenzie King, étaient des « libéraux égarés ». Les députés progressistes étaient concentrés dans l'Ouest canadien. Ils étaient moins impérialistes et moins protectionnistes que les libéraux du Canada central. L'obstacle principal à une grande réconciliation de toute la famille libérale était l'influence de l'intérêt industriel au sein du cabinet. Cet intérêt était habilement représenté par William Fielding et Lomer Gouin. En face de ces deux vieux routiers de la politique, Mackenzie King devait agir avec prudence. Après tout, seulement deux de ses ministres étaient plus jeunes que lui. Obligé de manœuvrer avec tact, le premier ministre ne put vraiment satisfaire l'électorat libéral progressiste durant son premier mandat[25].

Il sut cependant exploiter une brèche au milieu des années 1920. L'élection générale de 1925 avait donné un résultat serré :

116 conservateurs, 99 libéraux, 24 progressistes et 6 députés d'autres partis. Libéraux et conservateurs furent ainsi incapables de récolter une majorité de sièges. Obstiné, le chef libéral refusa d'abdiquer face aux conservateurs, prétendant qu'il formerait une coalition avec les progressistes[26]. Il le fit d'ailleurs avec succès pendant quelques mois. Mais les conservateurs finirent par faire tomber le gouvernement à l'occasion d'un vote de confiance. Le chef libéral demanda alors au gouverneur général Lord Byng la dissolution du Parlement dans le but de déclencher une élection générale. Byng refusa et demanda aux conservateurs de former à leur tour un gouvernement. Le chef conservateur Arthur Meighen accepta, mais son gouvernement fut lui aussi battu quelques semaines plus tard. C'est à ce moment que le gouverneur général accepta la tenue d'une nouvelle élection générale. Durant cette campagne électorale, Mackenzie King revint abondamment sur l'attitude de Lord Byng et remit en question la prérogative royale. Ce faisant, il exploitait le sentiment national des Canadiens et canalisait leur volonté d'accroître l'autonomie politique du pays face à l'Empire. Dans ce conflit autour de la prérogative royale, les libéraux apparurent comme les défenseurs de l'intérêt supérieur du Canada. En faisant porter l'élection de 1926 sur cette question, Mackenzie King élargissait la coalition libérale. Résultat : 128 libéraux, 91 conservateurs, 20 progressistes, 6 autres. L'effondrement du Parti progressiste à l'élection de 1926 donna au chef libéral la majorité dont il rêvait pour manœuvrer librement. Depuis 1921, dans le but de séduire les progressistes, il avait vainement tenté de libéraliser la politique commerciale[27]. Il parvint à ses fins autrement, en réveillant le vieux sentiment antitory et antibritannique de l'Ouest rural.

Durant ce troisième mandat, Mackenzie King démontra qu'il n'adhérait pas au libéralisme classique pour des raisons stratégiques. Il ne croyait pas que le gouvernement fédéral, pas plus que n'importe quel gouvernement, eût un rôle fondamental à jouer dans le progrès économique. Conformément au libéralisme hérité de Laurier, il pensait que le rôle de l'État se limitait à équilibrer les budgets et à réduire le tarif douanier. Même le krach de 1929 ne réussit pas à ébranler cette conviction[28]. Certes, l'événement l'inquiétait. Mais il était davantage hanté par la menace d'une augmentation du tarif douanier américain. Il ne voyait pas la nécessité de revoir les politiques libérales. N'avaient-elles pas apporté la prospérité par le passé ? Les déboires récents de l'économie canadienne étaient déplorables. Mais ils appelaient des mesures temporaires, et non pas l'adoption d'une nouvelle philosophie qui ressemblerait comme deux gouttes d'eau à du socialisme.

Le résultat de l'élection générale de 1930 donna un avertissement à Mackenzie King : 137 conservateurs, 91 libéraux, 12 progressistes, 5 autres. Elle n'ébranla toutefois pas sa confiance dans le libéralisme classique. S'il y avait un coupable, c'était le parti de R. B. Bennett, qui s'était acharné à exiger des hausses du tarif. Le chef libéral ne vit pas immédiatement que la dépression économique avait fait surgir de nouveaux problèmes et, par conséquent, avait créé de nouveaux clivages au sein de son parti. Durant plusieurs années encore, il continua à prétendre que la source du problème était la question du tarif. Mackenzie King était certes tenté par l'attrait de l'État-providence. Mais, en pratique, il ne voyait pas comment il pouvait en devenir le propagandiste, en tant que chef libéral héritier de Laurier et de William Lyon Mackenzie. En effet, instaurer un État-providence aurait exigé de déroger à deux idées du credo libéral : l'autonomie des provinces et l'opposition à l'activisme étatique. Cette crise de la conscience libérale, que Mackenzie King vécut durant toute la décennie 1930, fut exacerbée par son association avec Vincent Massey. Avant d'examiner les événements qui caractérisent les « sales années 30 », il vaut la peine de se pencher sur ce personnage singulier et marquant de l'histoire politique canadienne.

Vincent Massey et le Nouveau Libéralisme

Dans la genèse de l'État-providence canadien, le rôle de Vincent Massey est méconnu mais pourtant crucial. C'est lui qui fut le pivot canadien de cette petite internationale de disciples du Nouveau Libéralisme en Occident. C'est lui qui, patiemment, rassembla des militants pour faire avancer la cause. C'est lui aussi qui mit Mackenzie King sur la défensive, le poussant dans ses derniers retranchements et l'obligeant à rejeter le credo libéral classique. La relation entre les deux hommes est intéressante à un autre titre. Elle inaugurait modestement, au Canada, l'alliance entre le grand capitalisme

corporatif et la classe managériale-professionnelle. Massey et Mackenzie King avaient plusieurs points en commun : protestants
libéraux, militants libéraux, continentalistes et britannophiles.
Membres de la ploutocratie nord-américaine, ils posaient toutefois
sur elle un regard ambivalent. Ils n'étaient pas à l'aise avec ses rites,
ses mœurs, son idéologie, mais chacun pour ses raisons propres.
Cela tenait à leur place respective au sein de cette classe sociale. Massey en faisait partie comme héritier, Mackenzie King comme par-
venu. Le premier était un pur produit des grandes familles impérialistes canadiennes. Le second restait attaché à l'idéal égalitaire de son
grand-père William Lyon Mackenzie. Massey avait l'aisance de celui
qui était né dans la bourgeoisie. Mais l'obsession du profit propre à
cette classe, son esprit philistin lui répugnaient. Il chercherait toute
sa vie à échapper à la routine de l'entreprise familiale. Mackenzie
King, lui, était issu de la vieille classe moyenne. Son père était un
petit avocat raté, dont la carrière n'avait jamais décollé. Laborieuse-
ment, Mackenzie King gravit les échelons de la ploutocratie nord-
américaine. Il passa sa vie à vouloir s'y tailler une place ; Massey, à
vouloir en sortir. Pour des raisons bien différentes, les deux hommes
cultivèrent des vues critiques à l'égard de leur propre classe sociale.

Durant sa jeunesse, Vincent Massey baigna dans les cercles
impérialistes[29]. Ses trois mentors canadiens étaient attachés à l'idée
impériale : les historiens George Wrong et William Grant, ainsi
qu'un propagandiste de l'Empire, George Parkin. En 1915, le jeune
Massey épousa la fille de Parkin, nommée Alice. Sa sœur, Maude
Parkin, avait épousé William Grant. Les familles Grant, Parkin, Massey formaient donc un hermétique réseau familial dans la bourgeoisie torontoise, diffusant la foi impérialiste d'un bout à l'autre du
dominion. L'impérialisme de Vincent n'avait pas le côté chauvin de
ses ancêtres ; il était infiniment plus raffiné. Étudiant, il eut le grand
privilège d'être reçu chez Goldwin Smith, à son domaine *The
Grange.* Durant sa carrière, Massey devint l'incarnation vivante du
rêve de Smith. Il fut un lien, un passeur entre les peuples anglo-
saxons, le chantre d'un pansaxonnisme libéral éclairé. Admirateur
des mesures sociales du gouvernement de David Lloyd George, il
vouait un grand respect à la société fabienne et au Parti travailliste
anglais. Durant ses études au Balliol College à Londres, grâce aux
contacts de George Parkin, il pénétra les cercles impérialistes[30]. Il

tenait en haute estime la faction des « impérialistes sociaux » qui prônaient l'idéal du « service social ». Parmi les disciples de Milner, Lionel Curtis, de la *Round Table*, exerça la plus grande influence sur lui. Curtis lui fit découvrir qu'il était possible de conjuguer impérialisme et libéralisme.

Cet attachement à l'Empire ne fit pas de lui un antiaméricain. Il était issu de l'une de ces riches familles industrielles canadiennes possédant des liens avec la ploutocratie nord-américaine. Son cousin George Vincent, par exemple, était recteur de l'Université de Chicago et président de la Fondation Rockefeller. Mackenzie King étant lié à cette fondation, Massey entendit très tôt parler du tact de ce négociateur. Réciproquement, le chef libéral se fit souvent vanter le potentiel du jeune bourgeois. Dans ses discours, Mackenzie King cita à plusieurs reprises cette perle de Massey : « Ce n'est pas Downing Street mais Main Street qui est l'ennemi du vrai canadianisme[31]. » Il s'agissait d'une allusion à *Main Street,* le grand roman de l'écrivain américain Sinclair Lewis[32]. Écrivain dominant durant les années 1920, Lewis était le romancier favori de la jeunesse américaine. Comme l'écrivit H. L. Mencken, Lewis réussissait à dépeindre en quelques traits de plume ce que Walter Lippmann tenta vainement de révéler dans plusieurs livres[33]. Les romans de Lewis, *Main Street, Babbitt,* étaient des satires de l'*American way of life.* Ses caricatures sociales ridiculisaient le conformisme moral, la vanité, l'amour du confort et les convenances factices des notables américains : hommes d'affaires, médecins, marchands, pasteurs, tous y passaient les uns après les autres. Le romancier dépeignait les travers des Américains, leur provincialisme, leur chauvinisme, leur snobisme. *Main Street* ridiculisait le caractère convenable de la société : dans le milieu des affaires, à l'église, au club, dans les restaurants. Le deuxième roman de Lewis, *Babbitt*[34], créait un type social : *Babbitt,* l'homme d'affaires américain rustre, grossier, avide, inculte. Dans l'univers de Massey et de Mackenzie King, il y avait beaucoup de *Babbitt,* chacun était est susceptible de finir comme un *Babbitt.*

Afin d'échapper à ce triste destin, Massey chercha à se faire une place dans la vie intellectuelle américaine. Il réussit à s'introduire dans les milieux progressistes américains par l'entremise du réputé salon de Robert G. Valentine, un excentrique fonctionnaire américain. Sise à Washington, la *House of Truth* était la plaque tournante d'un réseau transnational d'intellectuels progressistes qui tentaient de définir une voie intermédiaire entre le socialisme et le libéralisme[35]. Du côté américain, ce réseau groupait Walter Lippmann, Walter Weyl, Randolph Bourne, Felix Frankfurter, Wendell Holmes[36]. Ces deux derniers devinrent juges à la Cour suprême et influencèrent l'évolution du fédéralisme américain[37]. Du côté britannique, il incluait surtout des socialistes fabiens : George Bernard Shaw, Sidney Webb, Graham Wallas[38]. C'est le Britannique Eugene Percy qui présenta Massey aux hôtes de la *House of Truth*. Secrétaire à l'ambassade britannique à Washington, Percy croyait que la justice et la paix dans le monde dépendaient d'un renforcement de l'amitié entre les États-Unis et l'Empire britannique. Selon lui, la méfiance des politiciens américains à l'égard de son pays n'était pas fondée. Une vieille mythologie américaine dépeignait l'existence en Angleterre d'une classe sociale héréditaire. L'élite anglaise, selon Percy, avait elle-même contribué au malentendu. Par ses manières, l'Anglais ressemblait trop à Mister Darby, cet aristocrate du roman *Pride and Prejudice* de Jane Austen. Massey fut séduit par Percy, car il contredisait ce mythe. L'ouverture de cet attachant Anglais à l'égard des Américains prépara Vincent Massey à jouer un rôle de médiateur entre les États-Unis et l'Angleterre. Selon lui, la base d'une future réconciliation entre les États-Unis et la Grande-Bretagne était le Nouveau Libéralisme. La bible de ce mouvement politique était un essai publié par Herbert Croly en 1910, *The Promise of American Life*[39].

L'essai synthétisait plusieurs thèmes fondamentaux du Nouveau Libéralisme. Il est hasardeux, écrivait Croly, de vouloir régler les problèmes du XXe siècle à partir des idéaux jeffersoniens. Dans l'histoire américaine, les jeffersoniens avaient commis l'erreur de penser que l'égalité et la liberté n'entraient pas en conflit. Trop souvent, ils choisirent de sacrifier la liberté au profit d'un conformisme égalitaire sur les plans moral et intellectuel. Croly accusait les jeffersoniens d'avoir érigé en absolu le principe de l'autonomie des États. À ses yeux, ce principe servait l'alliance des intérêts capitalistes avec ceux des élites provincialistes de chaque État. Les vues décentralisatrices de Jefferson, en consacrant le laisser-faire économique, favorisaient les intérêts capitalistes. Par conséquent, Croly plaidait pour la revalorisation de l'autre tradition politique américaine, le nationalisme hamiltonien, qui légitimait un État fédéral puissant. Si les jeffersoniens avaient privilégié la démocratie aux dépens de la nation, les hamiltoniens avaient plutôt favorisé la nation aux dépens de la démocratie. Le Nouveau Libéralisme de Croly constituait une nouvelle synthèse, fondée sur trois idées : 1) l'affirmation du rôle militaire des États-Unis dans la politique internationale ; 2) la promotion et la régulation du grand capitalisme corporatif ; 3) la reconnaissance du syndicalisme afin de le civiliser. Croly admettait que sa solution empruntait beaucoup à la philosophie socialiste. Mais il la présentait comme étant nationaliste. La seule façon de sauver la république, écrivait-il, consisterait à mobiliser le sentiment nationaliste derrière un programme social-démocrate. Ce qu'il reprochait au socialisme, c'était d'exploiter l'intérêt de classe plutôt que l'intérêt national. Sa réforme simultanée du gouvernement et de la *«big business»* cherchait à remplacer les *«tycoons»* et les « boss d'unions » par une élite démocratique constituée de cadres et de professionnels issus de la nouvelle classe moyenne.

La fondation du CCF

La défaite du Parti libéral aux élections fédérales de 1930 s'avérait un terreau fertile pour l'implantation du Nouveau Libéralisme. La victoire du Parti conservateur de R. B. Bennett sema le doute dans l'esprit de pas mal de libéraux. Ils se demandèrent si Mackenzie King était le leader adéquat pour faire face à la dépression économique. L'organisateur du parti au Québec, Chubby Power, déplora que le chef fût un « *old-fashion whig* ». Outre le leadership, il y avait d'autres questions inquiétantes. Les Partis libéraux en Europe avaient presque tous disparu de l'échiquier politique, déclassés par les socialistes. Même en Angleterre, le Parti libéral n'était plus que l'ombre de lui-même. Le libéralisme, se demandait-on, avait-il encore un avenir ? Était-il capable de résoudre les grands problèmes des sociétés capitalistes ? Ce type de questions, Mackenzie King se les posait. Sa réflexion fut influencée par la lecture d'un livre de J. A. Spender sur l'histoire du Parti libéral britannique. Ce livre révélait le rôle de l'organisateur libéral sir Richard Hudson, secrétaire à la Fédération libérale nationale (britannique). Hudson fut l'homme clé du Parti libéral de 1893 à 1927, des jours glorieux de

Gladstone jusqu'à la désintégration rapide du Parti libéral. Lui-même hanté par le scénario du déclin de son parti, Mackenzie King en vint à penser que le succès du parti serait tributaire de sa capacité à s'associer à un organisateur compétent[40]. Pour assumer ce rôle, Massey était le candidat idéal. Indépendant de fortune, il pouvait se payer le luxe de passer quelques années dans l'opposition. Il avait la puissance de l'industriel, mais il était aussi éclairé, puisqu'il se consacrait à des œuvres philanthropiques.

Pourtant, l'admiration de Mackenzie King pour Massey était légèrement teintée de ressentiment. Massey incarnait le lustre de la politique britannique, son aisance aristocratique, aspect de l'héritage britannique qui répugnait au chef libéral. Rien ne lui déplaisait plus que cette coutume, perpétuée par la couronne, d'accorder des titres et des honneurs aux individus méritants. À cette époque, Massey était le militant du parti se rapprochant le plus du type aristocratique. Après une période d'accumulation de richesse, sa famille s'était élevée d'un rang en investissant le champ de la philanthropie. Massey était certes issu du monde de la ploutocratie capitaliste, mais de sa faction polie, civilisée et avancée que Mackenzie King enviait et admirait. En dépit de ses réserves sur l'homme, le chef libéral le pressentit pour établir une Fédération libérale nationale. Ainsi, en 1931, afin de convaincre Massey, il lui donna un exemplaire de la biographie de J. A. Spender. Le candidat convoité attendit toutefois avant d'accepter l'offre. Indépendant, il voulait se faire courtiser et faire monter les enchères. Le chef libéral fut irrité par ce petit jeu. Il le raconte dans son journal intime :

> Je le pris par l'épaule et lui dis que j'étais fatigué d'entendre les autres dire qu'ils voulaient m'aider. C'est le parti qui avait besoin d'aide. C'est le libéralisme qui avait besoin d'aide. J'avais fait ce qui était en mon pouvoir pour agir à cette fin, mais j'avais été laissé à moi-même. J'avais décidé que, si rien n'était fait afin de se partager la tâche, le parti aurait à se dénicher un autre leader. Que je ne voulais pas et ne pouvais pas effectuer le travail d'organisation et de publicité, et que des moyens devaient être trouvés par le parti à cette fin. Je continuerais à faire de mon mieux au Parlement et partout au pays si les autres voulaient coopérer, mais je ne serais pas celui qui porterait tout le fardeau sur ses épaules[41].

Massey accepta après que le chef lui eut fait une promesse. La seule façon d'atteindre son but — être bientôt nommé haut-commissaire à Londres — était d'organiser la Fédération libérale nationale en vue des prochaines élections générales. Massey n'en continua pas moins de se voir en réformiste patricien éclairé, à la F. D. Roosevelt, qui réorienterait la plate-forme libérale sur des principes progressistes. Mais il se savait incapable, dans sa position d'organisateur, de changer les orientations du parti. Il pouvait certes travailler à faire adopter des résolutions aux congrès nationaux ou dans les instances de la Fédération libérale nationale. Mais le chef libéral restait libre de les accepter ou non. Les années 1932-1933 virent le conflit entre les deux hommes s'aggraver. Deux événements bousculèrent le chef libéral et semblèrent donner raison à Massey. Il y eut d'abord en 1932 la fondation à Calgary d'un parti social-démocrate, le Cooperative Commonwealth Federation (CCF); il y eut ensuite l'année suivante l'adoption du *New Deal* par le président américain F. D. Roosevelt[42]. Après ces événements, Massey pressa son chef de s'adapter à la nouvelle conjoncture politique, à défaut de quoi le Parti libéral risquerait de disparaître, dépassé sur sa gauche par le CCF et sur sa droite par le Parti conservateur de Bennett. Mais Mackenzie King se méfiait du libéralisme incarné par le *New Deal*[43]. Il n'était pas loin de penser que c'était une forme douce de fascisme. Au début de 1933, dans un rapport remis au conseil consultatif de la Fédération libérale nationale, Massey jeta de l'huile sur le feu. Ce rapport livrait les conclusions de consultations menées auprès d'experts et d'intellectuels de différents coins du pays. Franchement progressiste, le rapport affirmait l'urgence d'établir une banque centrale, d'instituer un système d'assurance-chômage, de réformer la Loi sur les compagnies. Puis, au printemps, Massey prononça un discours explosif sur le Nouveau Libéralisme. Les idées de Massey étaient interprétées par les tenants du libéralisme classique comme des appels à la révolution.

La gravité du différend entre les deux hommes monta d'un cran à la suite de la fondation du CCF. Ce nouveau parti venait hanter le chef libéral, qui avait toujours en mémoire le déclin du Parti libéral britannique. Le Parti libéral canadien avait traditionnellement occupé la gauche de l'échiquier politique. Perdrait-il sa place au profit du CCF? Y-avait-il de l'espace pour un parti au centre?

Froidement, Massey définissait trois positions que le Parti libéral pouvait adopter à l'égard du CCF. La première consisterait à condamner le caractère dogmatique de son socialisme. Cette position avait le défaut de placer les libéraux dans le même camp que les conservateurs, celui du statu quo. La deuxième position viserait à négocier une forme d'alliance avec le CCF, en montrant cependant que ce parti, s'il était bien intentionné, n'en restait pas moins mal guidé. Cette position comportait le risque de perdre les adeptes du libéralisme classique. La troisième position reviendrait à adopter des mesures sociales inspirées du programme du CCF, sans toutefois accepter ses dénonciations de l'économie capitaliste.

Aux yeux de Massey, la troisième position était la plus prudente, bien que parfois il penchât en faveur de la deuxième. Ainsi, dans un discours prononcé en mars 1933, Massey avait évoqué l'idée d'une alliance avec le CCF. À la condition que ce parti n'adhère pas à un socialisme d'État doctrinaire, une telle alliance avec le Parti libéral lui semblait envisageable. Quelques mois plus tard, il admit qu'un gouvernement d'union ne serait peut-être pas une mauvaise chose. Ce gouvernement d'union n'associerait pas les libéraux aux conservateurs, mais bien aux sociaux-démocrates du CCF. Durant son séjour au Balliol College, une telle alliance (appelée « Lib-Lab » pour Liberal-Labour) avait été couronnée de succès au Parlement britannique. Pourquoi cela ne marcherait-il pas au Canada ? Évidemment, en suivant ce scénario, Massey aurait été amené à jouer un rôle primordial, peut-être même le rôle suprême… Quoi qu'il en soit, ces ouvertures de Massey à l'égard du CCF exaspérèrent le chef libéral. Il était d'autant plus exaspéré que, dans les cercles libéraux, plusieurs jeunes militants flirtaient avec ce parti. Avant d'envisager de nouvelles dépenses, rétorquait le chef libéral, le budget devait être équilibré. Il voulait d'autant moins admettre qu'il avait tort que l'actuel gouvernement Bennett était incapable de mettre un terme à la dépression économique. Donc, il était réaliste de penser qu'il pouvait battre les conservateurs au prochain scrutin. Mais les choses n'étaient pas si simples… Dans un système de bipartisme, une défaite conservatrice signifiait une victoire libérale. Mais l'avènement du CCF avait changé brutalement cette équation. La philosophie de ce nouveau parti semblait fournir une explication infaillible à la crise économique. Il proposait des mesures concrètes pour enrayer les différents problèmes sociaux : le chômage, l'échec des récoltes, l'effondrement des marchés.

Un dernier événement vint pousser les deux hommes au bord du divorce. Le différend atteignit son paroxysme à l'approche de la tenue de l'école d'été à Port Hope, en Ontario. À l'époque, le Parti conservateur et le CCF imitaient le modèle des *summer schools* britanniques, dans le but d'élaborer des solutions à la dépression. Sous l'influence de Massey, le chef libéral décida d'en tenir une, début septembre 1934. À juste titre, le chef libéral soupçonnait son lieutenant de vouloir profiter de cet événement pour faire avancer la cause du Nouveau Libéralisme. Massey voulait que les résultats de ce colloque servent de plate-forme libérale en vue de la prochaine élection générale. Le chef libéral rejeta à l'avance cette idée. Comme c'était la tradition, il préférait garder le contrôle sur les idées véhiculées par le parti en temps d'élection. Il était tellement sur la défensive que, dans les jours qui précédèrent l'événement, afin d'éviter son annulation, Massey accepta d'en assumer le coût de sa poche.

Il cherchait à asseoir son concept de « libéralisme militant, progressiste » sur une solide base intellectuelle. Pour y arriver, il rallia plusieurs jeunes militants sympathiques au Nouveau Libéralisme : Paul Martin père, Stephen Cartwright, Raleigh Parkin, Brooke Claxton, T. W. L. MacDermot, Thérèse Casgrain[44]. Paul Martin devint un ministre libéral important durant les années 1940 et 1950 ; Stephen Cartwright était le secrétaire de Massey et occupait le poste de rédacteur au *Canadian Forum*; Raleigh Parkin, cadre à la Sun Life, était le beau-frère de Massey ; Thérèse Casgrain, épouse du militant libéral Pierre Casgrain, devint une militante féministe, pacifiste et socialiste dans les décennies suivantes ; Brooke Claxton devint un important ministre libéral durant les années 1940 et 1950 ; T. W. L. MacDermot était un historien de l'Université McGill. Ces jeunes militants étaient proches de l'aile montréalaise du Ginger Group, un groupe de députés fédéraux progressistes de tendance travailliste. La rencontre de Port Hope rassembla plusieurs invités de marque : journalistes, politiciens, intellectuels du Canada, des États-Unis et de Grande-Bretagne. Du côté britannique, les deux premiers choix de Massey furent John Maynard Keynes et Walter Layton, mais ils n'étaient pas disponibles. Il dut se rabattre sur des libéraux plus traditionnels : sir Herbert Samuel, leader du Parti libéral, et

T. E. Gregory, professeur d'économie à l'Université de Londres. Il eut plus de succès du côté américain. Son ami Walter Lippmann ne pouvait venir, mais il l'aida tout même à persuader deux poids lourds sympathiques au *New Deal*: Raymond Moley et W. Averell Harriman. La veille de la conférence, Mackenzie King était très nerveux. Dans son journal, il relate qu'il fit un affreux cauchemar. Le danger du Nouveau Libéralisme y était représenté sous la forme d'un serpent :

> Curieusement, je vis d'abord un serpent, un petit serpent, sortir d'un marais. Puis, un peu plus tard, j'en vis sortir un autre, plus gros. Ce fut la première fois que je fis un tel rêve. J'en conclus que c'était un avertissement m'intimant d'être prudent. Je me demande si ça peut signifier que mes hôtes à Port Hope ne sont pas dignes de confiance[45].

Au colloque, les journalistes notèrent l'absence de députés du caucus parlementaire. Seul le chef libéral y était, pour s'assurer que l'événement ne déraperait pas. Entendant des conférenciers faire l'éloge du *New Deal,* il ragea contre ces universitaires « incapables de comprendre à quel prix la liberté a été acquise, et ce qu'elle veut vraiment dire ». Rapportant les hauts faits de la séance, les journaux mirent surtout l'accent sur le conflit entre le chef libéral et Massey. Certains chroniqueurs, sympathiques au Nouveau Libéralisme, virent en ce dernier le prochain chef libéral. Désabusés devant l'inertie de Bennett et l'attentisme de Mackenzie King, ils se disaient maintenant prêts à donner une chance à cet homme audacieux. En tenant cette session d'été, Massey avait espéré forger une tradition pour le Parti libéral. C'est pourquoi il nomma cette rencontre : *First Liberal Summer Conference.* Mais Mackenzie King veilla à ce que ce fût la dernière.

Les ambitions de Massey pour le leadership s'évanouirent aux lendemains de Port Hope. Davantage méfiant à l'égard de son lieutenant, le chef se servit de plus en plus de la promesse d'un poste à Londres, tel un appât, pour l'inviter à trouver de l'argent et non des idées. Mais, surtout, l'année 1934 marqua un tournant dans l'opinion publique. Dans des élections provinciales ou des élections fédérales complémentaires, les libéraux déclassèrent leurs adversaires. L'idée d'une alliance avec le CCF fut repoussée pour de bon.

Massey comprit qu'il avait maintenant avantage à rentrer dans le rang. Il accepta son rôle de bon soldat en renflouant la caisse électorale en vue des prochaines élections générales.

L'échec du *New Deal*

Au terme d'un mandat désastreux, au début de janvier 1935, le premier ministre R. B. Bennett changea soudainement la donne. Le chef conservateur lut à la radio ses *New Deal Broadcasts*. Il s'agissait d'un ambitieux régime de réformes sociales visant à corriger les excès du capitalisme : impôt progressif, réduction de la semaine de travail, salaire minimum, pensions de vieillesse, aide aux fermiers, assurance-accident, assurance-chômage et assurance-maladie. Une phrase-choc résumait ce virage : « Le libéralisme est le torysme dans sa forme la plus réactionnaire, tout comme aujourd'hui le conservatisme est le progressisme dans le meilleur sens du terme[46]. » Il s'agissait d'un coup de maître, vraisemblablement destiné à plaire à la classe moyenne et à la classe ouvrière, à quelques semaines d'une élection générale. Fait à remarquer, d'un point de vue constitutionnel, Borden justifiait son projet de loi à partir d'un argument avancé par le socialiste Frank Scott[47]. Dans une plaquette intitulée *Social Reconstruction and the B.N.A. Act*, publiée par la League for Social Reconstruction, Scott soutenait qu'il n'était pas nécessaire de modifier la Constitution canadienne pour permettre au gouvernement fédéral de légiférer en matière sociale. Le ministre du Travail du cabinet libéral, Norman Rogers, qui écrivait comme Scott dans le *Canadian Forum*, avait des vues similaires. Il publia plusieurs articles critiquant la théorie de l'autonomie provinciale[48]. La Constitution de 1867 n'était pas le résultat d'un pacte entre des provinces ou des peuples fondateurs, mais d'une loi impériale. Le gouvernement fédéral pouvait par conséquent légiférer dans le domaine social sans obtenir au préalable le consentement des provinces. (Après le départ de Massey pour Londres, en 1935, c'est Rogers qui le remplaça comme leader du Nouveau Libéralisme au cabinet. Il décéda tragiquement en 1939 dans un accident d'avion.)

Quoi qu'il en soit, le New Deal de Bennett embarrassait Mackenzie King. Il était difficile de s'opposer à ces réformes sans passer

pour l'ami du grand capitalisme. Il adopta une position délicate et
nuancée durant la campagne électorale : se dire d'accord avec l'objectif des réformes, mais montrer que Bennett était lui-même
conscient qu'elles étaient inconstitutionnelles[49]. S'il réussissait cette
démonstration, le chef libéral pouvait conclure que la raison d'être
des *New Deal Broadcasts* était de tromper l'électorat. Contester le
mérite de ces mesures sociales aurait été suicidaire. Il allait plutôt les
critiquer comme de simples promesses électorales, probablement
inconstitutionnelles, formulées par un dictateur irresponsable en
précampagne électorale. Il insista sur la manière de les implanter,
jugée mal à propos. Par le passé, le Parti libéral n'avait pas adopté de
telles réformes parce qu'elles relevaient d'un champ de compétences
provinciales. Afin d'être au-dessus de tout soupçon, le chef de l'opposition vota quand même pour ces lois sociales, durant le débat
ayant précédé la dissolution du Parlement. Et il exerça une sévère
discipline de parti afin qu'il n'y ait aucune dissidence dans le caucus.

Durant la campagne électorale de l'automne 1935, Mackenzie
King tabla sur sa réputation d'homme du juste milieu. Il se présenta
comme le chef qui pouvait assurer la paix, l'harmonie, la coopéra-
tion grâce à ses talents de conciliateur. Son slogan de campagne était
« King ou le chaos ». Si le choix était vraiment entre lui et le chaos,
plus de la moitié des électeurs choisirent le chaos. Mais c'était assez
pour battre solidement le gouvernement Bennett. Le résultat :
173 libéraux, 40 conservateurs, 17 créditistes, 7 CCF, 7 autres. Le soir
de l'élection, le chef libéral n'invita pas Massey à célébrer la victoire
du parti à la Maison Laurier. Dans son discours de remerciement, il
ne fit aucune allusion au travail de la Fédération libérale nationale.
Il ne fut cependant pas complètement ingrat. Il avait contracté une
dette envers son rival. Comme prévu, il le nomma haut-commis-
sionnaire à Londres, heureux de le voir quitter le pays. Le nouveau
premier ministre ne pensait pas s'être simplement débarrassé d'un
rival, mais aussi de la menace que représentait le Nouveau Libéralisme. Quant à Massey, il regrettait peut-être de devoir renoncer à
son combat. Mais il avait une consolation. Les salons de Londres lui
semblaient plus agréables que les *hustings* du nord de l'Ontario.

À son retour au pouvoir, Mackenzie King s'était empressé de
soumettre aux tribunaux le New Deal de Bennett. En 1937, le
comité judiciaire du Conseil privé prononça son jugement. Cette loi

était inconstitutionnelle. Le chef libéral se réjouit d'avoir eu raison contre Bennett. Le jugement avait toutefois des conséquences majeures. À l'avenir, il serait difficile pour le gouvernement fédéral d'adopter des mesures de réforme sociale. Afin d'éclaircir la situation, le premier ministre institua la Commission royale d'enquête sur les relations financières entre le dominion et les provinces. La direction de la Commission fut confiée à l'ancien premier ministre de l'Ontario, N. W. Rowell. Après le décès de ce dernier, le juge québécois Joseph Sirois prit la relève. Sur le front des finances publiques, toutefois, la situation semblait s'améliorer. En effet, pendant la préparation du budget, en 1937, Mackenzie King et Charles Dunning notèrent que le redressement économique, s'il se poursuivait, créerait bientôt l'équilibre budgétaire[50]. Ces deux apôtres du libéralisme classique n'étaient toutefois pas au bout de leurs peines. Dans une réunion du caucus, ils notèrent que les ministres avaient inscrit d'importantes augmentations dans leurs prévisions budgétaires. Même si ceux-ci continuaient à se dire partisans d'un budget équilibré, dans les faits ils favorisaient des mesures gouvernementales positives. Ils étaient alors très près d'une vision keynésienne.

Dépité, le premier ministre émit l'hypothèse que la dépression avait affecté la fibre morale de ses collègues. Signe révélateur : même le château fort du libéralisme classique, l'Ouest, était en proie à ce Nouveau Libéralisme. Norman Rogers avait pris le relais, à la suite du départ de Massey. Le chef libéral pouvait toujours comprendre que des recrues libérales (Paul Martin, Brooke Claxton), inexpérimentées, soient favorables à l'État-providence. Mais comment expliquer la récente conversion de ministres chevronnés, tels Gardiner, Crerar, Ilsey ? En décembre 1937, Mackenzie King apprit une autre nouvelle alarmante. La Commission nationale sur l'emploi songeait à recommander que le fédéral finance entièrement le coût du programme d'assurance-chômage. Affolé, Mackenzie King avertit le ministre du Travail Norman Rogers que la Commission devait biffer cette recommandation avant le dépôt du rapport. Refusant d'obtempérer, le ministre lui expliqua que c'était là une conséquence logique de la philosophie du programme. Le chef libéral sentit les choses lui échapper à partir de ce moment-là. Il devint méfiant à l'égard de « l'école de Queen's », bastion du Nouveau Libéralisme[51]. En effet, plusieurs de ses propagandistes étaient des professeurs ou d'anciens étudiants de l'Université Queen's : Norman Rogers, Oscar Skelton, William Mackintosh (l'économiste de la Commission). Le pire, c'est que Rogers et Skelton étaient des amis intimes du premier ministre[52]. Son libéralisme était ainsi contesté moins par ses adversaires conservateurs que par ses propres collègues. Le débat ne se tint pas en public, mais en privé, dans les réunions du cabinet.

Un autre accroc survint lorsque le cabinet décida que de grands projets de travaux publics étaient nécessaires pour stimuler la croissance de l'emploi. Le premier ministre nomma par conséquent un comité pour préparer ce grand programme de développement national. Révélateur du nouvel esprit, Rogers était nommé directeur du comité[53]. Qui plus est, la plupart des ministres favorables au Nouveau Libéralisme y siégeaient. Le premier ministre fit ces concessions en les présentant comme des mesures temporaires, dictées par l'urgence de la situation. À ses yeux, il s'agissait d'une exception, qui heurtait l'idée d'une saine prudence fiscale. Il avait beau accepter à contrecœur d'accroître les dépenses fédérales en période de récession, il n'en acceptait pas moins la philosophie keynésienne. Le gouvernement adhérait désormais à l'idée que les dépenses publiques devaient compenser, en période de récession, le faible niveau d'investissement privé. Aux yeux du chef libéral, il s'agissait d'une réaction tactique visant à résoudre une crise politique au sein de son cabinet. Mais cette crise ne sous-tendait pas moins un conflit de philosophie économique entre, d'une part, les libéraux classiques comme Mackenzie King et Dunning et, d'autre part, les disciples du Nouveau Libéralisme. Afin de préserver la position de son parti sur l'échiquier politique et son leadership au sein du parti, le chef libéral accepta une approche qu'il jugeait radicale.

Le budget de 1939 illustre à nouveau les victoires du Nouveau Libéralisme. Mackenzie King semblait résigné. Quelques mois auparavant, Dunning lui avait résumé la situation financière du gouvernement. Le déficit, notait Dunning, serait supérieur à ce qui était prévu. Il n'était plus question, pour le chef, de s'emporter face à un tel constat. Il n'ordonna pas à Dunning de faire marche arrière. Après maintes résistances, le chef libéral avait laissé pénétrer le Nouveau Libéralisme au cabinet. Mais il n'exprima plus de regrets, voulant sans doute éviter de faire face à une nouvelle crise au sein de son cabinet. Il se pourrait aussi que Mackenzie King, durant les années 1930, ait voulu se montrer exagérément hostile au Nouveau Libéralisme afin de modérer l'appétit des jeunes radicaux. Il savait que, en incorporant certaines mesures sociales, il plaçait son parti bien au centre de l'échiquier politique. Son analyse du CCF confirme cette interprétation. À ses yeux, ce parti était très différent du Parti progressiste des années 1920. Le parti de J. S. Woodsworth lui semblait beaucoup plus étatiste. Ses leaders étaient d'ailleurs aussi opposés au Parti libéral qu'au Parti conservateur. Les députés socialistes aux Communes ne pouvaient devenir des alliés fiables. Le premier ministre admettait que le CCF, contrairement aux tories, se souciait du sort des chômeurs, des pauvres et des faibles. Il savait aussi que le CCF, socialiste, exerçait un attrait sur les radicaux de son parti. Il voyait deux avantages à incorporer en douce certaines idées du CCF. D'une part, cela situait le parti bien au centre, entre les conservateurs et les socialistes; d'autre part, cela dissuadait les jeunes radicaux de contester son leadership. Il aimait distinguer le « socialisme » d'un « libéralisme progressiste » favorable à des mesures modérées de réforme sociale. Ces concessions du Nouveau Libéralisme le positionnaient directement au centre des débats idéologiques. Mackenzie King disait occuper la voie médiane entre la tendance « fascisante » de Bennett et la tendance « bolchévique » de Woodsworth. Bien qu'il se montrât parfois d'accord avec le principe de la propriété publique, il avertissait les radicaux que la planification administrative n'était pas une panacée. Elle pouvait mener à un État bureaucratique, l'antithèse même de ce que représentait, pour lui, le libéralisme.

L'entrée en guerre du Canada

La fin des années 1930 marqua le début de la dernière décennie de Mackenzie King au pouvoir. Elle révéla une nouvelle facette de l'homme public. Sur le plan des idées, il se montra de plus en plus conciliant avec le Nouveau Libéralisme. Sur le plan social, il posa les premiers jalons de l'État-providence canadien. Sur le plan international, le premier ministre fut amené à mieux définir le rôle du Canada par rapport à la Grande-Bretagne et aux États-Unis. Comme la plupart des progressistes de l'époque, le chef libéral était

un pacifiste en matière de politique étrangère. Lui qui avait un excel-
lent jugement politique, il se révéla d'une extrême naïveté à l'égard
d'Hitler, comme la plupart des chefs politiques occidentaux. Jusqu'en 1939, il encouragea la Grande-Bretagne à maintenir une politique de conciliation et d'apaisement face à l'Allemagne. Il ne commença à perdre ses illusions face au Führer qu'à la suite de la
signature du pacte germano-soviétique. Et, même après cet événement, il continua à s'accrocher à l'espoir qu'Hitler reviendrait à la
raison. Il proposa ainsi au premier ministre britannique Chamberlain que le roi George VI orchestre une ultime tentative de conciliation. Enfin, lorsque l'Allemagne envahit la Pologne, en septembre 1939, il manqua encore de jugement politique. Il blâma
simplement la Grande-Bretagne de s'être associée à cette nation
catholique. Ce jugement politique, qui lui avait fait défaut au début
de la guerre, revint heureusement l'orienter jusqu'à la fin des hosti-
lités en Europe.

En septembre 1939, l'entrée du Canada en guerre était imminente. Mackenzie King nota l'ironie de la situation. C'était le petit-
fils de William Lyon Mackenzie qui portait la responsabilité d'amener la nation canadienne dans une guerre pour la liberté au côté de
l'Angleterre. « J'ai le sentiment que cette guerre relève de la même
lutte, une lutte pour la liberté de l'humanité[54]. » Le 7 septembre, le
gouvernement tint une session d'urgence au Parlement. Le Discours
du trône annonça que le Canada prendrait les mesures nécessaires
pour assurer sa défense contre toute agression étrangère. Le 9 septembre, le cabinet se réunit afin de signer l'ordre-en-conseil décré-
tant l'état de guerre, afin qu'il soit acheminé au roi d'Angleterre.
Dans son journal, il relata ce moment historique : « En m'apprêtant
à signer, je détournai soudainement les yeux du document et fus
surpris de voir le buste de mon grand-père, dans un angle opposé,
orienté directement vers moi, les yeux exprimant presque une
lumière vivante. C'était la personne qui occupait mes pensées
lorsque j'apposai ma signature sur cet ordre-en-conseil[55]. »

En retournant plus tard à la Maison Laurier, Mackenzie King
remarqua le portrait de sa mère dans la bibliothèque : « Tout ce que
je pus dire : "Les noms de Mackenzie et King auront une place
honorable dans les annales de ce pays". » Les pensées du premier
ministre allèrent aussi à Wilfrid et Lady Laurier, deux êtres profon-

dément perturbés par la Première Guerre mondiale, témoins impuissants de l'éclatement du Parti libéral. Jusqu'en 1945, le chef libéral fut obsédé par le tragique destin de Laurier, auquel il tenta constamment d'échapper. Dès l'annonce de l'entrée en guerre du Canada, le premier ministre se fit rassurant au Parlement. La conscription pour le service outre-mer, prévenait-il, ne serait pas envisagée. Habile, il précisait qu'une telle mesure ne serait pas introduite par la « présente administration ». Si le gouvernement libéral perdait le pouvoir, avertissait-il, les conservateurs ne seraient pas liés par cette promesse. La déclaration du chef libéral ouvrait toutefois la possibilité d'une conscription pour un service militaire sur le territoire canadien. À l'aube de cette période tumultueuse, le premier ministre prit la décision de renforcer son cabinet. Affecté par la maladie, le ministre des Finances, Charles Dunning, décida de mettre fin à sa carrière, après vingt ans de vie parlementaire. Le premier ministre le remplaça par le colonel J. L. Ralston, qui fut ministre de la Défense de 1926 à 1930. Natif de la Nouvelle-Écosse, le colonel vivait à Montréal, où il dirigeait un bureau d'avocats en droit corporatif. Le chef libéral tentait depuis quelques années de réintégrer le colonel dans son cabinet. Celui-ci refusait, mais ne fermait pas la porte définitivement, spécifiant qu'il accepterait si le Canada entrait en guerre. Ancien commandant de bataillon durant la Première Guerre mondiale, il était considéré comme un impérialiste. Dès ce moment, il devint l'un des trois poids lourds du cabinet, en compagnie du premier ministre et de son lieutenant québécois, Ernest Lapointe.

La première conséquence majeure du conflit européen sur la politique intérieure canadienne se manifesta au Québec[56]. Moins de deux semaines après l'entrée en guerre du Canada, le premier ministre québécois, Maurice Duplessis, déclencha une élection générale quasi référendaire. Le chef de l'Union nationale fit campagne sur le thème de la défense de l'autonomie provinciale contre la centralisation fédérale. Mackenzie King était conscient des répercussions dramatiques d'une victoire de Duplessis sur la position canadienne à l'échelle internationale. Une défaite des libéraux galvaniserait les forces de l'Axe et déprimerait les Alliés. Qui plus est, la légitimité des ministres fédéraux québécois, Lapointe, Cardin, Power, serait grandement entachée. Afin d'aider le chef libéral provincial Adélard Godbout, ils souhaitaient sauter dans l'arène électorale et mettre leur siège en jeu. Mackenzie King n'aimait pas cette stratégie. Il était trop risqué, plaidait-il, de subordonner l'avenir politique de son parti à l'issue de ce scrutin provincial. Même si Duplessis était réélu, il était important pour lui et les siens de rester en poste. Démissionner était la dernière chose à faire. Cela ferait le jeu des conscriptionnistes du Parti conservateur fédéral dirigé par R. J. Manion.

Le député libéral anglo-montréalais Brooke Claxton persuada le premier ministre de changer d'opinion. En s'abstenant de sauter dans l'arène politique, avançait Claxton, les ministres fédéraux québécois aideraient Duplessis. Une victoire de l'Union nationale se répercuterait dans les autres provinces. Elle provoquerait peut-être la disparition du Parti libéral et, bientôt, le triomphe d'un Parti conservateur radicalement conscriptionniste. Mackenzie King se rangea à l'avis de Claxton. Les ministres fédéraux se jetèrent donc dans la mêlée aux côtés des libéraux provinciaux dirigés par Adélard Godbout[57]. Sur les tribunes, ils rappelèrent le combat de Laurier : « Ce que Wilfrid Laurier, dans l'opposition, n'a pas pu faire, King et Lapointe, au pouvoir, l'ont accompli [...]. 1917, Laurier combat la conscription. 1937, King, Lapointe, Cardin, Power, Dandurand nous sauvent de la conscription. » L'analogie avec le combat de Laurier eut de l'effet. Les libéraux remportèrent une victoire décisive : 53 % du suffrage populaire et 69 députés à l'Assemblée législative (Duplessis en comptait 77 avant l'élection). La victoire de Godbout allait au-delà des espoirs libéraux. Le discours de Lapointe aida sans doute. En menaçant de démissionner advenant une victoire de Duplessis, il avertit qu'une défaite de Godbout précipiterait la conscription, plutôt que de la retarder.

L'Ontario contestait aussi le leadership de Mackenzie King, mais d'une tout autre manière. Province loyaliste et impérialiste, l'Ontario était favorable à un engagement accru du Canada dans la guerre. Le premier ministre libéral Mitchell Hepburn était aussi populiste que Duplessis, mais trouvait que le fédéral avait une politique militaire trop timorée. Il mit le feu aux poudres en adoptant une motion qui critiquait sévèrement la politique militaire du gouvernement fédéral. Mackenzie King réagit à cet affront en déclenchant des élections générales. Durant la campagne, le chef conservateur R. J.

Manion fut incapable de déstabiliser les libéraux. Il réclamait la constitution d'un gouvernement d'union, à l'instar de celui de 1917. La constitution d'un gouvernement véritablement national, répliqua le chef libéral, était déjà un but que le Parti conservateur était incapable d'atteindre. Tout le monde savait, Manion le premier, que Mackenzie King était le seul chef politique à pouvoir rallier des ministres de toutes les régions du Canada. Dans son journal, Mackenzie King assimilait sa position à celle de Laurier en 1917 :

> Je ne pouvais m'empêcher de penser qu'il était étrange que sir Wilfrid Laurier travaillât si fort pour la réciprocité et qu'il fût défait dans ses efforts, et que 25 ans plus tard j'aie contribué à mettre en œuvre cette politique. Après tous ses efforts pour maintenir l'unité nationale, le travail d'une vie complète consacrée à cette fin a été détruit par les divisions qu'ont engendrées la guerre et la question du gouvernement d'union et par les mesures prises à cette époque. Il semble maintenant que l'occasion m'est donnée d'amener la politique de Laurier, en matière d'unité nationale, vers sa finalité, à condition de rejeter tout de suite les mesures qui ont mené aux divisions et aux clivages sous Borden et sa façon d'aborder les affaires nationales. Si je peux obtenir l'appui du pays pour un effort de guerre fondé sur l'unité nationale, un tel appui, s'il est massif d'un bout à l'autre du pays, fera davantage que tout autre événement antérieur pour que le Canada s'affirme en tant que nation[58].

Il comparait cette campagne électorale à celle qu'avait menée Abraham Lincoln en 1864. Le républicain américain avait mené son parti à la victoire au beau milieu d'une guerre. Vers la fin de la campagne électorale, Ernest Lapointe fit encore une fois une déclaration lourde de conséquences : « Le maintien de l'unité canadienne exige que notre effort militaire soit et reste volontaire[59]. » Le jour du vote, les électeurs canadiens donnèrent à Mackenzie King la plus grande majorité de sièges depuis l'élection de 1917 : 181 libéraux, 40 conservateurs, 10 créditistes, 8 CCF, 6 autres. Les libéraux obtinrent 51,5 % du vote. Le château fort du libéralisme était encore le Québec : 63 % du vote, 61 sièges sur 65. L'Ontario aussi donna un appui solide à Mackenzie King : 50 % du vote, se traduisant par 57 sièges sur 82.

Entre Churchill et Roosevelt

En 1940, l'armée allemande réussit à envahir plusieurs pays
européens : le Danemark, la Norvège, les Pays-Bas, la Belgique, la
France. La puissance de l'armée d'Hitler avait été sous-estimée. Une
défaite de l'Angleterre n'était plus un scénario farfelu. Après l'Angleterre, calculait Mackenzie King, le Canada deviendrait une cible
des forces de l'Axe. Dans plusieurs cercles politiques canadiens, on
se mit à exiger plus fermement une politique de conscription pour
le service outre-mer. Dépeignant Mackenzie King comme un
timoré, ces conscriptionnistes plaçaient leurs espoirs en J. L. Ralston.
Ils rêvaient de voir ce militaire le remplacer à la tête du gouvernement. Ils admettaient que le premier ministre possédait de grandes
qualités, mais ajoutaient qu'il n'avait pas la trempe nécessaire pour
diriger un pays en guerre. Les autres chefs de parti ne semblaient pas
mieux préparés à assumer cette tâche. Le candidat idéal était au sein
même du cabinet, c'était Ralston. Ces appels en faveur d'un « fau-
con » étaient particulièrement bruyants dans les cercles de la bourgeoisie canadienne. Mackenzie King se savait vulnérable à l'accusation de déloyauté à l'égard de la Grande-Bretagne. Plusieurs
l'appelaient l'*Américain,* ou « l'homme de Rockefeller ». Le chef
libéral se défendait en disant que ses liens privilégiés avec les Américains aidaient la cause des peuples anglo-saxons. S'il pouvait réussir
à rapprocher les deux plus grands peuples anglo-saxons, cela réta-
blirait la paix sur le plan international. Il avait agi en ce sens lors de
la visite de la famille royale en sol nord-américain, en 1939. Avec
fierté, il avait confié à Roosevelt : « Je suis convaincu que rien d'aussi
potentiellement bénéfique ne s'est produit depuis le "grand
schisme" de la race anglo-saxonne[60]. » Le roi George VI s'étonna de
la cordialité des liens entre le premier ministre canadien et le président F. D. Roosevelt. En 1940, Mackenzie King était néanmoins déçu
de la neutralité des Américains. Prudent, il n'envisageait pas de les
bousculer. Il était plus sage de travailler patiemment à les convaincre
d'aider les Britanniques. Pour ce faire, en mars 1940, à l'occasion
d'un séjour aux États-Unis, il rencontra le président. Au cours de
leur entretien, le premier ministre fut stupéfait d'entendre ce qui
inquiétait Roosevelt. Celui-ci se préoccupait uniquement de la sécurité des villes de la côte atlantique, plutôt que de la situation des

Alliés en Europe. Il comprit à ce moment-là à quel point Hitler avait réussi à endormir l'opinion occidentale.

Pendant ce temps, la situation politique se corsait au Parlement impérial. Winston Churchill remplaça Neville Chamberlain au poste de premier ministre. Le nouveau premier ministre était vu comme un fanatique de la guerre totale, opposé à toute politique d'apaisement. Mackenzie King n'avait pas de difficulté à suivre Chamberlain, mais Churchill lui semblait carrément dangereux. Durant sa visite en Amérique, le roi lui confia que jamais il n'accepterait de nommer cet homme à la tête du gouvernement britannique, à moins que les circonstances de la guerre ne l'y obligent. De son côté, Churchill ne tenait pas le premier ministre canadien en haute estime, le voyant comme un simple politicien colonial. Aux côtés de Roosevelt et de Churchill, il souffrait d'un complexe d'infériorité. Connaissant ses limites, il se persuada qu'il pouvait jouer un rôle, modeste mais précieux, celui d'intermédiaire entre ces deux hommes forts. À mesure que progressait le conflit en Europe, Churchill le pressait d'influencer Roosevelt et, réciproquement, le président américain lui demandait les mêmes services.

Le 19 juin 1940, Roosevelt eut un entretien important avec le fonctionnaire canadien Hugh Keenleyside. Cet entretien permit de renseigner Mackenzie King sur les positions américaines[61]. Le président américain craignait que la France ne fût sur le point d'abdiquer. En conséquence, il se pouvait que la Grande-Bretagne ne pût elle non plus tenir longtemps face aux agressions de l'armée nazie. Afin d'acheter la paix, la Grande-Bretagne pourrait se voir obligée de concéder sa puissante flotte navale royale. Du point de vue américain, cette concession serait désastreuse. Afin d'éviter ce scénario catastrophique, il devenait impératif de garder la flotte navale royale hors de portée des nazis, en la dispersant rapidement aux quatre coins de l'Empire. Même si, selon ce scénario, cela devait se faire au prix d'une destruction de l'Angleterre comparable à celle que les nazis avaient orchestrée en Pologne, en Belgique et en France. Par conséquent, le centre de l'autorité impériale serait transféré à Ottawa. À ce moment seulement, les Américains entreraient en action. La flotte navale royale aurait accès aux ports américains; l'Empire ferait face à un blocus; les États-Unis contrôleraient le Pacifique. Mais si, selon le scénario inverse, la Grande-Bretagne abandonnait sa flotte navale royale aux mains des nazis, le Japon pourrait jouir d'une liberté de passage dans le Pacifique, pendant que l'Allemagne et l'Italie absorberaient toutes les colonies de l'Empire britannique, sauf l'Amérique du Nord.

En entendant le fonctionnaire Keenleyside lui rapporter les « scénarios américains », Mackenzie King fut renversé. Mais il n'avait pas tout entendu. « Roosevelt, conclut Keenleyside, s'attend à ce que vous transmettiez ce message à Churchill… » Roosevelt avait même le culot de penser que le premier ministre canadien était capable de gagner l'adhésion des autres premiers ministres des dominions à cette stratégie. Un consensus de ces premiers ministres permettrait peut-être d'influencer les stratèges du cabinet de guerre à Londres. Le premier ministre canadien savait que les Américains cherchaient à sauver leur peau. Ce qui l'étonna, c'est qu'ils étaient prêts à le faire froidement au détriment de la Grande-Bretagne. Roosevelt tentait, à cette fin, d'exploiter l'égoïsme des nations de l'Empire aux dépens de la mère patrie. Mackenzie King pouvait-il accepter de se faire le messager de ce sombre scénario ? Il n'avait guère le choix. Il se résolut à transmettre à Churchill les vues de Roosevelt. Mais en prenant bien soin de spécifier qu'il n'était qu'un simple messager. Et qu'il ne partageait pas le point de vue du président américain[62]. Informé des vues de Roosevelt, Churchill fit une déclaration publique, qui était en fait une réponse implicite à la « demande américaine ». De façon magistrale, dans un discours aux Communes, il lança :

> Nous ne capitulerons jamais, et même dans l'éventualité, que je rejette entièrement, où notre pays serait conquis et crierait famine, notre empire outre-mer, armé et protégé par la flotte britannique, poursuivrait alors la lutte jusqu'à ce que, si Dieu le veut, le Nouveau Monde mobilise toute sa puissance pour secourir et libérer le Vieux Continent[63].

Par la suite, Churchill envoya un télégramme à Mackenzie King pour préciser la position à prendre face au scénario de Roosevelt : « Nous ne devons pas accorder de crédit au scénario américain d'une défaite britannique, à partir de laquelle les Américains obtiendraient la flotte royale britannique et la tutelle de l'Empire britannique hors Grande-Bretagne. Si les États-Unis étaient en guerre et les Anglais vaincus chez eux, le cours des événements correspondrait alors naturellement à un tel scénario. Mais si les Américains restaient neutres et que nous étions submergés, je ne peux dire quelle politique serait adoptée par une administration britannique progermanique. Même si le président américain est notre meilleur ami, aucune aide matérielle ne nous a été fournie jusqu'à maintenant. Toute pression exercée en ce sens sur les Américains serait d'une valeur inestimable[64]. »

Keenleyside transmit le contenu de ce télégramme à Roosevelt, ainsi qu'un mémo de Mackenzie King présentant son interprétation de la position de Churchill. Le président américain fut déçu de la position des premiers ministres britannique et canadien. Mais il encouragea ce dernier à continuer son travail de conciliation. Mackenzie King suggéra alors de permettre aux États-Unis d'établir des bases en Islande, au Groenland, à Terre-Neuve et dans les Indes dans l'éventualité où la Grande-Bretagne abdiquerait face à l'Allemagne. Cette action permettrait à la flotte royale de se disperser et d'échapper à la mainmise allemande. Churchill répliqua qu'il avait confiance dans la capacité britannique de résister et qu'il ne voyait aucune raison justifiant la planification du transfert de la flotte royale. Jamais il n'entamerait de négociations de paix avec Hitler. Mais il ne pouvait engager un gouvernement futur qui, abandonné par les États-Unis et vaincu sur le sol anglais, serait prêt à accepter de vivre sous un protectorat allemand. Il pria à nouveau Mackenzie King d'user de son influence auprès de Roosevelt.

L'idée que le Canada avait maintenant intérêt à chercher une protection militaire du côté américain faisait son chemin dans plusieurs cercles influents au Canada. Le 13 juillet 1940, Mackenzie King fut informé d'une nouvelle importante. L'ambassadeur canadien à Washington, Loring Christie, avait appris que Felix Frankfurter (ami de F. D. Roosevelt) suggérait la tenue d'une rencontre entre le premier ministre et le président, dans le but d'établir un plan commun pour la défense du continent américain. Ces deux vieux amis (Frankfurter et Christie), qui s'étaient connus à la *House of Truth* durant les années 1910, facilitèrent les échanges. Les deux chefs d'État acceptèrent donc de se rencontrer. Le 17 août, Mackenzie King rencontra Roosevelt à Ogdensburg. Le président américain suggéra l'établissement d'une défense mutuelle des côtes de l'Atlantique. Plus précisément, il proposa la création d'un comité conjoint permanent de défense. Le premier ministre canadien sourcilla à l'idée que le comité soit permanent, hésitant à mettre ainsi un doigt dans l'engrenage. Serait-ce le premier pas vers l'asservissement du pays à un nouvel empire ? De fait, l'accord d'Ogdensburg risquait de créer un dangereux précédent. Pour la première fois, les États-Unis signeraient un accord de défense conjointe avec un État en guerre. Pour les Alliés en Europe, ce serait vu comme une très bonne nouvelle. Mais, pour le Canada, ce serait le début d'une ère nouvelle, dont le sens pouvait inquiéter. La Grande-Bretagne n'était plus en mesure de protéger militairement le Canada. Il semblait prudent de chercher la protection des États-Unis. Mais « protection » pouvait aussi signifier « asservissement ». Le Canada avait-il le choix ?

Le premier ministre canadien finit par accepter. L'accord d'Ogdensburg fut bien reçu dans la presse canadienne. Le conseiller du premier ministre, Oscar Skelton, jubilait : « Il s'agit certainement du meilleur résultat obtenu depuis des années. Cet accord n'est pas le fruit de la chance, mais d'une suite inévitable de politiques publiques et de liens personnels fondés sur la reconnaissance de la nécessité impérieuse que s'instaure une compréhension mutuelle entre les peuples anglophones[65]. » À la Chambre des communes, Mackenzie King annonça la nouvelle en parlant de l'entrée du Canada dans un nouvel ordre mondial. C'était plus que ce que les conservateurs étaient capables d'entendre. Ils accusèrent le premier ministre d'accorder aux Américains des concessions qu'il n'avait jamais faites par le passé aux Britanniques. Et ce à un moment où la mère patrie luttait pour sa survie. La nouvelle déplut aussi au cabinet britannique. Churchill reprocha une nouvelle fois à Mackenzie King de faire passer les intérêts des États-Unis avant ceux de l'Empire. Dans les cercles impérialistes, de mauvaises langues rappelèrent qu'il était, après tout, le petit-fils d'un rebelle républicain... Toutefois, la colère britannique s'estompa rapidement. Quelques jours plus tard, Churchill envoya un télégramme félicitant Mackenzie King d'avoir cimenté l'unité anglo-américaine. Ce dernier fut rassuré : « Ce message m'a procuré une joie plus profonde que presque toute autre dans ma vie. Il atteste mon rôle dans le rapprochement des peuples anglophones et la reconnaissance par

Churchill des efforts que j'ai déployés en relation avec la guerre. Il révèle aussi clairement l'importance des démarches que j'ai entreprises sur ce continent[66]. »

Le débat sur le rapport Rowell-Sirois

C'est aussi en 1940 que le rapport de la Commission royale Rowell-Sirois fut déposé. Le rapport concluait que les ressources financières des provinces n'étaient pas à la mesure des lourdes responsabilités qu'elles devaient assumer. Afin de remédier au problème, le rapport recommandait au gouvernement fédéral de se charger des dettes accumulées par les provinces ainsi que du coût des secours aux chômeurs. Dans le but de résoudre le problème du financement des budgets provinciaux, la Commission proposa une nouvelle procédure et recommanda une mise à jour permanente des possibilités pour les provinces de se procurer des revenus au moyen de l'impôt. Le haut fonctionnaire du ministère des Finances, Graham Towers, avait la tâche de soumettre un plan d'action s'inspirant du rapport. Il envoya un mémo au ministre des Finances J. L. Ilsley, qui définissait les trois positions que le fédéral pouvait théoriquement adopter face au rapport : 1) reporter toute action à la période de l'après-guerre ; 2) tenir une conférence fédérale-provinciale afin de négocier l'application du rapport ; 3) l'adopter d'urgence comme mesure de guerre. Towers manifestait une préférence pour la stratégie suivante : si possible, adopter unilatéralement le rapport et de façon permanente. Si cette voie n'était pas possible, il suggérait que le gouvernement fédéral s'assurât au moins des pouvoirs fiscaux recommandés par le rapport pour la durée de la guerre.

Le ministre des Finances Ilsley jugeait impératif, dans un premier temps, de tenir une conférence fédérale-provinciale. Moins pour définir un consensus que pour préparer l'opinion publique à une intervention du gouvernement fédéral, en matière d'impôt, dans les champs de compétence provinciale. Attachés au principe de l'autonomie provinciale, Ernest Lapointe et Mackenzie King se montraient tièdes face au rapport. Le chef libéral soupçonnait que de puissants intérêts financiers avaient influencé les commissaires : « Les intérêts financiers concernés sont très puissants. Je suis méfiant car le rapport n'est pas conforme aux vues plus démocratiques qui devraient prévaloir après la guerre[67]. » La thèse d'un complot de la haute finance teintait aussi la position de trois premiers ministres : Mitchell Hepburn, d'Ontario (libéral), William Aberhart, d'Alberta (créditiste), Dufferin Pattulo, de Colombie-Britannique (libéral). La bureaucratie fédérale, arguaient-ils, utilisait le prétexte de la guerre pour déclencher une centralisation fiscale sans précédent. Si l'idée de tenir une telle conférence ne plaisait pas à Mackenzie King et à Lapointe, les pressions au sein du cabinet fédéral étaient telles qu'ils finirent par céder.

Au cours de la conférence, le premier ministre prononça le mot d'ouverture, utilisant un ton modéré et conciliant. Puis Mitchell Hepburn enchaîna, sur un ton plus agressif et conflictuel. La composition de la Commission n'était pas représentative de la population canadienne, selon lui. Elle était composée, rappelait-il, de trois professeurs d'université (Joseph Sirois, H. F. Angus, R. A. Mackay) et d'un journaliste (J. W. Dafoe, du *Winnipeg Free Press*). Hepburn s'opposait au rapport en invoquant le principe de l'autonomie provinciale. Le véritable objectif du fédéral n'était pas de résoudre le problème du chômage. Depuis le début de la guerre, observait-il, le chômage s'était résorbé. Le véritable but était d'aider les maisons de courtage à augmenter leurs revenus financiers. Qui plus est, les commissaires avaient accordé un traitement de faveur au Québec, tandis que la province d'Ontario, elle, ne recevait rien. Enfin, cette conférence était inutile puisque la Loi sur les mesures de guerre accordait déjà au fédéral le droit d'adopter des mesures d'urgence. Il n'était donc pas nécessaire de changer la Constitution. « Il me semble inconcevable de niaiser pendant que Londres brûle[68]. » Le premier ministre du Québec, Adélard Godbout, enchaîna d'une façon plus conciliante. Il acceptait que des mesures d'urgence soient prises immédiatement pour augmenter l'effort de guerre, mais s'opposait à ce qu'elles deviennent permanentes. Puis, Aberhart, d'Alberta, revint à la charge en reprenant certains arguments de Hepburn. Derrière ce rapport, lança-t-il, il y a la domination des trusts et des maisons de courtage. La solution était de réformer le système monétaire canadien selon les vues du Crédit social. Vint le tour de J. L. Ilsley, le ministre des Finances. Son plaidoyer était simple : le rapport devait être adopté car le gouvernement fédéral avait absolument besoin d'argent pour mener la guerre. En outre, le Canada devait profiter de l'occasion pour se doter d'un système d'imposition équitable. Le crédit du Canada sur les marchés financiers ne devait pas être entaché par l'insolvabilité de certaines provinces. Avant la fin de la conférence, Hepburn reprit la parole. « Si vous voulez adopter des mesures de guerre, faites-le. Mais ne brisez pas la Confédération et n'attisez pas les guerres raciales par vos efforts. » Selon lui, l'Ontario ne pouvait accepter ce rapport. Sa province deviendrait esclave des bureaucrates fédéraux. « Je ne sacrifierai pas ma province en abandonnant nos services sociaux au régime dictatorial d'une bureaucratie qu'on prétend établir à Ottawa[69]. »

Mackenzie King regretta d'avoir accepté que se tienne cette conférence, à la demande des conscriptionnistes du cabinet. L'événement révéla au grand jour les graves dissensions qui affligeaient le Parti libéral. Changer la Constitution au milieu d'une guerre n'était pas une bonne idée. « Je me demande ce qui serait arrivé si j'avais prononcé le discours préparé à mon intention pour souligner que nous allions "recréer la Confédération" [...][70]. » Incapable de faire adopter le rapport, le ministre des Finances se rabattit, en 1941, sur une politique de contrôle des prix et des salaires. Aux yeux d'Ilsley, c'était la seule politique capable de diminuer la nervosité des milieux financiers face à l'économie de guerre du Canada. Le premier ministre refusa d'abord d'envisager cette « proposition étatiste ». Soumis au « dirigisme », observait-il, le marché risquerait de se détraquer. Il soupçonnait que ces mesures radicales, suggérées par Ilsley, fussent en fait inspirées par les « requins » du milieu bancaire et financier. Il fut surpris de noter qu'il était le seul au cabinet à résister à cette dernière suggestion d'Ilsley. Il finit donc par abdiquer. Mais il dut convaincre les chefs syndicaux, hostiles au contrôle des prix et des salaires. Durant les pourparlers, les syndicats hésitèrent à donner leur assentiment. Ils lui reprochaient de retarder impunément l'adoption de mesures sociales. Penaud, le premier ministre s'excusa, attribuant la faute à la bureaucratie fédérale. En octobre 1941, le premier ministre adopta sa politique de contrôle des prix et des salaires.

Les craintes des syndicats s'avérèrent fondées. Les grandes corporations capitalistes n'étaient finalement que peu affectées par cette politique, qui préservait leurs marges de profit au détriment de la qualité de leurs produits. L'un des architectes de la politique, le fonctionnaire Grant Dexter, conclut, un an après son application : « Nous assistons à une forte cartellisation de l'industrie canadienne, où la concurrence est abolie. Au-delà de l'apparente tragédie d'une nation qui se dépouillerait de tout pour mener une guerre totale, rien de tangible ne s'est encore produit. Personne n'a vraiment souffert [de la politique], sauf le consommateur et le petit salarié. La grande corporation s'arrange pour supporter le tout sans en souffrir[71]. » Le journaliste canadien Bruce Hutchison, ami de Mackenzie King, confirma ce fait à la suite d'un entretien avec Alfred A. Berle, le théoricien américain de la grande corporation capitaliste. Les études de Berle, comme le dit Hutchison dans une note envoyée au premier ministre, « portent sur le nouvel empire américain. Je ne saurais le qualifier autrement. Il a parlé de la réorganisation de l'économie en Amérique du Nord et en Amérique du Sud, soit à l'échelle de tout l'hémisphère[72]. »

Le plébiscite déchirant

Le débat sur la conscription reprit de l'ampleur à la fin de 1941. Le premier ministre était résolu à garder son cabinet uni. À une réunion du cabinet, le 13 novembre, il confia à ses ministres : « La seule force qui puisse détruire le Parti libéral est le Parti libéral lui-même. Une force qui s'exerce contre elle-même peut s'anéantir. J'ai vu [en 1917] les collègues de Wilfrid Laurier le quitter, l'un après l'autre, pour joindre le camp ennemi[73]. » Le 26 novembre, un drame frappa le Parti libéral : le décès d'Ernest Lapointe. C'était le vieil allié du chef libéral depuis 1920. La force de leur association venait du fait que le chef libéral respectait l'autorité de Lapointe sur tout le territoire québécois (comme Macdonald l'avait fait avec doigté avec Hector Langevin). La perte de Lapointe venait affaiblir la faction du cabinet opposée à la conscription. Le chef libéral devait rapidement se trouver un nouveau lieutenant québécois. Cardin était un homme respecté, mais, en tant que responsable du patronage dans la région de Montréal, il avait trop d'ennemis à Québec. Mackenzie King invita le premier ministre québécois, Adélard Godbout. Celui-ci réfléchit, consulta son entourage, puis refusa l'offre.

Chubby Power proposa alors la candidature de Louis Saint-Laurent, un prestigieux avocat québécois, qui avait siégé à la Commission Rowell-Sirois. Cardin acquiesça ; le premier ministre le fit venir à son bureau. Il accepta sans hésiter. L'absence de Lapointe ne fut néanmoins jamais comblée. Les conscriptionnistes devinrent plus menaçants. Le noyau de cette faction était constitué de ministres natifs de Nouvelle-Écosse : J. L. Ralston, J. L. Ilsley, Angus L. Macdonald. Le premier ministre les avait bien avertis. Il n'était pas celui qui appliquerait cette mesure fratricide. Certes, les circonstances de la guerre en Europe pourraient un jour lui dicter une telle politique. Mais il n'était pas question de l'envisager pour l'instant. Dans l'immédiat, il n'y avait pas de pénurie de soldats volontaires.

La guerre prit une ampleur mondiale avec l'attaque japonaise contre Pearl Harbor, le 7 décembre. L'entrée en guerre des États-Unis était, pour les forces alliées, une très bonne nouvelle. Elle signifiait que la victoire était maintenant à portée de la main. Pour le Canada, toutefois, cela impliquait un changement de perspective. Son territoire, désormais sérieusement menacé, allait devoir être mieux protégé dans la zone du Pacifique. Le chef libéral se félicita d'avoir plaidé au début de la guerre pour la défense du Canada, plutôt que pour l'envoi de troupes outre-mer. Ainsi, indirectement, l'attaque de Pearl Harbor mettait les conscriptionnistes sur la défensive. Réuni les 9 et 10 décembre, le cabinet discuta fermement de la réaction canadienne à la nouvelle conjoncture. Dandurand, Crerar, Cardin, Power, Gardiner se montrèrent opposés à l'adoption de méthodes coercitives pour l'enrôlement de soldats. L'opinion de Crerar leur était précieuse, car en 1917 il avait été conscriptionniste. Crerar rappela que, dans l'immédiat, le pays manquait davantage de matériel que de soldats volontaires. Maintenant qu'il y avait danger dans les eaux du Pacifique, il fallait s'assurer que le territoire canadien serait bien protégé avant d'envoyer des troupes en Europe. Ralston s'inclina, mais lança un avertissement. Dès que la conscription serait jugée nécessaire par les généraux, il s'engageait à l'appuyer de façon inconditionnelle ; à défaut de convaincre le cabinet, il remettrait sa démission. Le premier ministre fut éloquent dans sa réponse : « [Je] leur dis que je pourrais préciser ma pensée en signalant aux jeunes hommes du pays ce que l'avenir nous réserve au sujet de la conscription et en ajoutant que les leçons du passé guident mes positions actuelles, que l'avenir se lit dans notre passé. » King voulait dire ici que le verdict de l'histoire au sujet des événements en cause serait le même qu'au sujet de 1917, « d'autant plus que nous pouvions tirer des leçons non seulement de l'expérience vécue à cette époque, mais aussi du profond mécontentement encore ressenti aujourd'hui à ce sujet[74]. »

Le cabinet discuta de la possibilité de dénouer l'impasse en organisant un référendum national. Le premier ministre rejeta cette stratégie. Un tel référendum, expliqua-t-il, créerait de fortes divisions au sein du parti. Un vote contre la conscription, qui plus est, aurait des conséquences désastreuses. Il paralyserait le pays, advenant le cas où la situation en Europe rendrait cette mesure absolument nécessaire. Mackenzie King fut par la suite hanté par cette réunion du cabinet. Il prit conscience que Ralston était inflexible. Son radicalisme menaçait l'unité du cabinet. Les trois ministres originaires de Nouvelle-Écosse, tous à la tête de ministères touchant à la défense, avaient un puissant esprit de groupe. Ils étaient isolés de leurs collègues. « Ils ont encore la même attitude face à la Grande-Bretagne que Fielding et les autres des Maritimes avaient à l'époque [1917][75]. » C'est finalement son conseiller politique, Jack Pickersgill, qui le persuada d'envisager un plébiscite en décembre 1942. Si la conscription était présentée de la bonne manière, avançait-il, les Canadiens français en comprendraient l'utilité. Le chef libéral n'était qu'à demi convaincu. Pickersgill croyait qu'il fallait couper l'herbe sous le pied des conservateurs. Cela pouvait se faire en déclenchant une telle consultation populaire avant même le début de la session parlementaire. Le premier ministre pensait plutôt que l'annonce du plébiscite pourrait faire partie du Discours du trône. Il éviterait ainsi que les conservateurs présentent un amendement au projet de loi proposant une conscription complète. Le chef libéral craignait qu'un tel débat au Parlement ne provoque des désertions dans le caucus, puis la chute du gouvernement. Il était plus sage d'envoyer la balle au peuple qu'à ses représentants. Il introduisit l'idée au cabinet, à la réunion du 18 décembre, et elle fut bien reçue. Finalement, le Discours du trône annonça la tenue du plébiscite, le 27 avril 1942.

Au Québec, le mouvement d'opposition à la conscription fut très actif. Il se plaça sous la bannière de la Ligue pour la défense du Canada. Comme slogan, la Ligue reprit la phrase d'Ernest Lapointe :

« Participation sans conscription ». Le jour du vote, le Canada anglais vota massivement en faveur de la conscription. Le Canada français, lui, vota contre, tout aussi massivement. Ce jour-là, le premier ministre consigna dans son journal sa position par rapport à l'éventualité de la conscription : « S'il y a des pressions venant de nos hommes pour appliquer la conscription, seulement pour la conscription, je vais combattre cette position jusqu'à la fin. » Il ajouta : « Le Québec et le pays verront que j'ai respecté ma promesse de ne pas faire partie d'un gouvernement qui envoie des hommes outremer par suite de la conscription. La seule exception résulterait de l'éventualité que l'on soit incapable de recruter un nombre adéquat de soldats volontaires. Mais je ne pense pas que cela arrivera[76]. »

Les résultats du scrutin firent réfléchir Cardin. Songeant à démissionner, il confia à son chef qu'il avait perdu la confiance de ses électeurs. Il franchit le Rubicon quelques semaines plus tard, dans le contexte du débat sur la Loi sur la mobilisation des ressources militaires. Le premier ministre refusait de promettre que la décision d'appliquer la conscription serait sujette à un débat au Parlement. Dans son journal, il rapporta l'entretien qu'il avait eu avec Cardin : « Il ne voulait pas se retrouver dans la situation de Blondin ou de ces autres députés francophones [en 1917] qui eurent à traverser la ville de Montréal accompagnés de policiers[77]. » Dans ses efforts pour éviter ce scénario catastrophique, la marge de manœuvre du chef libéral devenait de plus en plus mince. Mais il trouvait le moyen de faire preuve d'une certaine ingéniosité. Dans le débat sur cette loi, il lança sa célèbre formule : « pas nécessairement la conscription, mais la conscription si nécessaire ». Plus tard, dans une réunion du cabinet, le 12 juin, il réitéra sa position à Ralston : « Je ne serai jamais à la tête d'un gouvernement qui appliquera la conscription sans que le Parlement n'en partage pleinement la responsabilité[78]. » Selon Crerar, le chef libéral savait qu'un jour il serait placé dans l'obligation d'appliquer la conscription : « Mackenzie King n'a toujours eu qu'une idée en tête. Il était déterminé à adopter la conscription sans perdre l'appui du Québec, sans sacrifier l'unité nationale[79]. » Des passages du journal du premier ministre confirment cette interprétation : « Si nous pouvons faire en sorte de ne pas imposer la conscription maintenant, nous n'aurons aucune difficulté à la faire accepter lorsqu'elle apparaîtra nécessaire[80]. »

Le tournant social-démocrate

La situation européenne accapara moins les débats parlementaires durant 1942. Néanmoins, le conflit entre Mackenzie King et la
faction conscriptionniste continua de s'envenimer. Le premier
ministre eut de plus en plus le sentiment d'être la cible d'un complot fomenté par cette faction de « faux libéraux ». Selon lui, Ralston, Ilsley, Macdonald étaient en réalité des impérialistes tories, qui
brandissaient la menace de la conscription pour mieux affaiblir la
faction progressiste du cabinet. Le chef libéral développa cette thèse
après avoir tenté sans succès de convaincre son cabinet d'adopter
des mesures sociales. Au début de 1943, l'un de ses alliés progressistes, le ministre des Pensions et de la Santé, Ian Mackenzie, lui avait
suggéré de réorienter son action d'une façon plus franchement progressiste à l'approche de l'échéance électorale. Le chef libéral écrivit
dans son journal :

> L'élément principal de ma plate-forme électorale serait le pro-
> gramme d'après-guerre proposant une réforme sociale et une
> conférence de paix. Ce serait le couronnement naturel de toute ma
> carrière […]. Pensions de vieillesse, assurance-emploi, etc. Nous
> pourrions ajouter : assurance-santé. En d'autres termes, énoncer un
> programme complet de sécurité sociale. Toute mon action
> publique témoignerait de la sincérité de cette politique[81].

Le député anglo-montréalais Brooke Claxton l'encourageait à
emprunter cette voie, en préparant l'ère de la reconstruction. Les
Canadiens, soutenait-il, s'inquiétaient des lendemains de la guerre.
Le premier ministre en convenait, se souvenant de l'agitation sociale
qui avait marqué la fin de la Première Guerre mondiale. Il était
impératif que les libéraux laissent miroiter des jours meilleurs. À ce
sujet, le CCF et le Parti conservateur exploitaient habilement les
appréhensions populaires. Le Parti conservateur réclamait une
« nouvelle politique nationale », fondée sur un généreux programme de sécurité sociale. Le nouveau chef du parti, John Brac-
ken, avait longtemps été le premier ministre libéral-progressiste du
Manitoba. Il rebaptisa le parti fédéral en le nommant « Parti pro-
gressiste-conservateur ». Cette volonté du premier ministre d'inves-

tir le champ de la sécurité sociale était cependant contestée par la faction conscriptionniste du cabinet. Si le gouvernement avait de l'argent à dépenser, martelait Ralston, il serait odieux de ne pas l'allouer aux soldats canadiens en Europe.

Afin de préparer la reconstruction, Mackenzie King mit sur pied un comité présidé par Cyril F. James, recteur de l'Université McGill. Les autres membres du comité étaient R. C. Wallace (recteur de l'université Queen's), Tom Moore (Congrès du travail du Canada), J. S. Maclean (Canadian Packers), Édouard Montpetit (Université de Montréal). Le directeur de la recherche du comité était Leonard Marsh, un économiste d'origine britannique. Ancien étudiant de l'économiste William Beveridge, il enseignait maintenant à l'Université McGill. À l'instar de plusieurs jeunes intellectuels canadiens, il était membre de la League for Social Reconstruction et sympathique aux vues du CCF. Deux semaines après le dépôt du rapport Beveridge (sur la sécurité sociale) en Angleterre, le recteur James eut un entretien avec le ministre des Pensions et de la Santé nationale, Ian Mackenzie. Ce dernier pensait que le temps était venu de frapper un grand coup. Il demanda à Marsh de préparer d'urgence un document fidèle à l'esprit du rapport Beveridge. Le jeune économiste réussit à le produire en l'espace de quelques semaines. Impressionné, le premier ministre présenta au Parlement le rapport Marsh sur la sécurité sociale. Les parlementaires le jugèrent trop onéreux pour la fragile économie canadienne.

Cette volonté du chef libéral d'investir le champ de la sécurité sociale peut paraître étonnante quand on sait la résistance qu'il opposa aux disciples du Nouveau Libéralisme au milieu des années 1930. Il est possible que ce tournant social-démocrate ait été une réaction au durcissement du camp Ralston-Ilsley au milieu de la guerre. Ainsi, comme il l'écrivit dans son journal : « Petit à petit, l'effort de guerre a eu pour effet que plusieurs ministres sont devenus réactionnaires au point de nous faire perdre notre base électorale au profit de la CCF[82]. » En préparant un discours sur la sécurité sociale, il nota que ses idées sociales n'avaient pas changé : « Chacune de mes idées vient de *Industry and Humanity*. Mais le seul fait qu'elles me sont chères rend difficile la tâche de les défendre en public sans donner l'impression que je me contente de mettre en valeur mes idées et ma propre personne[83]. » Des facteurs conjoncturels ont sans doute joué. La province de Québec était maintenant gouvernée par le progressiste Godbout. Ensuite, les résultats électoraux de l'année 1943 laissèrent penser que l'opinion publique évoluait vers la gauche. Le 4 août, l'élection provinciale en Ontario donna 38 sièges au Parti conservateur, 34 au CCF et seulement 15 au Parti libéral. Qui plus est, le 9 août, les libéraux perdirent quatre circonscriptions dans le cadre d'élections partielles fédérales : un communiste se faisait élire à Montréal, un candidat du Bloc populaire en province et deux candidats CCF au Manitoba et en Saskatchewan. Enfin, un sondage à l'échelle nationale révélait que le CCF dépassait maintenant les libéraux et les conservateurs dans les intentions de vote (29 % contre 28 % et 28 % respectivement). Le malaise était palpable pour les salariés urbains, incapables de subvenir aux besoins de leur famille. Un mémo qu'envoya Jack Pickersgill au chef libéral est hautement révélateur. Selon ce conseiller politique, les salaires n'avaient jamais été aussi élevés, mais ils ne permettaient pourtant pas de subvenir décemment aux besoins d'une famille :

> Les salaires et leur pouvoir d'achat n'ont jamais été aussi élevés. Le vrai problème — la première cause de la pauvreté — est que les salaires procurent un niveau de vie adéquat à un homme marié sans enfant ou à un célibataire, mais sont complètement inadéquats lorsqu'il s'agit d'élever des enfants. Les difficultés des familles élevant plusieurs enfants constituent l'argument principal qu'invoquent les dirigeants syndicaux pour appuyer leurs revendications salariales. Les trois quarts des griefs réels des syndicats en matière salariale pourraient sans doute être éliminés par suite du versement immédiat d'allocations familiales payées par l'État[84].

Pickersgill était un disciple du Nouveau Libéralisme. Dans un article publié en 1935 dans *The Canadian Forum,* il avait montré ce qui distinguait le libéralisme classique et le Nouveau Libéralisme[85]. Avec l'aide de Brooke Claxton, Pickersgill émit des suggestions pour que soit formulée une nouvelle plate-forme libérale. Ces idées exprimaient un libéralisme progressiste, qui proposaient des « mesures positives » de libéralisme, contribuant à édifier un État-providence. Au moment de rédiger le dernier Discours du trône de son mandat, Mackenzie King écrivit dans son journal qu'il lutta toute sa vie pour les mêmes principes : « La doctrine du niveau de vie minimum national que j'ai élaborée dans *Industry and Humanity* en 1918 comme politique pour l'après-guerre, je l'ai traduite en mots pour le représentant du roi, dans le prochain Discours du trône. Les riches et même de nombreux membres de la classe moyenne lutteront contre cette réforme. Mais la majorité, c'est-à-dire la grande partie de la population qui a été éprouvée par les privations sans recevoir aucune aide, verra que je lui ai été fidèle depuis le début de ma carrière[86]. » Ce Discours du trône marquait, pour le chef libéral, un tournant vers le progressisme. Dans les jours qui suivirent, les élites économiques ne surent pas comment réagir. L'économiste William Mackintosh, apôtre du Nouveau Libéralisme, exprima le souhait qu'on produise un document expliquant aux hommes de loi canadiens ces grands principes de la Reconstruction. Le premier ministre se montra d'accord et le chargea de cette mission. Une fois que Mackintosh eut rédigé le document, celui-ci fut soumis à un comité du cabinet. Composé de Howe, Ilsley, Saint-Laurent, le comité l'entérina et le nomma *Livre blanc sur l'emploi et le revenu*. C'était la consécration du keynésianisme canadien. Le *Livre blanc* stipulait qu'un haut niveau d'emploi et de revenu devenait un objectif fondamental de l'État. En période de chômage, le gouvernement allait absorber des déficits et accroître sa dette nationale, tandis qu'en période de croissance de l'emploi il engrangerait des surplus. Faire des déficits n'était plus un vice, mais un acte de raison.

Le programme d'allocations familiales était une idée chère aux progressistes libéraux comme Pickersgill et Claxton. Avant son adoption, ce programme fut vivement débattu. Le premier ministre fut d'abord très sceptique. Pickersgill dut lui raconter, avec émotion, que c'était grâce au programme de pensions pour les veuves (son père étant mort durant la Première Guerre mondiale) qu'il avait pu être convenablement éduqué et instruit. Selon lui, les allocations familiales visaient les mêmes finalités que les pensions pour les veuves. Mackenzie King reconnut qu'elles augmenteraient l'égalité des chances pour de nombreux jeunes Canadiens. Au sein du cabinet, toutefois, de sérieuses critiques leur étaient adressées. L'opposition des conscriptionnistes frisait l'acharnement, aux yeux du chef libéral. Impatient, à un moment donné, il lâcha : « Certains de ceux qui s'opposent à l'aide aux pauvres sont parfaitement disposés à

donner des millions à l'Angleterre[87]. » Il confia au fonctionnaire
Grant Dexter : « Je suis le seul radical dans ce cabinet. Plusieurs de
mes collègues pensent encore qu'ils peuvent se lever le matin, sortir
et tuer un bison ou un chevreuil en prévision du déjeuner[88]. »
Le 15 juin, une autre nouvelle émanant du front électoral fit trem-
bler de peur le premier ministre. L'élection provinciale en Saskatchewan porta au pouvoir le CCF, qui arracha 47 des 52 sièges. Cette
élection confirmait la popularité des sociaux-démocrates et le recul
des libéraux dans l'opinion publique. Ce séisme politique finit par
convaincre le chef libéral. Il entendait se servir de la menace du CCF.
L'élection d'un gouvernement socialiste dans cette province lui donnait un argument de taille pour affaiblir la faction conscriptionniste
du cabinet. C'est dans ce contexte que la Loi sur les allocations familiales passa facilement au sein de son caucus, puis aux Communes.
En menant cette réforme avec brio, le député Brooke Claxton
impressionna le premier ministre. Il entra au cabinet en
octobre 1944, comme ministre de la Santé nationale et du Bien-Être.

Le complot de Ralston

À l'automne 1944, le ministre J. L. Ralston fit une tournée en
Europe afin d'évaluer l'état de ses troupes. Cette tournée fut le début
d'un complot visant à renverser Mackenzie King, à la faveur d'un
leader conscriptionniste. Le ministre de la Défense envoya d'abord
au premier ministre un télégramme pessimiste. Craignant le pire, le
chef libéral confia à Louis Saint-Laurent qu'il redoutait que le colonel exige bientôt la conscription, comme Borden l'avait fait à son
retour d'Europe en 1917. Il était toutefois déterminé à livrer une
dure bataille : « Je ne me vois pas à la tête d'un gouvernement qui
emprunterait cette voie — une voie qui, après cinq années de guerre
en Europe et une année et demie de préparatifs en vue d'une guerre
dans le Pacifique, pourrait déboucher sur la guerre civile dans mon
pays. Ce serait un acte criminel, qui détruirait tous nos efforts
déployés durant la guerre et contribuerait au démembrement de
l'Empire[89]. » Un mémo alarmiste du général Kenneth Stuart enve-
nima la situation. Peu de temps après la discussion au sujet du
mémo, le cabinet s'aperçut qu'il contenait de grossières erreurs, qui

exagéraient la gravité de la situation. Le premier ministre fut secoué. Cette « bévue » du général confirmait les soupçons qu'il entretenait depuis un certain temps face à l'armée. Il soupçonnait Ralston et ses généraux de comploter afin de provoquer la conscription. Il était maintenant plus résolu que jamais à maintenir sa position : la conscription serait envisagée seulement si c'était absolument nécessaire pour gagner la guerre. Il profita de cet incident pour faire le point et préciser à son cabinet sa ligne de conduite : la guerre était presque terminée, la conscription diviserait inutilement le pays au moment même de la victoire, c'était l'armée qui exagérait la situation, et, sans la preuve d'une pénurie de volontaires, la conscription était inutile. L'avenir du Parti libéral était une donnée que le chef libéral prenait au sérieux. Il était soucieux de lui éviter le sort qu'avait connu le Parti libéral anglais. À la réunion du cabinet du 24 octobre 1944, il déclara :

> À titre de ministres de la Couronne, nous avons des obligations envers ceux qui nous ont envoyés au cabinet, envers ceux que nous représentons comme ministres. Et en tant que chef du Parti libéral et du gouvernement, j'ai à considérer ce qui attend le parti. Tout ce que je voudrais dire est que si nous étions amenés sur cette voie extrême [la conscription], le Parti libéral serait complètement détruit, non seulement à court terme mais pour un temps indéfini. Le seul parti qui gagnerait à ce jeu serait la CCF. Il prendrait très facilement le contrôle complet du gouvernement. Je crois que même les tories extrémistes n'aimeraient pas ça[90].

Cette déclaration s'adressait aux conscriptionnistes. La menace du CCF servait à les calmer, eux qui étaient opposés aux mesures sociales. Le lendemain, à une autre réunion du cabinet, Ralston commit une erreur stratégique. Il laissa échapper une information, révélant qu'il restait cent vingt mille volontaires au Canada… Cette révélation fit bondir les ministres opposés à la conscription. Power demanda : « Si c'est le cas, pourquoi parlez-vous d'imposer la conscription[91] ? » Plus la crise progressait, plus Mackenzie King en venait à penser que ce n'était pas la situation en Europe qui inquiétait les conscriptionnistes : « Ce n'est pas la conscription qui les motive. Les hommes qui sont pour la conscription sont ceux-là mêmes qui s'opposent le plus vivement aux allocations familiales et aux autres réformes sociales du budget : Ilsley, Ralston, Macdonald, Howe, Crerar, Gibson. Il est parfaitement clair dans mon esprit que ma situation est identique à celle qu'a connue sir Wilfrid Laurier lorsque ses prétendus alliés les plus fidèles l'ont déserté l'un après l'autre[92]. » Selon le premier ministre, le but des impérialistes était de recréer un conflit racial. En faisant cela, ils empêcheraient l'adoption des réformes sociales. Dès lors :

> Il est probable qu'il resterait d'un côté un parti franchement conservateur, réunissant les conscriptionnistes des différents partis et cherchant surtout à préserver leur richesse, et de l'autre côté des libéraux, des progressistes, des travaillistes qui formeraient un parti authentiquement libéral. Pour ma part, je me joindrais certainement à ce dernier parti et ferais tout mon possible pour sauver le libéralisme et la vie du plus grand nombre[93].

L'interprétation du chef libéral ne manquait pas de cohérence. Était-ce un hasard si les conscriptionnistes étaient les plus tièdes à l'égard des mesures sociales ? Le chef libéral ne pouvait s'empêcher de penser à l'éclatement du parti en 1917. Voulant échapper au complot que tramaient les conscriptionnistes, il se résolut à provoquer la démission de Ralston. Ce dernier menaçait d'ailleurs souvent de démissionner. Il se promit de l'accepter, la prochaine fois. D'ici là, il était important de préparer la succession au ministère de la Défense. Son choix se porta vers un héros militaire, le général A. G. L. McNaughton. Les trois partis tentaient déjà de l'attirer dans leur giron. Le général accepta de rencontrer le premier ministre. Au cours de leur entretien, il assura le chef libéral que, pour le moment, la conscription n'était pas nécessaire. La source du problème était du côté des généraux.

Selon ses propres calculs, le premier ministre estimait que treize ministres l'appuyaient, tandis que huit autres pourraient s'avérer fidèles au ministre de la Défense. À la réunion du cabinet, le 1er novembre 1944, Mackenzie King et Ralston discutèrent longuement de l'opportunité de la conscription. Le colonel ne céda pas d'un pouce. Le chef libéral lui rappela qu'il lui avait déjà offert sa démission et qu'il l'acceptait maintenant. Les ministres du cabinet assistèrent à cet échange, complètement sidérés. De quel côté allaient-ils maintenant pencher ? Avec doigté, Mackenzie King réussit à convaincre les ministres conscriptionnistes de donner une chance au général McNaughton. Il le pensait capable de redonner de l'aplomb à l'armée canadienne. Il fut agréablement surpris de voir que le cabinet ne se divisa pas. Ralston partit. Avec l'entrée en fonction du général, le cabinet se mit à négocier un nouveau sursis pour redonner une chance aux anticonscriptionnistes. Il fallait essayer à nouveau de recruter un nombre suffisant de soldats volontaires pour le service outre-mer. Le premier ministre fit une proposition étonnante. Si, après un nouveau sursis, la campagne de recrutement n'avait pas porté ses fruits, il laisserait la place à un autre ministre du cabinet pour diriger un gouvernement conscriptionniste. Cette opinion de Mackenzie King consterna le cabinet. Ébranlés, les deux camps protestèrent. Personne d'autre que lui n'était capable de diriger un gouvernement libéral d'envergure nationale.

Le 22 novembre, les événements se bousculèrent. Le général McNaughton téléphona à Mackenzie King pour lui transmettre les vues de l'état-major de l'armée. L'enrôlement volontaire, constatait-il, ne fournissait assurément pas assez de soldats. Le chef libéral comprit à ce moment que la nécessité de la conscription venait de se présenter. Les erreurs des généraux avaient sans doute contribué à créer cette crise. Mais le problème restait entier et une action rapide était nécessaire. Il fallait combler le manque de soldats. Qui plus est, si le gouvernement ne bougeait pas, il s'autodétruirait. Selon le chef libéral, le danger d'une guerre civile était encore plus plausible si l'on ne bougeait pas que si l'on appliquait la conscription. La difficulté pour Mackenzie King restait de convaincre ses alliés du Québec au cabinet. Saint-Laurent vint discuter avec lui. Le coup de téléphone du général, selon Saint-Laurent, s'apparentait à une tentative de coup d'État militaire. Accepter la conscription provoquerait la perte du Québec aux prochaines élections. Après réflexion, Saint-Laurent décida néanmoins de rester loyal envers son chef. Au même moment, les conscriptionnistes, en réunion, décidèrent d'agir de conserve pour faire face à toutes les éventualités, même celle de s'emparer du pouvoir. À la réunion du cabinet du 23 novembre 1944, les ministres discutèrent vivement. Power et Gardiner avertirent leurs collègues que, si la conscription était adoptée, ils donneraient leur démission. Le chef libéral leur dit qu'il souhaitait que personne ne quitte le cabinet : « Je suis déterminé à combattre mes ennemis se trouvant à l'extérieur du parti, mais pas en son sein[94]. »

Chubby Power ne fut pas convaincu par les arguments de son chef. Vétéran de la Première Guerre mondiale, il justifiait son opposition à la conscription par la formule suivante : « J'y suis allé, j'en suis revenu, je n'y retournerai pas et je n'y enverrai personne. » Il fit ses adieux à ses collègues et démissionna du cabinet[95]. Il était difficile de déterminer quelle serait l'ampleur des désertions au sein du caucus et du parti. Le lendemain, 24 novembre, Alphonse Fournier, ministre des Travaux publics, écrivit au premier ministre pour lui signifier qu'il songeait à quitter le gouvernement. Il lui fit remarquer que 60 % des députés québécois s'apprêtaient à joindre les rangs de l'opposition. Des 40 % restants, plusieurs se promettaient de voter quand même contre la conscription. Trois jours plus tard, au cours du débat aux Communes, le premier ministre vécut le moment le plus dramatique de sa carrière. Cherchant à convaincre ses députés québécois, il prononça un discours-fleuve d'une durée de trois heures. Au moment crucial, il tourna le dos aux banquettes de l'opposition pour s'adresser directement à eux. Il cita un extrait de discours (prononcé aux Communes en 1900) de son mentor, sir Wilfrid Laurier :

> S'il est une tâche à laquelle je me suis dévoué au cours de ma carrière politique, c'est celle d'avoir cherché à favoriser l'unité, l'harmonie et l'amitié parmi les divers éléments de notre pays. Mes amis peuvent me délaisser ; ils peuvent me retirer leur confiance ; ils peuvent remettre à d'autres ce qu'ils m'avaient confié, jamais je ne dévierai de cette ligne de conduite. Quelles que soient les conséquences : perte de prestige, de popularité ou du pouvoir, je sens que je marche dans le droit chemin, je sais qu'un jour viendra où tous me rendront entière justice sur cette question[96].

Le lendemain du discours, les députés québécois du caucus félicitèrent le premier ministre. Ils n'allaient pas tous appuyer la conscription, mais ils resteraient au sein du parti. Le 7 décembre, au vote de confiance à l'égard du gouvernement, le chef libéral rem-

porta la majorité par 73 voix. Dix-neuf députés québécois francophones appuyèrent sa politique. Une semaine plus tard, en guise de
bilan, Saint-Laurent admit que le premier ministre avait bel et bien
échappé de justesse à un complot fomenté par les ennemis du libéralisme : « Les intérêts derrière la *big business* étaient déterminés à
détruire King parce qu'il s'était engagé dans un programme législatif à caractère social et qu'il n'était pas favorable au CPR et aux
banques. Ils affirmaient que les allocations familiales allaient
siphonner les ressources financières du pays. Le groupe de Toronto
ne s'opposait pas nécessairement à la conscription en soi, mais s'en
servait comme moyen pour se débarrasser de King[97]. »

La reconstruction sociale

En mai 1945, la guerre prit fin en Europe. Mackenzie King se
prépara avec nervosité pour un nouvel appel au peuple. La situation
au Québec l'inquiétait. Quelques mois plus tôt, en août 1944, une
élection provinciale avait reporté au pouvoir l'Union nationale de
Maurice Duplessis. Ce dernier avait pourtant récolté un maigre
pourcentage (38,2 %) du vote. Les forces du libéralisme, divisées
entre le parti de Godbout (42,4 %) et le Bloc populaire de Laurendeau (16,3 %), furent incapables de contrer le retour de Duplessis
au pouvoir. La situation québécoise n'était guère plus encourageante
pour les libéraux sur la scène fédérale. Les deux ministres démis-
sionnaires, Cardin et Power, chacun de leur côté, tentaient d'organiser un mouvement de libéraux indépendants. À part Saint-Laurent
et Claxton, les candidats de prestige se faisaient donc rares pour le
Parti libéral dans cette province. Dans un geste de compromis, Mackenzie King dit à Power qu'il pouvait, s'il le désirait, donner un nom
distinct à ses candidats. Mais il s'opposait à ce qu'il ait sa propre
organisation. À juste titre, le chef libéral soupçonnait Power de vouloir s'arroger le leadership de la province, au détriment de Saint-
Laurent. Durant la campagne, les libéraux mirent l'accent sur la
reconstruction et l'avenir du Canada. Le slogan était *Building a New
Social Order for Canada*. Le premier ministre profita de la Conférence des Nations unies à San Francisco pour apparaître, aux yeux
des Canadiens, comme un leader international. Tourner les yeux

vers l'avenir permettait d'oublier les querelles du passé : « Tout s'était merveilleusement bien réglé et nous pourrions regarder droit vers l'avenir, oublier les différends du passé et remporter les élections[98]. » Le 2 juin, à Montréal, le chef libéral reprit son vieux thème :

> Il y a maintenant trente-six ans que je fus invité par sir Wilfrid Laurier à devenir membre de son cabinet. J'étais alors le plus jeune ministre de la Couronne au Canada. J'ai ensuite hérité de ses fonctions de chef du parti, dont il demeurera à jamais la figure emblématique par excellence. En tant que premier ministre, j'ai traversé plusieurs des épreuves auxquelles lui aussi fut confronté. Je suis fier de pouvoir dire que je ne l'ai jamais laissé tomber et que je lui suis toujours resté loyal. J'ai vu Laurier être défait par une alliance immorale entre les nationalistes de cette province et les tories des autres provinces. J'ai vu tout ce qui sortit de ce complot traître et ignoble. Je n'ai pas besoin d'en faire le bilan. Ce sera, à jamais, une tache qui salit notre histoire nationale. Mais la question que je souhaiterais vous poser, à vous qui savez que je dis la vérité, est la suivante : est-ce que vous, le peuple de la province de Québec, voulez voir les manœuvres de 1911 être répétées avec succès en 1945 et me voir connaître le même destin que sir Wilfrid Laurier en 1911[99] ?

L'anxiété était grande dans les jours qui précédèrent le scrutin populaire. Le premier ministre ne prévoyait pas obtenir une majorité. Il envoya même Grant Dexter proposer un pacte au chef du CCF, le major M. J. Coldwell. Il lui proposa de participer à une coalition dans le but de former un gouvernement libéral-travailliste. Coldwell refusa. Ce dernier allait même prétendre, par la suite, que Mackenzie King lui avait promis le poste de chef après son départ. Quoi qu'il en soit, le 11 juin 1945, les libéraux eurent une agréable surprise. Ils obtinrent une courte majorité, remportant 125 sièges sur 245. Les conservateurs en gagnèrent 67, le CCF 28, les créditistes 13, les autres 12. La victoire libérale était encore fondée sur le vote des Québécois. Dans leur province, le parti obtint 53 sièges et 50 % du suffrage. Le Bloc populaire remporta seulement 3,5 % du suffrage et récolta 2 sièges. À peine six mois après l'adoption de la conscription, ce vote avait de quoi réjouir le premier ministre.

Le dernier mandat de Mackenzie King ne fut pas marqué par des événements aussi dramatiques que les précédents. La prospérité de l'après-guerre n'exigeait pas de coups d'éclat. Il faut dire que les facultés de l'homme diminuaient. Il déléguait de plus en plus de responsabilités à ses ministres. Le 20 janvier 1948, au cours d'une réunion de la Fédération libérale nationale, il annonça qu'il quittait son poste et demanda la convocation d'une course à la direction. Durant le congrès libéral, il ne put s'empêcher de donner un coup de pouce en coulisse à Louis Saint-Laurent. Deux autres candidats livraient bataille à ce dernier : Jimmy Gardiner, l'un des doyens du parti, représentant les milieux agricoles de l'Ouest, et Chubby Power, un autre doyen du parti, candidat populiste près des milieux ouvriers, d'origine irlando-québécoise. Des pressions émanant de l'establishment furent exercées sur Claxton, Chevrier, Martin afin de promouvoir la candidature de Saint-Laurent. Durant les discours de candidature, Saint-Laurent fut déclassé par Gardiner et Power. Mais Saint-Laurent était le candidat de l'establishment. Il l'emporta facilement, obtenant 848 voix, contre 323 pour Gardiner et 56 pour Power. À ce congrès, le parti rendit hommage à Mackenzie King. Ce dernier avait battu le record du Commonwealth pour la longévité politique d'un premier ministre, qui appartenait à Robert Walpole[100]. Mackenzie King se retira par la suite dans son domaine, à Kingsmere. Il y finit ses jours. Il décéda le 22 juillet 1950. Des funérailles nationales furent organisées. Le premier ministre Louis Saint-Laurent lui rendit hommage : « [Il] avait travaillé à renforcer l'unité de la nation par son respect scrupuleux des droits et des traditions de tous les éléments de la population et en suscitant, chez elle, un authentique orgueil de notre patrie commune, de notre histoire commune, de notre citoyenneté commune[101]. »

CHAPITRE 4

Pierre Elliott Trudeau
1919-2000

Il n'existe pas de consensus sur les origines de la pensée de Pierre Elliott Trudeau. Certains le voient comme un social-démocrate, d'autres comme un chartiste. Dans ce chapitre, on verra que l'homme fut principalement influencé par la philosophie du Nouveau Libéralisme. Contrairement à Mackenzie King, qui fut déchiré durant toute sa carrière entre le libéralisme classique et le Nouveau Libéralisme, Trudeau trancha le nœud gordien. En plein cœur de la Révolution tranquille, face à la montée des mouvements séparatistes, il prit résolument parti en faveur du second. Par la suite, sa pensée balança entre la social-démocratie et le chartisme, deux variantes du Nouveau Libéralisme[1]. Comme la plupart des progressistes canadiens et américains de sa génération, Trudeau abandonna au milieu des années 1970 l'idéal social-démocrate au profit de l'idéal chartiste. Dans ses *Mémoires politiques*, il reconnut sa dette à l'égard du grand formulateur du Nouveau Libéralisme en Angleterre, T. H. Green :

> Je m'initiais à la philosophie de T. H. Green dont le libéralisme rejoignait avant l'heure le personnalisme de Maritain et Mounier en tenant l'individu et non l'État pour référence suprême, mais l'individu vu comme personne intégrée dans la société, c'est-à-dire

dotée de droits fondamentaux et de libertés essentielles mais aussi de responsabilités. Cette position est très voisine de celle de la *Fabian Society,* ancêtre du Parti travailliste anglais[2].

L'entrée dans la classe de loisir

Pierre Elliott Trudeau naquit en 1919 à Outremont, dans une famille de la petite bourgeoisie. D'origine anglo-écossaise, la branche familiale des Elliott s'était établie au Canada depuis le XVIIIe siècle. Le grand-père maternel tenait une taverne dans le centre-ville de Montréal. D'origine canadienne-française, la branche familiale des Trudeau avait un enracinement rural. Au début du siècle, le grand-père paternel cultivait la terre à Napierville, village situé au sud de Montréal, près de la frontière américaine. Le père de Pierre Elliott, Charles, était un homme d'affaires prospère, possédant un garage et des stations-service. Durant les années 1920, les Trudeau étaient à l'aise mais menaient un train de vie modeste. L'achat d'une maison cossue sur le mont Royal, au début des années 1930, consacra l'entrée des Trudeau dans la grande bourgeoisie montréalaise. Cette ascension sociale coïncidait avec le début de la Grande Dépression, où de nombreuses familles canadiennes-françaises basculaient dans la misère. Trudeau garda un souvenir triste et équivoque de cette séparation d'avec les autres enfants canadiens-français. Proche des milieux politiques conservateurs, Charles Trudeau fraternisait avec Camillien Houde et Maurice Duplessis. Ces populistes se promettaient de défaire l'oligarchie libérale, au pouvoir dans la province depuis la fin du XIXe siècle. Si Charles Trudeau n'était pas décédé en 1935, Duplessis l'aurait probablement nommé au Conseil législatif, après l'élection de l'Union nationale. Dans ses *Mémoires politiques,* Trudeau relate un souvenir amusant :

> Très tôt, dans mon enfance, j'ai entendu l'écho des rivalités politiques qui caractérisaient la société québécoise de ce temps-là. Bien entendu, je n'y comprenais rien mais certains mots m'intriguaient, tel par exemple le terme « machine politique » qui revenait sans cesse dans la conversation. De toute évidence, il importait pour un parti d'avoir une bonne machine politique. Je tentais en vain d'ima-

giner l'aspect de cette mécanique-là. Était-ce une machine à fabriquer des lois[3] ?

Charles Trudeau et Grace Elliott conversaient couramment dans les deux langues. Pierre Elliott devint donc parfaitement bilingue dès son enfance. Après avoir fréquenté l'école bilingue Querbes pendant quelques années, il fut inscrit au collège Jean-de-Brébeuf, tenu par les jésuites. Le jeune Trudeau garda de son père le style bagarreur. De son propre aveu, il apprit à vaincre sa timidité en devenant « crâneur ». Dès qu'il faisait face à des difficultés, il adoptait cette attitude. Il estimait ceux qui n'hésitaient pas à briser les conventions sociales. Cet anticonformisme l'attira vers le jésuite Rodolphe Dubé :

> Prendre ainsi le contre-pied des affirmations courantes, avec les camarades aussi bien qu'avec les professeurs, et mettre en doute les opinions dominantes devint pour moi une habitude que je devais conserver toute ma vie. De là à cultiver une certaine forme de provocation, il n'y avait qu'un pas ; j'eus vite fait de le franchir. J'y fus d'ailleurs aidé, comme plusieurs de mes amis, par un jésuite non conformiste, Rodolphe Dubé, mieux connu sous le nom de François Hertel, le pseudonyme dont il signait ses livres. Ce curieux homme, qui devait plus tard jeter le froc aux orties et finir sa vie en France, aura marqué de son influence toute une génération d'étudiants, aussi bien à l'extérieur qu'à l'intérieur de Brébeuf où il enseignait tantôt les belles-lettres, tantôt la philosophie. Qu'est-ce donc qui nous attirait vers lui ? Sans doute son originalité, sa façon désinvolte de mépriser les conventions sociales et de dire tout haut ce que les autres pensaient tout bas[4].

Cette propension à briser les conventions sociales, à provoquer des scandales, à s'attaquer à la vieille moralité petite-bourgeoise ne prenait pas seulement des formes oratoires. Très tôt, Trudeau sut utiliser la prouesse pour épater la galerie.

> J'avais imaginé un truc qui consiste à se laisser tomber tout raide en avant vers le sol, et à prévenir au tout dernier moment la collision avec le parquet, en portant les mains devant soi. Un peu cabotin, je me livrais à cet exercice pour épater la galerie. Hertel voulut

l'apprendre, de même que Roger Rolland. Et quand le trio fut complété : « Il faut former un club, nous dit Hertel, pour surprendre les gens. » Ainsi naquit le Club des agonisants. Au milieu d'une réception ou même d'une rencontre plus sérieuse, nous nous laissions tomber l'un après l'autre, au grand désarroi de l'entourage[5].

Cette fierté à accomplir des prouesses, physiques ou intellectuelles, a toujours été mise en évidence par les biographes, les journalistes, les amis de l'homme. Elles font partie de la légende Trudeau. Périple autour de la planète, traversée du pays en canot, exploits sportifs, goût du risque, extravagance vestimentaire. Cette propension à choquer, à *épater le bourgeois* devint plus tard sa marque de commerce en politique. Son génie fut d'avoir saisi le potentiel politique de l'excentricité dans une société, le Canada, où les valeurs traditionnelles (britanniques et canadiennes-françaises) étaient en crise. Ce qui aurait pu rester la marque d'une jeunesse insouciante devint un trait central de sa personnalité. Plus la carrière politique de Trudeau avança, plus le goût du risque, la passion de l'aventure, l'esprit du guerrier furent mis en évidence. Mais il n'y a pas que cela. Trudeau lui-même, dans son propre cheminement, chercha à montrer qu'il était un homme courageux. Ce désir était peut-être lié à son attitude durant la Seconde Guerre mondiale. Le courage et le goût de l'aventure lui firent singulièrement défaut à cette époque. Il n'exprima jamais publiquement le remords de ne pas s'être enrôlé. Dans ses *Mémoires politiques,* il écrit : « Importante la guerre en Europe ? Certainement, me disais-je. Mais les guerres médiques méritent aussi d'être connues. Elles aussi ont eu leur importance et un effet très net sur notre civilisation[6]. » Rappelons que, au moment de l'entrée en guerre du Canada, en 1939, il avait vingt ans. En 1944, lors de la conscription, il en avait 25. À cette époque, prétendit-il, il ne s'intéressait pas à la politique. En fait, il s'y intéressait suffisamment pour assister au fameux discours d'Ernest Lapointe durant la campagne électorale provinciale de 1939. Il prononça aussi un discours, lors de la célèbre élection partielle fédérale de 1942, pour appuyer le candidat Jean Drapeau, du Bloc populaire, contre le candidat libéral, le général LaFlèche. L'un des slogans qu'il lança à la foule se retrouva le lendemain à la une du *Devoir* : « Finie la Flèche du conquérant, vive le Drapeau de la liberté[7]. » Le non-conformisme de Trudeau alla jusqu'à enfiler un habit de Boche pour donner la frousse à des habitants d'un village des Laurentides :

> Un jour, chez Roger Rolland où je séjournais, dans les Laurentides, me furent révélés par lui les secrets d'un grenier où ses parents avaient entassé au cours des ans un véritable capharnaüm d'objets hétéroclites. Nous y trouvâmes, entre autres, des uniformes allemands de la guerre de 1870, y compris les casques à pointes métalliques, et d'anciennes pièces de monnaie autrichienne ou allemande. Nous décidâmes sur-le-champ de revêtir ces uniformes, de coiffer les casques et d'enfourcher nos motos pour aller rendre visite aux Compagnons de Saint-Laurent, nos amis, qui villégiaturaient cet été-là dans la montagne derrière Saint-Adolphe[8].

Durant les années 1940, il fit une incursion dans les cercles libéraux. Il s'éprit de Thérèse Gouin, membre de la grande famille patricienne des Gouin-Mercier : Honoré Mercier était son arrière-grand-père ; Lomer Gouin, son grand-père ; Paul Gouin (de l'Alliance libérale nationale), son oncle ; Léon Mercier-Gouin (sénateur libéral à Ottawa), son père. Bien que le jeune homme fût respectueux à l'égard du sénateur, il déplorait parfois son manque de conviction. Son radicalisme le porta à s'intéresser aux idéaux socialistes. C'est avec Charles Lussier, son vieil ami du temps de Brébeuf, qu'il discutait le plus souvent de politique. Ils se régalaient ensemble des diatribes lancées par le CCF contre la dictature économique. Les positions pacifistes et isolationnistes de ce parti exerçaient aussi un grand attrait. Ils n'étaient que trop heureux de voir qu'un parti au Canada anglais s'opposait à la conscription. Trudeau assista à une conférence du professeur Frank Scott à l'Université de Montréal, où celui-ci défendait la position isolationniste. Un jour, Lussier dit à Trudeau qu'il serait temps, pour eux, d'adhérer au CCF. Il rétorqua : « Je ne veux pas être missionnaire toute ma vie. Le jour où j'adhérerai à un parti, ce sera au Parti libéral. » Il se peut qu'il ait caressé, dès cette époque, l'ambition d'une carrière politique. Des lettres échangées avec Thérèse Gouin révèlent que, à la fin des années 1940, il était torturé de remords face à son passé anticonscriptionniste. Il était conscient que cela hypothéquait ses ambitions politiques.

Son arrivée à Harvard, à l'automne 1944, avait fait naître ce sentiment de culpabilité. Il comprit à ce moment qu'il avait sous-estimé la gravité de la situation politique en Europe. Pourtant, dans ses *Mémoires politiques,* il tenta d'atténuer ce sentiment : « En ai-je éprouvé du regret ? Non. J'ai toujours tenu les regrets pour des sentiments stériles. Et jamais je ne me suis attardé sur mes erreurs, sauf pour m'assurer que je ne les répéterais pas[9]. » S'il reconnut que le séjour à Boston fut profitable, il n'en rapporta ni thèse, ni aucune autre forme de publication. En 1946, il alla suivre des séminaires à l'École des sciences politiques de Paris. Découvrant le personnalisme, il se mit à lire Jacques Maritain et Emmanuel Mounier[10]. L'effervescence intellectuelle qui caractérisait la vie parisienne contribua sans doute à forger en lui l'opinion que le Québec était intellectuellement en retard.

Laski, le pluralime politique et le socialisme fabien

La philosophie personnaliste permit sans doute à Trudeau de critiquer le catholicisme qu'il avait reçu en héritage. Mais sa formation politique doit davantage aux idées sociales anglaises. L'influence qui allait être la plus durable sur sa pensée se manifesta durant son séjour à la London School of Economics (LSE), en 1947. Les institutions politiques canadiennes s'étant forgées dans le creuset de l'Empire, le réformisme britannique lui semblait plus utile que le républicanisme français ou américain. C'était l'époque où le gouvernement travailliste de Clement Attlee posait de nouvelles assises à l'État-providence anglais. À Londres, Trudeau rencontra la grande figure du Parti travailliste, le socialiste fabien Harold Laski. Ce dernier enseignait à la LSE, tout en assumant la présidence du parti. Qui plus est, Laski connaissait bien le Canada. Il avait enseigné à l'Université McGill au début des années 1910, avant de prendre la route de Harvard. Dans la première partie de sa carrière, soit entre 1910 et 1925, Harold Laski adhérait à un courant intellectuel nommé *pluralisme politique*[11]. Ce courant réagissait aux postulats du Nouveau Libéralisme triomphant, dans les cercles politiques anglais. Des penseurs politiques anglais, J. N. Figgis, Ernest Barker, G. D. H. Cole, fortement attachés au libéralisme classique, s'inquiétaient de la montée d'un État moderne omnipotent, qu'ils voyaient comme un « dangereux Léviathan[12] ». L'objectif de ces pluralistes était de préserver l'autonomie des corps sociaux à l'égard de l'État. Dans ses premiers écrits, Laski montra que, au Moyen Âge, des corps sociaux (Église, guildes ouvrières, municipalités) disposaient d'une « personnalité corporative » leur permettant de jouir d'une certaine autonomie à l'égard de l'État. Ce raisonnement était précieux aux yeux de penseurs comme G. D. H. Cole et Laski. Ils l'invoquaient pour affirmer que les syndicats ouvriers pouvaient désormais aspirer à un tel statut au sein des sociétés capitalistes[13]. Non seulement les syndicats mais l'ensemble des associations volontaires pouvaient se prévaloir d'un tel statut. Ces associations, au même titre que l'État, avaient un droit à l'existence. Face à la montée d'un Léviathan menaçant, l'État moderne, Laski favorisait l'action directe des syndicats afin de préserver la liberté politique[14].

En Angleterre, le pluralisme politique trouva une expression politique dans la revue *The New Age*. Éditée par A. R. Orage, la revue était un carrefour pour plusieurs courants politiques hostiles au Nouveau Libéralisme : le socialisme de guildes de G. D. H. Cole, le réformisme monétaire du major Douglas, le catholicisme social et le coopératisme de G. K. Chesterton. Sur le plan politique, *The New Age* donna son appui durant les années 1910 au socialisme de guildes, croyant ce mouvement capable de faire naître un syndicalisme révolutionnaire. À son retour d'Amérique, au début des années 1920, Laski s'aperçut que le mouvement pluraliste était en déclin. L'échec de la grève générale en Angleterre avait incité les syndicats ouvriers à se tourner plutôt vers l'action parlementaire. Il entreprit la rédaction d'un essai qui fournirait une caution intellectuelle à cette réorientation du mouvement syndical. Publié en 1925, l'essai s'intitula *Grammar of Politics*[15]. Il s'agissait de la recherche prudente d'une voie intermédiaire entre d'un côté le socialisme centralisateur des fabiens comme Sidney et Beatrice Webb et, de l'autre, le pluralisme politique de G. D. H. Cole. À l'instar des fabiens, Laski acceptait l'État comme l'organe nécessaire à la réforme sociale. Mais, en même temps, il restait attaché à l'esprit du « pluralisme politique », en favorisant la plus grande décentralisation possible. La lecture de *Grammar of Politics* permet de voir que Laski fit plus qu'introduire Trudeau aux idées fabiennes. Le pluralisme politique offrait des pistes intéressantes pour réfléchir sur le fédéralisme. Comme l'attestent ses *Mémoires politiques*, Trudeau resta jusqu'à la fin de sa vie marqué par ce séjour à Londres :

> Le Parti travailliste était au pouvoir. Le milieu politique fourmillait de personnages hauts en couleur que mon professeur principal, Harold Laski, invitait volontiers à l'École [...]. Laski lui-même appartenait à la fois aux milieux universitaire et politique. Éminent professeur, il était en même temps président du Parti travailliste. C'était un esprit tout à fait exceptionnel. Je connaissais déjà, en arrivant à Londres, ses nombreux écrits, notamment sa *Grammar of Politics*[16].

Après son séjour à Londres, Trudeau voyagea sur plusieurs continents. La légende veut qu'il soit devenu un socialiste pacifiste, internationaliste, plutôt hostile au nationalisme canadien-français. En fait, l'influence du pluralisme politique le prépara plutôt bien à assumer, en parfaite continuité, sa position de nationaliste canadien-français, luttant pour un fédéralisme équilibré, soucieux de l'autonomie provinciale. Certains courants de la pensée fédéraliste canadienne-française étaient déjà fortement influencés par les penseurs du pluralisme politique[17]. Ainsi, le rapport de la Commission Tremblay (commandé par Duplessis, puis relégué aux oubliettes) s'inspirait largement du courant pluraliste dans sa défense d'un fédéralisme soucieux de préserver l'autonomie des provinces[18]. Ses auteurs citaient explicitement la version française de *Grammar of Politics*. Trudeau fut d'ailleurs sympathique aux conclusions de ce rapport. Sa conception du fédéralisme, durant cette période, n'était pas très éloignée de celle de Laurendeau et Bourassa, deux hommes à qui il vouait un grand respect[19].

Certes, à son retour au Québec, Trudeau se buta à l'indifférence des élites intellectuelles[20]. L'Université de Montréal, craignant la réaction de Duplessis, lui ferma ses portes. Mais il ne fut pas ostracisé, déclinant une offre de l'Université Laval, puis une autre de l'Université Queen's. Ne voulant pas demeurer oisif, il accepta en 1949 un poste au Conseil privé à Ottawa. Il travailla sous la houlette d'un grand commis du gouvernement fédéral, Norman Robertson. Ce séjour à Ottawa fit naître en lui du ressentiment. À Harvard, il avait affiché la formule « Pierre Trudeau, citoyen du monde » sur sa porte à la résidence étudiante. Il s'aperçut, dans la capitale du Canada, que les Canadiens français étaient des citoyens de seconde classe. Le pays était peut-être dirigé par Louis Saint-Laurent, mais les francophones restaient marginaux et impuissants au sein de la fonction publique fédérale. N'étant pas du genre à se résigner, il démissionna, ayant à l'esprit un projet plus excitant, l'animation d'une revue, dans sa ville natale, où il se sentait vraiment chez lui.

Cité libre et l'immoralité politique

La sympathie de Trudeau pour le Nouveau Libéralisme apparaît dans le titre même de la revue qu'il fonda avec ses amis. *Cité libre*, c'était le titre de la traduction française d'un livre de Walter Lippmann, publié en 1946[21]. Cet intellectuel américain était un brillant promoteur du Nouveau Libéralisme. La revue de Trudeau ressemblait au *New Republic*. Il s'agissait d'une revue pluraliste, attachée aux idées modernes, vouée à régénérer le réformisme libéral. Le collègue de Trudeau, Gérard Pelletier, résuma bien l'intention des artisans de la revue :

> On connaît les trois personnages de Chesterton qui s'unirent pour jeter à bas un réverbère défectueux mais qui se déchirèrent ensuite mutuellement dans l'obscurité, faute d'un accord préliminaire sur la façon de le remplacer. De même, nous semble-t-il, l'effort tout entier de notre génération peut porter à faux, s'égarer sur des routes divergentes, à moins que nous ne tentions au plus tôt un rassemblement plus rationnel. Bien pis, les plus graves divisions commencent déjà à s'établir entre divers groupes de militants parce que cet effort de pensée n'a pas encore été accompli. C'est donc à cela, d'abord, que notre équipe veut travailler : situer les problèmes ; préciser nos objectifs d'action[22].

En lisant les écrits de Trudeau des années 1950, on tombe sur de nombreuses pointes de ressentiment contre l'arrogance des élites canadiennes-anglaises. Plusieurs passages dénonçaient violemment l'oppression dont étaient victimes les Canadiens français dans les institutions canadiennes : « La capitale fédérale est une capitale

anglaise », « Ottawa n'a jamais cru vraiment au caractère bi-
ethnique du Canada », « La bêtise de la victime ne saurait être plai-
dée comme circonstance atténuante pour un voleur ». Dans la version française de *Some Obstacles to Democracy in Quebec* (1958), il
décida de supprimer l'épithète « ânes savants » dont il affublait les
députés fédéraux candiens-français, tellement la charge était violente. Il reprochait à ces « ânes savants » de n'avoir jamais enseigné
la démocratie aux Canadiens français, préférant se faire élire en
arborant leurs origines ethniques. Même dans ses écrits contre le
« séparatisme », au début des années 1960, il maintint ces attaques :

> En matière sociale et culturelle enfin, le nationalisme britannique
> s'exprima tout simplement par le mépris : des générations entières
> d'anglophones ont vécu dans le Québec sans trouver le moyen
> d'apprendre trois phrases de français. Quand ces individus bornés
> affirment sérieusement que leur mâchoire et leurs oreilles ne sont
> pas ainsi faites qu'elles puissent s'adapter au français, ils veulent en
> réalité vous faire comprendre qu'ils refusent d'avilir ces organes, et
> leur peu d'esprit, en les mettant au service d'un idiome barbare[23].

Si durant les années 1950 Trudeau dénonça le colonialisme des
Anglais, ce n'était pas son thème dominant. C'était plutôt l'immoralité politique, principal obstacle à la démocratie. Sa première
contribution majeure au sujet fut publiée en 1952. La première ligne
du texte donnait le ton : « Il faut expliquer notre immoralisme profond. » Puis il mettait en opposition la vertu des siens dans la vie
privée et l'immoralité de la vie politique :

> Nous entretenons sur l'ordre social des conceptions orientées par la
> théologie catholique, et nos mœurs témoignent en général de la
> sincérité de ces vues — sauf en un domaine. Dans nos relations
> avec l'État, nous sommes passablement immoraux : nous corrom-
> pons les fonctionnaires, nous usons de chantage avec les députés,
> nous pressurons les tribunaux, nous fraudons le fisc, nous clignons
> obligeamment de l'œil « au profit des œuvres ». Et en matière élec-
> torale, notre immoralisme devient véritablement scabreux. Tel pay-
> san, qui aurait honte d'entrer au lupanar, à chaque élection vend sa
> conscience pour une bouteille de whisky blanc. Tel avocat, qui

demande la peine maximale contre des voleurs de troncs d'église, se fait fort d'avoir ajouté deux mille noms fictifs aux listes des électeurs. Et les histoires de malhonnêtetés électorales ne scandalisent pratiquement plus personne, tellement elles ont peuplé l'enfance de notre mémoire collective[24].

Cette analyse était fortement influencée par la philosophie du Nouveau Libéralisme. Elle soulignait que le rôle de l'État avait substantiellement changé au xxᵉ siècle. En abandonnant le libéralisme classique au profit du Nouveau Libéralisme, l'État élargissait ses fonctions : « Nous commençâmes d'abandonner la conception de l'État-gendarme, simple protecteur de droits acquis. Comme tant de peuples envahis par la misère, notre confiance dans le libéralisme classique fut ébranlée : nous exigeâmes de l'État qu'il intervînt positivement pour guérir la plaie du chômage et corriger les scandales de la mauvaise distribution[25]. » Jadis, l'immoralité politique avait des conséquences fâcheuses, mais limitées. Maintenant que l'État prenait une place croissante dans la vie des gens, cette immoralité devenait intolérable : « Nous ne pouvons plus nous désintéresser du bien commun, pour la bonne raison que les gouvernements d'aujourd'hui, par les impôts, les prestations sociales et les subsides, redistribuent sans cesse le produit national entre les divers groupes de la population, et que les groupes qui restent sous leur tente ou qui se font mal représenter risquent de n'être pas servis[26]. »

Les années 1950 furent, pour ce disciple de Laski, une immersion complète dans les milieux radicaux et socialistes au Québec. Il côtoya des contestataires qui militaient dans différents milieux : réformisme chrétien, socialisme politique, mouvements de droits civiques, syndicalisme ouvrier. S'il nourrissait encore l'ambition de faire carrière au Parti libéral, il cachait bien son jeu. Tout le poussait à s'investir dans un milieu moins respectable. Son grand mentor fut le poète et juriste Frank Scott[27]. Ce socialiste bohème, défenseur des droits civiques, était un exemple pour les jeunes militants radicaux. Après avoir été dans les années 1930 un brillant animateur de la League for Social Reconstruction, il était désormais actif au CCF. Aux yeux de Trudeau, c'était un Laski canadien. Leur association prit une forme concrète au milieu des années 1950. Le professeur de McGill avait fondé un groupe de recherche voué à l'étude des relations entre les francophones et les anglophones. Ce groupe, *Recherches sociales,* avait confié à Gérard Pelletier le mandat de produire un livre collectif relatant les événements de la grève de l'amiante. Voyant le projet s'éterniser, Scott demanda à Trudeau de le prendre en charge. Il accepta et le mena à terme. En 1956, parut *La Grève de l'amiante.* Trudeau y signa un long texte d'introduction, inspiré des vues de Scott sur le Québec. L'introduction décrivait le fossé entre la réalité sociale québécoise et le discours désincarné et passéiste des élites traditionnelles : « Notre pensée sociale fut tellement idéaliste, tellement a prioriste, tellement étrangère aux faits, et pour tout dire, tellement futile, qu'elle ne réussit à peu près jamais à prendre corps dans des institutions dynamiques et vivantes[28]. » Plus loin, il déplorait la pauvreté de la tradition intellectuelle canadienne-française : « Il y a quelque chose de prodigieux dans la constance que nos penseurs officiels ont mise à se tenir à l'écart de toute la science sociale qui leur était contemporaine. À en juger par leurs écrits, il n'est pas exagéré de dire que, jusqu'à une époque toute récente, ils ignorèrent tout de la pensée juridique universelle, de Duguit jusqu'à Pound ; tout de la sociologie, de Durkheim jusqu'à Gurvitch ; tout de l'économie, de Walras jusqu'à Keynes ; tout de la science politique, de Bosanquet jusqu'à Laski ; tout de la psychologie, de Freud jusqu'à Ferrière[29]. » Dans un commentaire sur cette introduction, André Laurendeau écrivit des mots très justes :

> Pierre Elliott Trudeau a beau couper et séparer, sa volonté même de rupture indique à quel point il se sent solidaire de ce passé encore proche. Il est un Canadien français déçu des siens. Son enquête l'a mis en présence d'un « monolithisme », qu'intellectuellement il repousse mais qui le blesse dans son être même ; je crois qu'il a honte d'avoir de tels pères ; ce sentiment est si vif qu'il doit faire un effort méritoire pour demeurer honnête à leur endroit […]. Je crois trouver chez Trudeau la marque d'une déception amère ; et c'est parce que les points de départ sont si différents. Aussi, étant entendu qu'il s'agit de polémique et non d'histoire, je loue en définitive le courage de Trudeau, qui inscrit en noir et blanc son dégoût et ses différences au lieu de les enfouir au plus profond de lui-même, et qui contribue à assainir l'atmosphère en abordant carrément des thèmes considérés longtemps comme tabous[30].

Aux yeux de Trudeau, l'une des exceptions à la pauvreté intellectuelle canadienne-française était Thérèse Casgrain. Épouse du sénateur libéral Pierre Casgrain, cette militante socialiste et féministe présidait l'aile québécoise du CCF. Dans sa maison d'Outremont, elle recevait de jeunes militants canadiens-français : Michel Chartrand, Jacques Perreault, Charles Lussier. Un jour, elle offrit la présidence de l'aile québécoise du parti à Trudeau. Celui-ci déclina l'offre. Ce refus peut être interprété comme une preuve supplémentaire du fait qu'il n'attendait que le bon moment pour monter dans le train libéral. Les raisons qu'il donna pour justifier son refus ne sont pourtant pas complètement dénuées de bon sens. Il avait de l'affection pour les socialistes du CCF. Mais il prétendait que ce parti ne percerait probablement jamais au Québec à cause de sa vision du fédéralisme. Non pas que Trudeau souhaitait que le CCF adhérât à la thèse des deux nations, mais il continua au moins jusqu'au début de la Révolution tranquille à adhérer à un fédéralisme qui était dans l'esprit du pluralisme politique. À plusieurs reprises durant les années 1950, il critiqua les violations de l'autonomie provinciale commises par le gouvernement fédéral de Louis Saint-Laurent. Il continua à tenir en respect tant le nationalisme canadien-français que le nationalisme canadien à l'égard des États-Unis. D'ailleurs, c'était une époque où les intellectuels canadiens critiquaient sévèrement la domination économique américaine. L'homme fort du gouvernement fédéral, depuis le milieu des années 1940, était C. D. Howe. D'origine américaine, il était partisan de la continentalisation de l'économie. Il tentait par tous les moyens d'attirer les investisseurs américains, leur accordant des faveurs spéciales. Le principal critique de Howe était le libéral Walter Gordon. Afin de l'amadouer, Saint-Laurent le nomma à la tête d'une commission royale d'enquête. Déposé en 1957, le rapport Gordon ne suscita pas de mouvements de sympathie dans les milieux industriels canadiens. Même les conservateurs de John Diefenbaker, qui avaient pris le pouvoir (1958) juste avant le dépôt du rapport, étaient tièdes face à ses conclusions. Trudeau prit part à ce débat dans *Cité libre*. Sa position, sympathique à Gordon, indique clairement qu'il n'était pas encore hostile au nationalisme économique[31]. Dès cette époque, il favorisait une politique économique hamiltonienne.

Lord Acton, la nation et les classes moyennes

La Révolution tranquille est un tournant dans l'histoire politique du Québec. Pour Trudeau aussi, il semble qu'une nouvelle ère commence. C'est durant cette période qu'on décèle dans ses écrits le début d'une mutation intellectuelle. Cette mutation est notable non pas seulement dans ses écrits mais dans ses liens d'amitié. Il se détacha graduellement de ses alliés socialistes : Thérèse Casgrain, Pierre Vadeboncœur, Michel Chartrand, Frank Scott. Plusieurs de ses nouveaux amis étaient moins des intellectuels publics que des experts et des cadres. Cette mutation naquit sous l'influence de Fernand Cadieux, intellectuel montréalais énigmatique[32]. Personnage secret et effacé, Cadieux a été négligé par l'historiographie de la Révolution tranquille. Il influença pourtant toute une génération de modernisateurs montréalais, qui allaient être des pionniers dans leur domaine : Albert Breton (sciences économiques), Raymond Breton (études ethniques), Maurice Pinard (sondage), Rock Demers (cinéma), Monique Bégin (politique sociale), Pierre Juneau (médias). Par l'entremise de Cadieux, Trudeau fit une rencontre décisive, celle de l'économiste Albert Breton. Diplômé d'économie à l'Université de Chicago, Breton élabora au début des années 1960 une analyse économique des mouvements nationalistes. Né dans un contexte minoritaire en Saskatchewan, en proie à l'intolérance de la majorité *wasp*, Breton était hostile aux discours nationalistes. Trudeau et lui enseignèrent à l'Université de Montréal au début des années 1960. Ces fédéralistes eurent à affronter des classes bondées de jeunes indépendantistes[33]. L'interprétation que proposa Breton du mouvement indépendantiste séduisit Trudeau. Selon l'économiste, les élites d'une société investissent dans le nationalisme comme si c'était un bien public. Elles le font dans le but d'obtenir de bons emplois, à salaires élevés, confisquant ainsi des revenus qui, normalement, devraient revenir aux classes inférieures. Cette interprétation laissait entendre que le nationalisme, loin d'être vertueux, trahissait un égoïsme de classe. Dans le dossier spécial de *Cité libre* sur le séparatisme publié en 1962, les frères Breton (Albert et Raymond, un sociologue) signaient un texte substantiel. Cette lecture du nationalisme était aussi sous-jacente au manifeste *Pour une politique fonctionnelle*[34], publié en 1964, peu de temps avant l'entrée en politique des trois colombes : Jean Marchand, Gérard Pelletier et Trudeau.

L'argument de Breton selon lequel les séparatistes étaient des petits-bourgeois égoïstes n'apparut cependant pas assez puissant aux yeux de Trudeau pour constituer toute la base de son raisonnement. Il voulait montrer que les mouvements nationaux n'étaient pas seulement égoïstes, mais dangereux. Ce fut pour étayer cet argument qu'il eut recours à la thèse sur la nationalité de l'historien Lord Acton. Se tourner vers ce penseur britannique lui semblait naturel. Lord Acton était un auteur populaire dans la littérature politique et historique des pays anglo-saxons. Tentant de réconcilier le libéralisme et le catholicisme, il s'était heurté à l'hostilité des autorités catholiques. Enfin, ses prophéties à l'égard des mouvements totalitaires s'appuyaient sur des auteurs clés de la philosophie du pluralisme politique[35]. Ce fut dans l'essai politique *La Nouvelle Trahison des clercs*, publié dans le numéro d'avril 1962 de *Cité libre*, que Trudeau a proposé sa lecture actonienne du séparatisme québécois. Il le faisait en citant le célèbre essai *On Nationality*[36]. Cet essai, soulignons-le, figure parmi les plus beaux textes sur la question. L'historien comparait deux conceptions de la nationalité : la française et l'anglaise. Plus républicaine, la conception française était une émanation de la démocratie et se fondait sur l'*unité nationale*. Plus monarchiste, la conception anglaise était le produit de la liberté et insistait plutôt sur la *liberté nationale*. Selon la première, la nation était le résultat d'une volonté générale. Berceau de la révolution, la nation française avait fait table rase du passé, des mœurs, des coutumes, des traditions héritées. Sa forme idéale était l'État-nation. La seconde conception, fondée sur la coutume, était plutôt façonnée par le long travail des siècles. N'étant pas confondue avec l'État, la nation pouvait mieux agir comme rempart face à la montée d'un despotisme étatique. La forme idéale de la conception anglaise était l'État multinational, où plusieurs nations coexistent au sein d'un même État[37].

Selon Acton, la théorie française de la nationalité était une forme avancée de la révolution. En dépit de ses prétentions, elle s'avérait être le pire adversaire des droits concrets de la nationalité. Puisqu'elle faisait de l'État et de la nation une seule et même entité, toutes les autres nationalités comprises à l'intérieur de ses frontières étaient inévitablement réduites à un état de soumission : « En fonction du degré d'humanité et de civilisation caractérisant le groupe dominant qui réclame tous les droits collectifs, les races inférieures, écrivait Acton, seront exterminées, réduites à la servitude, mises hors la loi ou placées dans un état de dépendance[38]. » La supériorité de la conception anglaise, c'était sa capacité d'élever les différentes races qui se trouvaient en son sein. Les Empires britanniques et austro-hongrois étaient les États qui protégeaient le mieux les minorités nationales. Au sein de ces États, les races, loin d'être rabaissées, profitaient d'une saine émulation. Cet argument était, sans contredit, celui qui fascinait les disciples canadiens de Lord Acton. Trudeau aimait citer le grand passage célèbre de cet essai, mais en biffant certaines phrases (que je place ici en italique) :

La coexistence de plusieurs nations dans un même État est un test et offre en même temps la meilleure protection de ses libertés. C'est aussi l'un des principaux instruments de civilisation et, en cela, c'est dans l'ordre de la nature et de la providence. Elle révèle un état de plus grand avancement que ne le fait l'unité nationale qui, elle, est l'idéal du libéralisme moderne. Le regroupement de différentes nations en un seul État est une condition nécessaire d'une vie civilisée, à l'instar de l'association des hommes en société. *Les races inférieures s'améliorent en vivant en union politique avec les races intellectuellement supérieures. Les nations décadentes et épuisées sont vivifiées par le contact avec une nation plus jeune et plus vigoureuse. Les nations dans lesquelles les éléments d'organisation et la capacité de gouvernement se sont perdus, en raison de l'influence démoralisatrice du despotisme ou de l'action désintégratrice de la démocratie, peuvent être revigorées par la discipline d'une race plus forte et moins corrompue.* Ce processus régénérateur ne peut aboutir que sous un gouvernement commun. C'est dans le creuset de l'État que la fusion se produit, où la vigueur, la connaissance et la capacité d'une partie de l'humanité sont communiquées à une autre. Là où les frontières politiques et nationales coïncident, les sociétés cessent d'avancer. Les nations rechutent à un niveau inférieur correspondant à celui des ermites, ces hommes qui ont renoncé à tout contact avec autrui[39].

Cet emprunt à Acton comportait, toutefois, un écueil majeur. Dans le recueil *Essays on Freedom and Power,* cité par Trudeau, l'essai *On nationality* était précédé d'un chapitre justifiant le droit à la sécession. Publié au début de la guerre de Sécession, *The Political Causes of the American Revolution* était un long commentaire sur le conflit qui opposait à cette époque les États du Nord et du Sud aux États-Unis. Les causes politiques de la guerre, écrivait Acton, étaient inscrites dans les origines mêmes de cette communauté politique. De tout temps, la monarchie a été plus stable que la république, forme politique marquée par la turbulence. Le processus de sécession du Sud s'avérait inévitable. Car un régime démocratique avait tendance à violer les droits de la minorité : « C'est la démocratie meurtrière issue de la Révolution française qui a détruit l'Union [américaine], en désintégrant les vestiges des traditions et des institutions anglaises. Toutes les grandes controverses qui ont mené à cette guerre civile — l'embargo, les restrictions, le progrès national, la Loi sur les banques, la formation de nouveaux États, l'acquisition de nouveaux territoires, l'abolition de l'esclavage — ont été autant de phases du passage d'une Constitution inspirée d'un modèle anglais à une autre relevant de l'exemple jacobin français[40]. » Les Confédérés, la minorité aux yeux d'Acton, n'avaient pas d'autre possibilité que de se séparer. La Constitution américaine avait tout simplement été détruite par le Nord. L'équilibre étant rompu entre les deux sections du pays, la sécession devenait légitime. Les sécessionnistes avaient le droit pour eux, puisque les abolitionnistes étaient les vrais révolutionnaires. Dans une démocratie, l'esclavage était une institution nécessaire : « La démocratie s'abaisse inévitablement au niveau des éléments inférieurs de la société et, lorsque la diversité y est prononcée, en dénature les éléments supérieurs. L'esclavage a toujours été la seule protection contre cette tendance [niveleuse], et c'est pour cela que l'esclavage est si essentiel à la démocratie[41]. » La sécession du Sud n'était de toute façon pas motivée par l'esclavage. La grande cause était plutôt le danger politique suscité par la prépondérance croissante du Nord dans l'Union[42].

De toute évidence, Trudeau interpréta assez librement Acton. Les idées de l'historien britannique auraient néanmoins pu l'inciter à reconnaître l'existence de deux majorités nationales au sein de l'État canadien. C'était précisément l'idéal qu'André Laurendeau

proposait, une politique fondée sur l'émancipation de deux majorités nationales. Cette voie, Trudeau pensait non seulement qu'elle
était vouée à l'échec, mais qu'elle menait à la guerre civile. Il préféra
ne retenir de la thèse de Lord Acton que le souci des minorités, en
prenant bien soin de modifier le sens de ce terme. Revoyons ici comment, pour mettre en œuvre cette politique, il se trouva de fidèles
alliés. Et comment, pour vaincre le séparatisme, il adhéra inconditionnellement au Nouveau Libéralisme et abandonna le pluralisme
politique.

La formation d'une *persona*

Sur le plan électoral, les années 1960 ressemblent un peu aux
années 1860. Plusieurs gouvernements minoritaires se succédèrent.
Le dernier gouvernement majoritaire remontait au balayage conservateur de Diefenbaker, en 1958 : 208 conservateurs, 48 libéraux,
8 CCF, 1 indépendant. Les trois élections générales suivantes produisirent des gouvernements minoritaires. En 1962 : 116 conservateurs, 100 libéraux, 30 créditistes, 19 NPD, 1 autre[43]. En 1963 :
129 libéraux, 95 conservateurs, 24 créditistes, 17 NPD. En 1965, il y
avait presque une majorité : 131 libéraux, 97 conservateurs, 14 créditistes, 21 NPD, 2 autres. Lors des élections générales de 1965,
la direction du Parti libéral avait senti le besoin de renforcer son
aile québécoise. Elle souhaitait attirer des « candidats vedettes ». Le
nom de Pierre Elliott Trudeau circula. Un poids lourd du cabinet
Pearson, Maurice Lamontagne, s'y opposa. Jean Marchand, qui
s'était déjà engagé à faire le saut en politique fédérale, défendit
la candidature de son ami. Il menaça même de retirer la sienne.
Même lorsque les autorités libérales persuadèrent Lamontagne,
Trudeau continua à se faire prier. Il attendit en fait jusqu'à la dernière minute avant de donner son assentiment. Le jour du vote,
même si le Parti libéral arriva premier, la performance de Lester B.
Pearson fut jugée décevante.

Premier ministre depuis 1963, Pearson avait entrepris d'accentuer la dualité de la fédération canadienne. Il avait nommé Laurendeau à la tête de la Commission d'enquête sur le bilinguisme et le
biculturalisme. Partisan de l'idée d'un « fédéralisme coopératif »,

le premier ministre acceptait le fait que la province de Québec aspirât à un statut particulier. Plusieurs ententes fédérales-provinciales traduisirent cette volonté d'affirmer que le Canada était constitué de deux majorités nationales. Au sein de son parti, le premier ministre avait l'appui des fédéralistes québécois comme Maurice Lamontagne, Jean-Luc Pépin, Maurice Sauvé. Ses conseillers Tom Kent et Gordon Robertson, connaissant bien Jean Lesage, facilitèrent cette ouverture[44]. Ces accommodements avec la province de Québec ne provoquèrent pas de montée d'intolérance dans le reste du Canada.

En fait, c'est au sein même du gouvernement fédéral qu'un mouvement d'opposition se manifesta. Mitchell Sharp était la principale figure de ce mouvement. Devenu ministre des Finances après les élections générales de novembre 1965, il put dès lors agir avec aplomb au cabinet. L'arrivée de Trudeau au Parlement l'aida. Le jeune député était le critique le plus radical du principe des deux nations. Disposant désormais d'un allié canadien-français résidant au Québec, Sharp pouvait prétendre qu'il ne nourrissait pas d'hostilité à l'égard des griefs en provenance du Québec. Le ministre des Finances fit sien l'argument de Trudeau, argument selon lequel le statut particulier serait le premier d'une série de pas menant à la séparation du Québec. Il est intéressant de noter qu'au lendemain des élections générales de 1965, Jean Marchand avait déconseillé à Pearson de faire de Trudeau son secrétaire parlementaire. Marchand était attaché à Trudeau, mais il le pensait « déconnecté » de la masse populaire au Québec. Si Pearson n'en fit qu'à sa tête et nomma le jeune député à ce poste, il ne suivit pas pour autant tous ses avis. Le premier ministre préférait les conseils de Jean Marchand, qu'il aimait considérer comme son dauphin. Plus proche des gens ordinaires, l'ancien syndicaliste n'avait pas d'objection de principe à l'idée d'un statut particulier pour le Québec. Il était bien l'ami de Trudeau, mais il ne partageait pas son analyse du « problème québécois ». En 1968, bien que Trudeau et Lalonde eussent réussi à convaincre une partie de l'opinion publique canadienne-anglaise du bien-fondé d'adopter la ligne dure à l'égard du Québec, Pearson maintint l'idée qu'on devait faire preuve de souplesse.

En février 1968, Pearson organisa une conférence constitutionnelle fédérale-provinciale. À titre de ministre de la Justice, Trudeau participa activement à sa préparation. Durant les débats, il adopta une position ferme à l'égard des revendications du Québec. Cette fermeté irrita Pearson. Au moment de l'affrontement entre Daniel Johnson et Trudeau, Pearson, visiblement agacé, mit fin aux échanges. Curieusement, au moment même où les frontières du Canada français commençaient à se confondre avec celles du Québec, Trudeau s'entêtait à nier cette réalité. Il contestait avec véhémence que le Québec puisse parler au nom du Canada français, comme Jean Lesage et Daniel Johnson le faisaient spontanément. Ainsi, le 28 janvier 1968, au congrès du Parti libéral du Québec, Trudeau prit la parole pour contester cette prétention. Il affirma que l'État québécois ne pouvait pas parler au nom du Canada français. Il fallait plutôt promouvoir une idée du Canada où les premiers ministres de chaque province pourraient parler au nom de leurs électeurs canadiens-français :

> Une fois que cela sera fait, Québec ne pourra plus dire qu'il parle seul au nom des Canadiens français […]. M. Robarts parlera pour les Canadiens français en Ontario, M. Robichaud parlera pour les Canadiens français au Nouveau-Brunswick, M. Thatcher parlera pour les Canadiens français en Saskatchewan et M. Pearson parlera pour tous les Canadiens français. Personne ne pourra dire : « Il me faut plus de pouvoirs parce que je parle au nom de la nation canadienne-française[45]. »

Dans les semaines qui précédèrent le congrès à la direction visant à remplacer Pearson, Trudeau reçut très peu d'appuis venant du Québec francophone. Les élites politiques rejetèrent fermement sa candidature. Le directeur du journal *Le Devoir*, Claude Ryan, appuya d'abord la candidature de Mitchell Sharp ; lorsque ce dernier se rallia à Trudeau, Ryan opta pour celle de Paul Hellyer. De leur côté, les chefs politiques provinciaux (Lesage et Johnson) n'étaient pas emballés par ce candidat qui jurait de livrer bataille au principe des deux nations. Les députés provinciaux québécois étaient du même avis. Quant aux députés libéraux fédéraux du Québec, ils n'y étaient pas plus favorables. Le sénateur Maurice Lamontagne, défenseur du statut particulier, y était résolument hostile. Parmi les députés influents, Trudeau n'avait que son ami Jean Marchand pour l'appuyer. Le vétéran Maurice Sauvé appuyait le candidat Paul Martin père. La majorité des députés québécois appuyaient soit Paul Hellyer, soit Mitchell Sharp, soit Robert Winters. Dans les jours qui précédèrent le congrès, le caucus québécois était très divisé. Trudeau n'obtenait même pas l'appui de la moitié de ce caucus.

La couverture journalistique canadienne-anglaise de la campagne révèle que le Canada anglais cherchait un « candidat hamiltonien », un chef fort et autoritaire, capable de rétablir l'ordre, après dix ans d'instabilité politique. La turbulence du mouvement indépendantiste, conjuguée à une succession de gouvernements minoritaires, avait sans doute créé un sentiment d'insécurité et d'instabilité. Les Canadiens s'ennuyaient de ces vieilles valeurs canadiennes, l'harmonie, la stabilité, le respect de la loi. En se présentant comme un homme déterminé, qui n'avait pas froid aux yeux, le nouveau chef libéral déclencha la trudeaumanie. Il prétendait avoir la solution et le disait avec fermeté et certitude, comme un prétendant au titre de monarque doit le faire. Sa « performance virile » devant Daniel Johnson avait montré qu'il ne s'en laissait pas imposer. L'émeute du défilé de la Saint-Jean-Baptiste, la veille du scrutin fédéral, le 25 juin 1968, raffermit cette perception. Le courage manifesté par Trudeau face aux émeutiers forgea ce masque public, cette *persona* hamiltonienne[46].

Durant la campagne électorale de juin 1968, Trudeau capitalisa sur la modération des autres partis fédéraux face au Québec. Il pourfendit l'idée d'un statut constitutionnel particulier pour le Québec. Il prit plaisir à assimiler les adeptes du statut particulier aux séparatistes. À quatre jours du scrutin, le 21 juin, dans une formule provocante, il lança : « Le peuple du Québec ne veut ni statut, ni traitement privilégié ni intérêts particuliers. Il n'a pas besoin de chaise roulante ou de béquilles pour avancer[47]. » Le 25 juin 1968, les libéraux remportèrent une première majorité depuis l'élection générale de 1953. Résultat : 155 libéraux, 72 conservateurs, 14 créditistes, 22 NPD, 1 autre. Le triomphe de Trudeau marqua la fin de l'ère Pearson. Les cercles libéraux conclurent que le temps du « progressisme économique » incarné par Walter Gordon était révolu. Cette voie avait empêché le Parti libéral de retrouver sa vieille hégémonie sur la politique fédérale. Certes, Trudeau avait tout de l'homme de gauche, plus encore que Walter Gordon. Son passé de militant aux côtés de Frank Scott, Thérèse Casgrain, Michel

Chartrand et Jacques Perrault agaçait encore des membres de l'establishment libéral. Pourtant, l'année 1968 marquait bel et bien la fin de la gauche réformiste et l'arrivée au pouvoir de la gauche culturelle[48]. Le nouveau progressisme serait moins attaché au principe de l'égalité devant la loi qu'à celui de la différence. Les progressistes se soucieraient moins du sort de la classe moyenne ou de la classe populaire que des minorités.

Dès son accession au pouvoir, un événement tragique vint lui faciliter la tâche. Il s'agit du décès d'André Laurendeau, en juillet 1968. Il n'y avait alors plus de Québécois possédant assez d'autorité pour dire au Canada anglais que les vues du premier ministre n'étaient peut-être pas celles de la majorité des Québécois. Trudeau avait la voie libre pour donner suite aux travaux de la Commission royale sur le bilinguisme et le biculturalisme. Dans son rapport préliminaire, publié en 1965, elle avait distingué deux types de bilinguisme : celui des individus et celui des États. Il était illusoire, selon les commissaires, de penser que la majorité des individus d'une société (bilingue) puissent maîtriser deux langues. Un pays bilingue était celui qui assurait la coexistence de ses deux collectivités linguistiques. Il n'était donc pas utile que l'État s'applique à développer le bilinguisme individuel de ses citoyens. Ce qui était primordial, d'abord et avant tout, c'était que les deux collectivités linguistiques réussissent à se maintenir. Le caractère bilingue d'une société dépendait donc de la force de ses deux principales collectivités linguistiques. Les trudeauistes critiquèrent cette philosophie. La revue *Cité libre* publia un article cinglant[49]. Trudeau ne figurait pas parmi les signataires ; Jean Marchand l'avait convaincu qu'il serait prudent qu'il ne soit pas directement associé à ce texte.

L'article *Algèbre bizarre* reconnaissait le bien-fondé de l'objectif du bilinguisme, mais s'attaquait au biculturalisme. L'égalité entre les cultures, écrivaient les auteurs, est étrangère à la pensée juridique canadienne. Une Confédération fondée sur ce principe aurait des conséquences néfastes, ouvrant la voie à la reconnaissance de deux États séparés. Par cette position, les auteurs prenaient leurs distances par rapport à la thèse des deux peuples fondateurs. La conception du bilinguisme de la Commission donna néanmoins des armes aux trudeauistes. Elle distinguait deux types de sociétés bilingues : les unes se fondaient sur le principe territorial, où les droits linguistiques différaient selon les régions. Les autres se soumettaient au principe individuel : les droits linguistiques étaient les mêmes pour tous, dans toutes les régions. La Commission admit que le principe territorial semblait mieux se mouler sur la diversité régionale canadienne. Mais elle le rejeta parce qu'il brimerait les droits des minorités et entrerait en conflit avec la grande mobilité professionnelle des Canadiens.

La première législation majeure de Trudeau fut la Loi sur les langues officielles (1969). La Commission, on le sait, avait déjà rejeté l'essentiel du principe territorial. Trudeau rejeta les deux seules concessions à ce principe qu'avaient faites les commissaires : la création de zones bilingues et le renforcement du français dans l'économie de la province de Québec. Ces deux concessions, chères à Laurendeau, déplaisaient au premier ministre. Celui-ci fut encouragé en cela par le commissaire Frank Scott, qui s'y opposait farouchement[50]. La loi s'inspirait entièrement de la philosophie du bilinguisme individuel. Il s'agissait de former des individus « fonctionnellement bilingues », la langue étant moins l'élément central de l'héritage culturel qu'un instrument pour réussir dans la vie. L'idéal visé par Trudeau était que le Canada devienne bilingue d'un océan à l'autre. Si les frontières du Canada français pouvaient s'étendre de Terre-Neuve à la Colombie-Britannique, l'État québécois ne pourrait plus prétendre veiller au destin du Canada français et, dès lors, parler en son nom. Afin d'atteindre cet idéal, il plaça de grands espoirs dans le pouvoir d'une charte des droits.

Trudeau n'eut pas de difficultés sérieuses à miner l'idéal biculturel de Laurendeau. Déjà, au cours des tournées de la Commission aux quatre coins du Canada, cet idéal avait été critiqué. Trop de Canadiens, plaidait-on, n'appartenaient à aucune des deux majorités nationales. Le premier ministre comprit l'opportunité de canaliser ces critiques contre l'idéal biculturel de Laurendeau. La politique de bilinguisme risquait d'ailleurs, dans l'Ouest, de se heurter à l'opposition des minorités ethniques. C'est dans ce contexte que germa l'idée d'une politique de multiculturalisme. Le biculturalisme, disait Trudeau, dépeignait mal la réalité canadienne. Le terme de multiculturalisme lui semblait plus juste. Curieusement, les arguments inspirés du libéralisme que Trudeau avait avancés contre le biculturalisme étaient passés sous silence dans le cas du multiculturalisme.

Le gouvernement fédéral s'engageait dorénavant non seulement à soutenir la survie des « groupes culturels », mais aussi à assurer leur développement. En octobre 1971, lorsqu'il annnonça sa politique, Trudeau se montra soucieux de cultiver l'estime de soi des groupes ethniques : « Une politique dynamique de multiculturalisme nous aidera à créer cette confiance en soi qui pourrait être le fondement d'une société où règnerait une justice pour tous[51]. » À court terme, cette politique neutralisa les partisans québécois (Robert Bourassa, Claude Ryan) d'un fédéralisme fondé sur la dualité culturelle. À long terme, elle créa une brèche assurant une légitimité aux groupes de pression identitaires, dans le processus de révision constitutionnelle. Ces groupes aidèrent Trudeau à réaliser sa réforme en 1982 et à saborder l'accord du lac Meech en 1989.

Octobre 1970, démocratie ou anarchie

La crise d'Octobre fut certes l'un des premiers événements qui bouscula la ligne d'action politique de Trudeau. Non pas que le gouvernement fédéral n'eût aucune responsabilité dans la genèse de cette crise. Mais l'action produit toujours des conséquences imprévisibles, qui dévient ainsi de l'intention initiale. Avant 1970, la réputation de l'homme était d'être un infatigable défenseur des libertés civiles. Afin de se faire pardonner les nombreuses violations des libertés fondamentales qui se produisirent durant cette crise, il en imputa le blâme à son service de renseignement. Cette thèse a été exposée par Gérard Pelletier, son collègue au cabinet, dans *La Crise d'octobre*[52]. Cette version officielle de la crise est douteuse. Le fait que les autorités fédérales n'aient pas dit toute la vérité dans cette affaire ne signifie toutefois pas qu'elles aient eu le contrôle des événements du début à la fin. C'est la faille majeure des interprétations de la crise qui critiquent la version officielle. Retraçons brièvement ses principaux épisodes, avant de juger cette thèse du « cabinet mal informé ».

Le 5 octobre 1970, la cellule Libération du FLQ procéda à l'enlèvement du diplomate britannique James Cross[53]. Cette cellule, formée de Jacques Lanctôt, Jacques Cossette-Trudel, Louise Lanctôt et Marc Carbonneau, émit un communiqué réclamant la lecture de son manifeste politique, la libération de vingt-trois prisonniers politiques, ainsi qu'un sauf-conduit pour Cuba. Le lendemain, à la réunion du Comité des priorités, Trudeau avertit son cabinet qu'il n'était pas question de négocier avec des terroristes. Il était sage, cependant, d'affirmer publiquement l'intention du fédéral de négocier afin de gagner du temps. Le 7 octobre, Trudeau annonça qu'il refusait les exigences du FLQ. Il autorisa cependant une concession, la lecture du manifeste sur les ondes de Radio-Canada. À la surprise générale, la lecture du document suscita un courant de sympathie dans certaines couches de la population. Le premier ministre, qui avait anticipé un tollé général contre les felquistes, fut ébranlé.

Le 10 octobre, le ministre de la Justice du Québec, Jérôme Choquette, annonça la position des autorités gouvernementales. Il n'était pas question, avertissait-il, d'accepter les revendications des ravisseurs. Quelques minutes plus tard, le vice-premier ministre et ministre du Travail Pierre Laporte était kidnappé à son domicile, à Saint-Hubert, sur la Rive-Sud de Montréal. Cet enlèvement avait été orchestré par une nouvelle cellule du FLQ, la cellule Chénier, composée de Paul Rose, Jacques Rose, Francis Simard et Bernard Lortie. Le lendemain, 11 octobre, le cabinet de Robert Bourassa, secoué par l'enlèvement de l'un ses membres, laissa entrevoir l'ouverture de négociations avec les felquistes. L'opinion publique semblait favorable à cette ouverture du premier ministre québécois. Trudeau la voyait plutôt comme un impardonnable fléchissement. Il admit qu'il craignait que les groupes contestataires en profitent pour multiplier des manifestations qui mèneraient à l'anarchie. Dès ce moment, le recours à l'armée et à une loi d'exception fut envisagé. Jérôme Choquette réclamait déjà la Loi sur les mesures de guerre, mais ses collègues du cabinet provincial préféraient attendre. Il demanda au cabinet fédéral de persuader ses propres collègues d'adopter la ligne dure.

Le 14 octobre, les négociations entre le gouvernement Bourassa et les ravisseurs semblaient s'enliser. La scénario d'un coup de force du gouvernement fédéral incita quinze intellectuels québécois à publier une déclaration commune visant à donner une chance de réussite à la négociation[54]. Des proches, Frank Scott et Michael Pitfield, incitèrent Trudeau à croire à un complot tramé en vue de renverser un gouvernement provincial affaibli[55]. Jérôme Choquette obtint finalement l'appui des autres membres du cabinet Bourassa. La loi entrerait en vigueur le 16 octobre, à 4 heures du matin. Marc Lalonde rédigea la requête, puis Choquette la signa. Dans la soirée du 15 octobre, la Loi sur les mesures de guerre fut adoptée. Quelques heures plus tard, l'armée canadienne s'établissait dans la région du grand Montréal. La police procéda à plus de quatre cent cinquante arrestations, sans mandat. Dans la journée du 16 octobre, dans une allocution télévisée, Trudeau qualifia les felquistes d'assassins. À sa sortie du Parlement, interrogé par un journaliste, il affirma avoir l'obligation de défendre l'État contre l'insurrection. Jusqu'où était-il prêt à aller, lui demanda un journaliste. Trudeau répondit par l'argument hamiltonien, dans une formule intraduisible : « *There's a lot of bleeding hearts around* [that] *just don't like to see people with... guns. All I can say is go on and bleed. But it's more important to keep law and order in this society than to be worried about weak-kneed people...* » Le journaliste insista : « À n'importe quel prix ? Jusqu'où êtes-vous prêt à aller ? » Trudeau lança : « *Well, just watch me*[56]. »

Le 17 octobre, la cellule Chénier exécuta Pierre Laporte. Son corps fut retrouvé dans le coffre d'une automobile, à Saint-Hubert, sur un terrain appartenant à l'armée canadienne. Ce qui restait de sympathie à l'égard du FLQ s'envola en fumée. Quelques intellectuels continuèrent à maintenir cette position délicate : il était possible de dénoncer la suppression des libertés sans sympathiser avec le FLQ. Durant tout le mois de novembre, un long et patient travail d'enquête permit de retrouver le logement où était détenu James Cross. Le 4 novembre, en échange de sa libération, les ravisseurs obtinrent un sauf-conduit pour Cuba et quittèrent le pays. Enfin, le 28 décembre, les membres de la cellule Chénier furent découverts à Saint-Luc, sur la Rive-Sud de Montréal. Ils se rendirent sans résister. Le 4 janvier 1971, l'armée quitta Montréal.

Revenons à l'interprétation officielle de la crise donnée par Trudeau et Pelletier. Le cabinet fédéral aurait été induit en erreur par des rapports alarmistes de ses services secrets. Dans ses mémoires, Don Jamieson, un ministre du cabinet fédéral en 1970, rappelle que c'était plutôt Trudeau qui était alarmiste. Il pestait contre la mollesse et l'indécision des élites politiques provinciales et des leaders de l'opinion publique[57]. Le premier ministre s'inquiétait de l'érosion de la position fédéraliste au Québec face à la montée du sentiment souverainiste. Le PQ avait récolté le tiers des votes aux élections provinciales d'avril 1970. Selon Jamieson, l'enlèvement de Cross créait aux yeux du premier ministre une occasion de raffermir la position fédéraliste. L'enlèvement de Laporte renforça cette conviction chez le chef libéral. Ce dernier en vint à la conclusion que, s'il n'agissait pas d'une façon vigoureuse, son rôle de gardien du fédéralisme allait être remis en question. Plusieurs ministres canadiens-anglais demandèrent des preuves relatives à la thèse de l'insurrection appréhendée. Le premier ministre ne répondit pas à ces demandes[58]. Quelques années plus tard, la Commission Macdonald demanda des preuves démontrant l'insurrection appréhendée. Un dirigeant de la GRC, le commissaire William Higgitt, répondit qu'il y en avait aucune. La Commission fut surprise de découvrir que la GRC ne possédait aucun dossier documentant l'existence d'un danger d'insurrection. Officiellement, en invoquant les pouvoirs de la Loi sur les mesures de guerre, le cabinet répondait à des requêtes formelles venant de Montréal et de Québec. Mais, en fait, ces requêtes étaient elles-mêmes encouragées par certains acteurs de la capitale fédérale. Ces acteurs ne se trouvaient pas au sein de la GRC, mais du cabinet fédéral. Il s'agissait de ministres et de conseillers québécois.

Un élément central de cette stratégie du cabinet visant à justifier la Loi sur les mesures de guerre était la constitution d'une liste de futurs détenus. La GRC établit une liste de 158 suspects et la remit à deux lieutenants québécois au cabinet fédéral, Jean Marchand et Gérard Pelletier. Ces derniers orchestrèrent une fuite dans les médias, en faisant un compte rendu de cette réunion à quelques journalistes triés sur le volet. Pelletier prétendait qu'il avait été choqué de voir plusieurs noms apparaître sur cette liste et avait exigé d'en biffer plusieurs. Le compte rendu rétroactif de Marchand et Pelletier fut contredit par les témoignages des dirigeants de la GRC devant la Commission Macdonald. Le commissaire Higgitt rappela que Pelletier n'avait apporté aucun changement à la liste. L'inspecteur Ferraris fut plus explicite : Pelletier avait deux noms ; il avait retiré son objection après avoir reçu des explications. En fait, le geste de Pelletier montre que ce n'est pas la GRC qui avait besoin de pouvoirs d'exception mais le cabinet fédéral. La liste des détenus n'était guère utile pour faire avancer le travail d'enquête en vue de découvrir les ravisseurs. Mais, pour le cabinet, elle était impérative pour que l'on invoque la Loi sur les mesures de guerre. La GRC, elle, pensait qu'il était préférable de continuer les enquêtes, comme on le faisait jusque-là. Une large vague d'arrestations serait improductive. Le cabinet ne consulta pas les commissaires de la GRC sur l'à-propos de la loi. On les consulta seulement pour connaître les mécanismes permettant de la mettre en œuvre.

À la dernière session du cabinet avant l'adoption et l'application de la loi, Trudeau s'absenta. C'est le ministre Jean-Luc Pépin qui assura le plaidoyer. Plutôt que de produire des preuves empiriques, il développa un argument théorique. Les révolutions, expliqua-t-il, étaient fomentées par de l'agitation sociale. Le désordre minait la confiance des citoyens à l'égard du gouvernement. Une loi sur les mesures de guerre, par l'arrestation de suspects, permettait de réduire le nombre de protestataires qui semaient le désordre. Après le plaidoyer de Pépin, le cabinet fédéral donna le feu vert pour l'adoption de la loi. En somme, pendant que la GRC informait le cabinet que la crise exigeait un travail d'enquête prudent, patient et méticuleux, les ministres québécois du cabinet fédéral agitaient le spectre de l'anarchie et du chaos. En octobre 1970, l'argument hamiltonien gardait toute son efficacité.

Victoria et le parti de la cour

Durant la crise d'Octobre, Trudeau perdit sa réputation de gardien des libertés civiles. Par la suite, il dut se demander ce qu'il était allé faire en politique. Il est possible que la réforme constitutionnelle se soit présentée à son esprit comme une « mission historique » tout aussi noble. Il est important de savoir que, durant les années 1950 et 1960, il n'était pas convaincu du bien-fondé d'une réforme constitutionnelle. Il était ambivalent. Sur cette question, c'est comme s'il y avait deux constitutionnalistes en conflit : tantôt le conservateur burkien, préférant laisser la coutume évoluer lentement, imperceptiblement ; tantôt l'ingénieur social jacobin, cherchant à reconstruire l'édifice constitutionnel selon les principes les plus abstraits, pour établir sa « société juste ». Plus les années passèrent, plus il se rendit à l'idée qu'il fallait frapper un grand coup, envers et contre tous s'il le fallait. Dès le début de son premier mandat, il avait entrepris d'atténuer le lien colonial avec l'Angleterre. Selon la vieille tradition libérale, il travaillait à affirmer la souveraineté du Canada. Il réduisit la visibilité des symboles monarchistes et rejeta l'usage du terme « dominion » pour qualifier le gouvernement fédéral, au profit de « gouvernement du Canada ». Parfois aussi, il caressait le rêve de rapatrier la Constitution du Canada, afin de mettre un terme définitif à la vieille dépendance face à l'Angleterre. Sans le rapatriement, c'est le Parlement britannique qui conservait le dernier mot sur la révision de l'Acte de l'Amérique du Nord britannique. Cette insistance sur la souveraineté du Canada visait aussi à raffermir le lien qui unissait les Québécois francophones au gouvernement fédéral. Rapprocher les Canadiens français du fédéral exigeait qu'une plus grande visibilité soit accordée aux réalisations de ce palier de gouvernement. Cette conception du fédéralisme mettait fin aux ententes inspirées d'une vision asymétrique sous Pearson. À sa première conférence constitutionnelle, celle de 1968, en tant que ministre de la Justice, il avait insisté pour que les discussions se fassent en trois étapes : 1) la protection des droits de la personne (dont les droits linguistiques) ; 2) les institutions centrales du fédéralisme canadien (Parlement, Cour suprême, fonction publique, capitale nationale) ; 3) le partage des pouvoirs.

À la conférence de Victoria, tenue en 1971, Trudeau réussit à faire accepter plusieurs de ses idées par les premiers ministres provinciaux[59]. En plus d'inclure le rapatriement de la Constitution et la formule d'amendement, la charte de Victoria prévoyait l'enchâssement constitutionnel des droits de la personne. À part la modification du processus de nomination des juges de la Cour suprême, les institutions politiques n'étaient pas sujettes à des changements. L'on prévoyait toutefois la suppression du pouvoir de réserve et de désaveu. Enfin, les premiers ministres ne réussirent pas à s'entendre sur un partage des pouvoirs. À ce sujet, le domaine le plus litigieux était celui de la législation sociale. Depuis le début des années 1960, le gouvernement québécois tentait d'établir la sienne. À cet égard, le gouvernement Pearson avait manifesté de l'ouverture. Mais Trudeau jugeait qu'une trop grande autonomie québécoise dans ce domaine diminuerait l'attachement des Québécois envers le fédéral. Robert Bourassa revint de la conférence de Victoria afin d'évaluer si

l'opinion publique québécoise était favorable à la charte que les premiers ministres venaient de concocter. L'opposition s'avéra beaucoup plus vigoureuse que prévu. S'y opposaient les partis politiques,
les syndicats et une bonne partie de la presse écrite. Même *The
Gazette* la trouvait insuffisante. Enfin, les trois Claude (Castonguay,
Ryan, Morin) ajoutaient leur voix au mouvement d'opposition.
Ceux-ci espéraient qu'un consensus à la Pearson produirait un fédéralisme de type asymétrique, qui reconnaîtrait l'autonomie provinciale en matière de législation sociale. Bourassa battit donc en
retraite, signifiant à Trudeau qu'il ne pouvait entériner l'accord de
principe. Furieux, Trudeau accusa le premier ministre québécois
d'avoir renié sa parole. Dans les mois qui suivirent, il se promit
d'oublier le dossier constitutionnel. Cette trêve ne le rendit pas
plus conservateur, plus « britannique », dans sa réflexion constitutionnelle. Il se persuada plutôt que le rapatriement devait se faire,
même au prix d'un coup de force. L'expérience de la conférence de
Victoria lui enseigna que le vieux « dogme » libéral de la souveraineté des provinces réduisait la marge de manœuvre du gouvernement fédéral.

Durant les années 1970, Trudeau fit plusieurs gestes en vue de
préparer le futur chantier constitutionnel. Le plus important fut
d'avoir donné une légitimité constitutionnelle à certains groupes
d'intérêt de la société canadienne : les groupes linguistiques, les
groupes de femmes, les groupes ethniques, les groupes communautaires, les jeunes. Désormais dotés d'une « personnalité constitutionnelle », les groupes chartistes purent revendiquer une participation
aux discussions constitutionnelles[60]. Ainsi, durant les années 1970
s'édifia un véritable Parti de la cour. Constitué de gens prétendant
représenter des minorités, ce parti s'employa à atténuer le pouvoir
parlementaire au profit du pouvoir judiciaire[61]. Il y eut une véritable
relation symbiotique entre le créateur, Trudeau, et la créature, le
Parti de la cour. Le premier ministre créa ces groupes chartistes afin
de recevoir un appui à ses politiques ; en retour, ces groupes plaidèrent avec zèle en faveur d'un gouvernement fédéral plus unitaire,
plus centralisé, plus judiciarisé.

La genèse du Parti de la cour se produisit dans le contexte du
premier mandat de Trudeau, mené sous la bannière de la Société
juste. La première étape fut la reconnaissance par le fédéral d'un sta-

tut aux groupes de pression représentant les minorités linguistiques. Dès que la Loi sur les langues officielles fut adoptée, en 1969, le cabinet fédéral autorisa des dépenses importantes pour soutenir des organisations défendant les intérêts des minorités linguistiques. Le financement était canalisé par la division de l'Action sociale du Secrétariat d'État du Canada[62]. Cette idée, notons-le, ne venait pas de la commission Laurendeau-Dunton. En effet, cette dernière passait sous silence le rôle des minorités linguistiques officielles. En fait, lorsqu'elle parlait de minorités linguistiques, elle désignait plutôt des « communautés » et non pas des « organisations » ou des « groupes de pression ». Elle suggérait encore moins que le fédéral les supporte financièrement.

Si l'idée ne venait pas de la commission, d'où venait-elle ? Et qu'entendait-on par cet idéal d'*action sociale* ? L'idée d'action sociale était à la mode dans les milieux managériaux. L'action sociale consistait à « conscientiser les minorités » et à changer les mentalités de la majorité. Selon la division de l'Action sociale, il était important que les minorités linguistiques combattent les causes de leur assimilation culturelle : « Le premier pas [...] est de former des animateurs capables d'encourager les groupes concernés "à prendre des décisions de façon indépendante[63]". » Cette philosophie de l'action sociale n'était pas seulement présente dans les programmes concernant les minorités linguistiques officielles. Peu à peu, le premier ministre en fit le fondement de ces nouveaux programmes de la citoyenneté qu'il multipliait. Ces programmes furent bientôt élargis à d'autres « clientèles » : les minorités ethniques, les femmes, les jeunes, les groupes communautaires. Au sein même du Parti libéral, les programmes de citoyenneté de la Société juste étaient contestés. Au terme du premier mandat, certains libéraux critiquaient cette idée de « récompenser des groupes mécontents ». Il n'était pas avisé, soulignaient-ils, d'accorder des emplois à des gens qui critiquaient le gouvernement. Il aurait été plus sage de s'en tenir aux méthodes de patronage traditionnelles, qui consistaient à récompenser plutôt les amis du parti. Pour les uns, les programmes de citoyenneté étaient une rupture avec la tradition ; pour les autres, une forme « supérieure » et « moderne » de patronage politique. L'idéal hamiltonien justifiant ce patronage n'était cependant pas remis en question.

Le gouvernement minoritaire

À l'automne 1972, le premier ministre déclencha des élections générales. Plus précisément, les Canadiens allèrent aux urnes le 30 octobre. La soirée d'élection s'avéra pénible pour le premier ministre. La campagne électorale fut difficile, mais les derniers sondages montraient que les libéraux étaient en avance par plus de cinq points dans les intentions de vote. Jusqu'aux derniers moments du dépouillement du scrutin, les libéraux et les conservateurs étaient presque à égalité. C'était assurément une défaite morale, mais, politiquement, il restait à savoir quel parti finirait en tête. Trudeau et ses conseillers jonglaient avec l'idée d'admettre la défaite. Comme Mackenzie King en 1925, Trudeau s'accrocha à une courte victoire, espérant pouvoir gouverner avec les néo-démocrates, pendant un certain temps du moins. Résultat final : 109 libéraux, 107 conservateurs, 31 néo-démocrates, 15 créditistes, 2 indépendants. Trudeau réagit à cette « défaite » comme il le fit souvent durant sa carrière : en crânant et en défiant les conventions sociales. C'est vêtu d'une veste en daim à franges qu'il alla le lendemain chez le gouverneur général pour lui annoncer qu'il entendait garder le pouvoir. Après l'élection, les autorités libérales tentèrent d'expliquer la défaite. Il fallait surtout comprendre pourquoi l'appui aux libéraux hors du Québec était à peine supérieur à celui obtenu lors de la dégelée de Pearson face à Diefenbaker en 1958. Deux interprétations s'affrontaient. Selon la première, la faiblesse du vote libéral était une réaction contre le bilinguisme et le *French power*. Selon cette interprétation, cette politique aurait réveillé de vieux démons racistes dans le Canada anglais rural. Cette interprétation ne fut cependant pas confirmée par un sondage postélectoral. La seconde interprétation était moins aventureuse. Arrogant, déconnecté de la réalité du monde ordinaire, le premier ministre avait déçu la classe moyenne. C'était moins le bilinguisme qui posait problème qu'un système d'assurance-chômage qui ne satisfaisait pas la classe moyenne. Trudeau écartait ces critiques, refusant de considérer qu'il faisait peut-être lui-même partie du problème. C'était la nature même de la politique moderne qui était en cause. À l'avenir, il allait en prendre acte :

Je dirais presque que ma foi en la politique, ma foi dans le processus démocratique s'est quelque peu modifiée. Jusqu'ici, je pensais
qu'il suffisait de faire une proposition raisonnable à quelqu'un qui
l'étudierait alors raisonnablement, sans passion, mais il n'en est
manifestement rien. Les neuf dixièmes de la politique — les débats
en Chambre, les discours sur les estrades, les commentaires pour les
médias —, les neuf dixièmes de tout ça font appel aux sentiments
plutôt qu'à la raison. Je le regrette un peu, mais tel est le monde
dans lequel nous vivons et, par conséquent, il m'a fallu changer[64].

L'expérience d'un gouvernement minoritaire, de 1972 à 1974,
inculqua néanmoins à Trudeau une dose de réalisme. Comme Macdonald, Laurier, Mackenzie King, il comprit que le succès politique
au fédéral repose sur la capacité d'un chef à incarner le centre de
l'échiquier politique. Sur le plan stratégique, Trudeau savait qu'il
devait reconquérir l'électorat libéral au Canada anglais, qui avait
déserté le Parti libéral en faveur du NPD et du Parti conservateur.
Lui qui depuis 1968 avait rejeté l'héritage de Pearson, il entreprit de
se réconcilier avec les pearsoniens influents, comme Jim Coutts et
Keith Davey. Au sein de son cabinet, un ministre était appelé à jouer
un rôle crucial durant ce délicat mandat. Il s'agit d'Allan MacEachen, cet économiste de la région des Maritimes qui siégeait aux
Communes depuis près de vingt ans. Idéologiquement, il était un
social-démocrate attaché à l'héritage pearsonien. Le contraste entre
MacEachen et le chef libéral est intéressant car il met en relief la différence entre deux progressismes. Celui de MacEachen était purement socio-économique et s'adressait à la classe moyenne. Celui
de Trudeau était plus culturel et s'adressait à la classe managériale-
professionnelle. Depuis que le chef libéral cherchait à gouverner
en s'appuyant sur le NPD, il était inévitable que MacEachen dût
prendre du galon au cabinet. Il était appelé à devenir un intermédiaire clé entre Trudeau et David Lewis, le chef du NPD. Ce dernier avait annoncé aux Communes sa position à l'égard du gouvernement minoritaire. L'appui du NPD serait acquis, soulignait-il,
si Trudeau s'engageait de façon ferme sur trois questions : l'augmentation des pensions de vieillesse, la création d'emplois, l'inflation sur les prix des aliments. Les relations entre le PLC et le NPD ne
prirent jamais la forme officielle d'une coalition. Lewis rejetait cette

possibilité. Néanmoins, lui et MacEachen se rencontraient secrète-
ment afin de discuter de questions cruciales dans le but d'assurer la
survie du gouvernement. Lewis tentait de sauvegarder son indépendance. Il était important, pour le chef du NPD, de ne pas donner à
l'électorat l'impression que les libéraux étaient progressistes. Aux
Communes, Lewis talonnait constamment le gouvernement, tentant de lui arracher d'autres concessions. À la longue, le NPD sortit
perdant de ce petit jeu. Durant ce bref mandat, un nombre croissant
d'électeurs conclurent que Trudeau était vraiment à l'écoute de la
classe moyenne.

Au début de 1973, dans son *Discours inaugural,* Trudeau
annonça plusieurs mesures en matière de sécurité sociale, de création d'emplois et de contrôle des prix des produits alimentaires. Ces
mesures visaient un objectif précis : amadouer le NPD au moins
jusqu'au début de l'été. À partir de cette date, le gouvernement,
advenant une défaite aux Communes, serait en mesure de déclencher des élections et ne céderait pas le pouvoir aux conservateurs de
Robert Stanfield. Ce plan machiavélique, concocté par MacEachen,
fut suivi à la lettre par le premier ministre. Désormais, les deux
hommes planifiaient le moment propice pour provoquer eux-
mêmes leur propre « défaite ». La crise du pétrole, à l'automne 1973,
permit de reporter ce moment. Le premier ministre réagit à la crise
en chargeant Donald Macdonald, ministre de l'Énergie, de définir
une politique énergétique. Il croyait à l'utilité d'une société d'État
qui veillerait aux intérêts énergétiques des Canadiens. Si l'aile droite
du cabinet fédéral (Mitchell Sharp, Charles Drury) s'opposait à cette
idée, Trudeau et MacEachen y étaient favorables. Le chef du NPD en
faisait une condition de son appui aux Communes. En décembre 1973, le premier ministre arrêta sa décision. Dans un discours à la nation, il annonça une politique pétrolière nationale :
création d'une société d'État, prolongation de trois mois du gel du
prix du pétrole, prolongement de l'oléoduc de l'Ouest jusqu'à Montréal, prix unique d'un océan à l'autre, taxe spéciale sur les exporta-
tions vers les États-Unis. Cette politique économique nationaliste,
fortement hamiltonienne, permettrait que le Canada devienne auto-
suffisant avant la fin des années 1970. Aux Communes, Lewis était
euphorique. Il n'en demandait pas tant. Trudeau l'admit : « Nous
avons été plus loin que le *Manifeste du Parti communiste*[65]. »

Durant l'hiver 1974, la politique énergétique de Trudeau rassura l'opinion publique. Les libéraux remontèrent dans les sondages. À l'approche du printemps, le premier ministre prit la décision de provoquer des élections. Son ministre des Finances, John Turner, prépara un budget que le NPD ne serait pas en mesure d'accepter. Le 6 mai, le ministre le déposa aux Communes. Le 8 mai, mordant à l'hameçon, le NPD présenta une motion de censure contre ce budget piégé. Le gouvernement tomba. Les Canadiens furent conviés à aller aux urnes au début de l'été, le 8 juillet 1974. Durant cette campagne, une variable inattendue vint brouiller les cartes, Margaret Sinclair, la jeune épouse du chef libéral. Les conseillers incitèrent celui-ci à donner à sa femme un rôle dans la campagne en vue d'humaniser son image et, peut-être, de recréer la trudeaumanie. Le grand thème de la campagne était l'inflation. Le chef conservateur Robert Stanfield réclamait une politique de gel des prix et des salaires. Le premier ministre avertissait les électeurs que les conservateurs seraient davantage portés à geler les salaires que les prix. Astucieux, Trudeau ajoutait parfois, dans ses discours, que la politique du gel n'était pas nécessaire, *pour l'instant*. Il savait déjà que le gel était à l'ordre du jour de l'automne suivant. Le soir du 8 juillet, les libéraux reçurent 43 % des suffrages, seulement deux points de moins qu'en 1968, l'année de la trudeaumanie. Le résultat en nombres de députés : 141 libéraux, 95 conservateurs, 16 NPD, 11 créditistes, 1 autre. La domination libérale s'étendait de l'Atlantique jusqu'au Manitoba. Seul l'Ouest résistait à l'hégémonie libérale. C'était la première fois depuis Mackenzie King qu'un premier ministre remportait trois élections générales consécutives.

Si la carrière de Trudeau avait pris fin à la suite de son deuxième mandat, il aurait été jugé comme un idéaliste égaré en politique, laissant un héritage politique plutôt mince et assez peu controversé. La seconde tranche de son règne politique commença avec cette victoire électorale. Il se conforma dès lors aux règles non écrites de la politique canadienne façonnées par Macdonald, Laurier et Mackenzie King. C'est dans un contexte général de dépression économique que Trudeau avait inauguré cette spectaculaire mutation. Sur le plan économique, le milieu des années 1970 marquait la fin des Trente Glorieuses, ces trois décennies de prospérité. L'économie canadienne faisait face, pour la première fois, à une hausse conjuguée du chômage et de l'inflation. Sur le plan politique, ce troisième mandat fut caractérisé par plusieurs scandales. Sur le plan de la question nationale, plusieurs indices donnaient à penser que la politique linguistique était un cuisant échec : le commissaire aux langues officielles, Keith Spicer, déclarait que l'institutionnalisation du bilinguisme dans la fonction publique avait échoué ; le gouvernement libéral de Robert Bourassa adoptait une politique linguistique qui faisait du français la seule langue officielle de la province ; le cabinet fédéral abdiquait face à la contestation du bilinguisme par les contrôleurs aériens et les pilotes de ligne. Pour ajouter l'insulte à l'injure, les frasques de son épouse Margaret étaient exposées dans la presse jaune. Trudeau réagit à cette crise en se repliant et en centralisant les décisions. Depuis Macdonald, les hommes d'État canadiens avaient toujours eu tendance à privilégier un style hamiltonien. Trudeau utilisa avec cynisme cet élément de la culture politique canadienne, en le poussant d'un cran plus loin. À partir de 1974, en effet, Trudeau édifia au sein du gouvernement fédéral l'équivalent d'une Cour moderne[66]. Il se mit à exercer un contrôle absolu sur les nominations politiques. Prérogative du premier ministre depuis l'adoption du gouvernement responsable (1848), les nominations politiques acquirent toutefois sous Trudeau une importance plus grande, sous l'effet de leur multiplication et de leur centralisation. Déjà à la fin des années 1960, Trudeau profita de l'élan donné par la commission Laurendeau-Dunton pour nommer de nombreux francophones (libéraux) à des postes de prestige : sénateurs, hauts fonctionnaires, juges, diplomates, présidents de sociétés de la Couronne, etc. Tous ces nouveaux postes de direction d'organismes fédéraux étaient autant de récompenses, dans les mains de l'élite du parti, pour stimuler la loyauté des fidèles. Cette stratégie, visant à affirmer les élites d'une province en échange de leur appui à l'État fédéral, n'était pas nouvelle[67]. Les gouverneurs l'utilisèrent abondamment avant même la naissance de l'État fédéral. John A. Macdonald la raffina par la suite.

À partir du milieu des années 1970, le processus de distribution de ces gratifications devint plus complexe[68]. On sait que Trudeau se réserva au Québec les dossiers touchant à la langue, à la Constitution et aux relations fédérales-provinciales. Pour les autres dossiers, le premier ministre avait désigné un lieutenant québécois, responsable des relations avec le caucus québécois et les autres ministres de la province. Son premier lieutenant québécois avait été Jean Marchand. Étant en lien direct avec les organisations locales et régionales, ce dernier décidait des nominations et des contrats avec les firmes. Le bureau du premier ministre se réservait toutefois le gros du travail des nominations politiques. La tâche était titanesque. L'on créa un Secrétariat aux nominations, qui examinait les candidatures, lesquelles provenaient en grande majorité des rangs libéraux. La désignation de Marc Lalonde au poste de lieutenant québécois, en remplacement de Jean Marchand, marqua un changement notable. Le système des nominations politiques atteignit un niveau de raffinement sans précédent. Lalonde intégra un processus de consultation dans le système de patronage. Chaque jeudi matin, il conviait les ministres québécois à un déjeuner durant lequel on entérinait les nominations. Les ministres n'avaient pas à se plaindre, étant les premiers à en récolter les fruits. Collaborer avec Trudeau était pour le moins payant. Cela signifiait, à proprement parler, investir dans une future nomination politique. Ainsi, sur les vingt-cinq ministres du premier mandat, quinze allaient être par la suite nommés à un poste dans l'appareil fédéral. Il n'y avait rien d'illégal là-dedans. « Cela s'est toujours fait », plaidait-on. Une chose toutefois avait changé. Au milieu du siècle, les communautés locales avaient encore un mot à dire sur la distribution des fruits du pouvoir[69]. Trudeau acheva le mouvement de monopolisation du patronage en faveur des élites et des corporations. Le processus de nomination politique était jadis une modeste fête. En le centralisant, on transformait ce rituel en une somptueuse orgie réservée aux privilégiés de la classe managériale-professionnelle.

Si l'on veut être précis, l'attitude de Trudeau à l'égard du patronage se mit à changer quelque temps avant le début du troisième mandat. L'expérience du gouvernement minoritaire l'avait dissuadé de penser qu'il pouvait réécrire les règles de la politique canadienne. À l'aide d'anciens pearsoniens, Keith Davey et Jim Coutts, le premier ministre adapta la tradition du patronage aux impératifs d'une société de consommation. Il n'était pas question d'avoir recours au petit patronage provincialiste et populiste qu'il avait dénoncé durant les années 1950. La conception du patronage qui emportait son adhésion était d'ordre plus professionnel, plus moderne, plus

scientifique. Le nouveau patronage était fortement centralisé, devenant l'affaire des experts et des dirigeants du parti. Ceux-ci s'em-
ployaient à « changer les mentalités » de tous ces « patroneux » traditionnels qui résistaient au changement : ministres régionaux,
organisateurs provinciaux, députés. Ces « barons locaux », qu'on
disait jaloux de leur fief, ignoraient la science de la politique
moderne, comme la publicité, les sondages, les relations publiques.
La grande originalité de la création d'une Cour moderne, par Trudeau, n'apparut cependant pas immédiatement. Plusieurs de ses
ennemis politiques associèrent ces actions à la vieille tradition du
patronage. Ces accusations ne manquaient pas toujours de fondement, mais elles oblitéraient un fait crucial. Il y avait, dans l'activisme étatique de Trudeau, un aspect inédit, étranger aux anciennes
mœurs politiques canadiennes. Un nombre croissant de nominations politiques visaient à raffermir le pouvoir des groupes chartistes, à l'approche de la future offensive constitutionnelle.

Le second mandat de Trudeau, de 1972 à 1974, montra combien
son adhésion aux idées sociales-démocrates était tactique. Les
concessions qu'il fit visaient à garder l'appui du NPD. Bien qu'il par-
lât constamment de la Société juste, il n'était guère friand des
mesures sociales qui avaient fait la fortune de la gauche sociale de
Louis Saint-Laurent et Lester B. Pearson. Ainsi, à la fin de l'hiver 1973, le premier ministre permit à Marc Lalonde, ministre du
Bien-Être social, de formuler une nouvelle politique sociale, com-
prenant l'octroi d'une généreuse bonification aux parents et aux
personnes âgées. En donnant le feu vert à son ministre, Trudeau
permettait l'introduction de la première et seule grande mesure
socioéconomique depuis son arrivée en politique au milieu des
années 1960. Signe révélateur, la grande réforme promise ne vit
jamais le jour, se perdant dans le labyrinthe des utopies administra-
tives.

La thérapie du docteur Laurin

En juin 1976, Trudeau dut faire face à un événement qui contre-
carrait son rêve d'un Canada bilingue. Les contrôleurs aériens et les
pilotes de ligne déclenchèrent une grève de protestation contre la

politique de bilinguisme. À leurs yeux, cette politique menaçait la sécurité dans les airs. Le 23 juin, dans un discours télévisé, Trudeau leur demanda de reprendre le travail. Le surlendemain, aux Communes, il affirma que cette grève était la plus grande menace pour l'unité canadienne depuis la crise de la conscription. Le Canada anglais se rangea en bloc derrière la cause des grévistes. Finalement, le ministre des Transports, Otto Lang, s'inclina devant les revendications des grévistes. Les partisans d'un Canada bilingue venaient d'essuyer une sévère défaite. Jean Marchand démissionna du cabinet. Cette crise accentua la popularité de l'idée souverainiste au Québec.

Le 15 novembre 1976, le Parti québécois était porté au pouvoir. Le soir de la victoire, René Lévesque lança sa formule célèbre : « Je n'aurais jamais cru que je pourrais être aussi fier d'être Québécois. » Lévesque parlait aux Québécois de fierté et d'estime de soi. Trudeau, qui connaissait Lévesque depuis longtemps, savait que son adversaire cherchait moins à réaliser l'indépendance qu'à obtenir pour le Québec une forme de reconnaissance au sein du Canada. Le soir de l'élection, déçu du résultat, Trudeau garda néanmoins la tête froide. Il déclara que c'était, en un sens, une victoire pour la démocratie. Le Canada était tellement démocratique qu'il tolérait en son sein un parti voué à sa destruction. Il avertit toutefois les électeurs que le PQ avait été élu avec le mandat de former un bon gouvernement provincial et non pas de réaliser la sécession de la province. Le 24 novembre, Trudeau réserva du temps d'antenne afin de prononcer un discours télévisé. Son discours avait des accents religieux : « Il existe un lien plus profond que le sang. Un lien fondé sur la fraternité, l'espoir et la charité au sens biblique des termes, car si la nation canadienne doit survivre, elle ne pourra le faire que dans le respect mutuel et l'amour du prochain. [La séparation] serait un péché contre l'esprit, un péché contre l'humanité[70]. » Durant les premiers mois qui suivirent la victoire du PQ, Trudeau et Lévesque manœuvrèrent avec finesse, rivalisant pour obtenir l'appui de l'électorat. Le Canada anglais, craignant la menace de sécession, devint plus clément à l'égard de la politique de Trudeau. Lévesque tenta de montrer que son parti cherchait moins la séparation que la renégociation du pacte confédératif, sur la base d'une nouvelle association entre la « nation canadienne » et la « nation québécoise ».

Avant la victoire du PQ, il était exagéré de parler de crise politique canadienne ; après, ce ne l'était plus. Une démocratie prospère comme le Canada, qui faisait l'envie des élites internationales, faisait maintenant face à un mouvement sécessionniste démocratique. La victoire électorale de René Lévesque était la preuve que la politique linguistique de Trudeau avait échoué. La proportion des francophones dans l'État fédéral avait certes augmenté. Mais sa croissance était lente et se faisait au prix de la naissance d'un mythe du *French power* dans les provinces anglophones. L'assimilation des francophones hors Québec n'avait pas été contrée, exception faite des communautés à l'intérieur de la ceinture Sault-Sainte-Marie–Moncton. Pour tout dire, les Québécois francophones jugeaient que la politique des langues officielles était sans intérêt. À tort ou à raison, plusieurs pensaient qu'elle concernait surtout la minorité anglophone au Québec et la minorité francophone dans le reste du Canada. Au sein même des forces fédéralistes au Québec, certains en vinrent à la conclusion que Trudeau aurait dû suivre la voie de Laurendeau en répondant d'abord aux aspirations des Québécois francophones.

C'est Camille Laurin qui tenta de s'attaquer au problème. René Lévesque l'avait nommé ministre de la Culture et chargé de formuler une nouvelle politique linguistique. Laurin était un ami de Pierre Trudeau. Durant les années 1950, les deux hommes, habitant le même quartier à Outremont, faisaient en soirée de longues marches, épiloguant sur l'avenir du Canada français. Le « docteur Laurin », c'est ainsi qu'on l'appelait, avait une conception bien particulière du passé canadien-français. Dans son analyse, la religion catholique avait eu une fonction compensatrice pour un peuple faible et vulnérable[71]. Comme beaucoup d'intellectuels de sa génération, Laurin utilisait le vocabulaire de la pathologie sociale. Il s'était donné la tâche de guérir le « malade canadien-français ». L'examen de son inconscient collectif révélait un blocage psychologique, attribuable à un catholicisme sclérosé, voire débilitant. Laurin voyait dans son futur projet de loi 101 l'équivalent d'une cure aux soins intensifs[72]. Le « diagnostic » de Laurin faisait écho aux thèses d'Hubert Aquin sur la « fatigue culturelle ». Laurin souhaitait soulager, revitaliser, énergiser la culture québécoise. Le travail de rédaction de la loi fut laissé à Fernand Dumont. Autre adepte de la sensibilité thérapeutique, ce sociologue avait manifesté dès 1958 la volonté de soumettre l'inconscient collectif canadien-français à une thérapie. Dans son article programmatique de *Cité libre*, Fernand Dumont proposait l'étude des idéologies, ces « pensées funestes », afin de mettre en chantier sa vaste psychanalyse collective. Livrant en 1993 les fruits de ce grand chantier, Dumont conclura : « À force de répéter les mêmes arguments pour persuader le conquérant de la pertinence pour lui de l'existence d'une société française, on finit par en faire ses propres raisons d'être. Il ne faudra plus oublier ce premier niveau de la conscience historique. D'autres s'y superposeront au cours du temps. Ils ne disqualifieront jamais ce tuf fondamental[73]. » Quoi qu'il en soit, le projet de loi 101 fut adopté en 1977, après de longs débats acrimonieux. Cette pièce législative n'en créait pas moins une certaine ambiguïté autour de la finalité du mouvement indépendantiste. S'agissait-il de réaliser l'indépendance ou d'accomplir des actes permettant aux Québécois de « se sentir bien » au sein du Canada ? Les partisans de la politique des petits pas réussirent à imposer leurs vues.

Il faut dire que le scénario d'une défaite électorale de Trudeau devenait de plus en plus plausible. Son troisième mandat tournait au cauchemar. En plus des insuccès de sa politique linguistique et nationale, le gouvernement faisait face à une grave dépression économique : la valeur du dollar baissait ; le chômage augmentait ; le déficit budgétaire se creusait. Les Canadiens critiquèrent de plus en plus les libéraux. Sur les quinze élections partielles tenues durant le troisième mandat, les libéraux n'en remportèrent que deux. C'était la pire performance d'un parti au pouvoir entre deux élections générales. Certains libéraux souhaitaient le départ de Trudeau. Comme d'habitude, placé en difficulté, Trudeau crânait : « De toutes les alternatives, lança-t-il, je suis le meilleur. » La cinquième année du mandat, 1979, fut marquée par une longue valse-hésitation autour du déclenchement d'élections générales. Au début de l'année, il annonça à ses collègues qu'il avait décidé de rester. Sur un ton légèrement paternaliste, il disait vouloir amener les Canadiens « à comprendre le genre de pays qu'ils devraient bâtir ». Le 26 mars, toutefois, il créa une surprise. Il annonça que les prochaines élections générales auraient lieu le 22 mai. Il s'agissait d'une curieuse décision. Il savait pourtant que l'autobiographie de sa femme Margaret, *À cœur ouvert,* serait en librairie à partir d'avril.

Peut-être voulait-il profiter de cette épreuve pour s'attirer la sympathie des électeurs. Le thème de la campagne, « la lutte contre la séparation », faisait écho aux drames personnels du premier ministre. Trudeau accusait Clark d'être esclave des provinces. Dans plusieurs débats publics, son arrogance n'était pas tant dirigée contre ses adversaires que contre les Canadiens eux-mêmes, qui ne voulaient pas entendre parler d'unité nationale. Le jour du scrutin, le vote ontarien fut décisivement favorable aux conservateurs. La plupart des ministres libéraux furent battus. Encore une fois, Trudeau espéra jusqu'à la dernière minute avant de concéder la victoire à son adversaire. Il souhaitait conserver le pouvoir, en gouvernant avec l'appui du NPD. Les libéraux récoltèrent 40 % du vote, contre 36 % pour les conservateurs. Le résultat en nombres respectifs de députés : 136 conservateurs, 114 libéraux, 26 NPD, 6 créditistes. Il ne manquait à Joe Clark que deux sièges pour obtenir une majorité parlementaire. L'appui des créditistes permit aux conservateurs de former le gouvernement.

Les libéraux procédèrent à un bilan de cette défaite. Les conseillers de Trudeau regrettèrent de ne pas avoir fait de promesses électorales. L'exécutif national du parti conclut que c'était la grande cause de la défaite. Le chef libéral n'avait pas réussi à séduire l'électorat sans l'« acheter ». Jugement froid, sans appel, montrant que le Canada, au fond, avait bien peu changé depuis son fameux article sur « L'immoralité politique de la province de Québec ». Cette défaite fit réfléchir le chef libéral. De mai à octobre 1979, il jongla avec l'idée de quitter son poste de chef. À la fin octobre, il annonça à son entourage qu'il prendrait sa retraite. Il le prévint toutefois que l'annonce publique de sa décision se ferait seulement après Noël. Pourtant, trois semaines plus tard, le 21 novembre, il annonça aux Canadiens sa démission. Ce qui soulève une question. A-t-il précipité son geste pour endormir le gouvernement conservateur, l'amenant à déposer un budget austère, susceptible d'entraîner sa chute ? Il y a en effet deux interprétations de l'annonce précipitée de Trudeau. Selon la première, surpris par la défaite du gouvernement Clark, Trudeau aurait accepté de revenir, mais à contrecœur, à la demande de ses parlementaires. Selon la seconde, Trudeau aurait finement orchestré chaque étape de son « retour ». Voyons voir.

Deux semaines après sa démission publique, le 12 décembre, le ministre des Finances, John Crosbie, déposa un budget austère qui s'attaquait au déficit budgétaire. Les hausses d'impôts et de taxes annoncées n'étaient pas des mesures populaires. Le soir même, Trudeau annonça aux journalistes que son parti allait voter contre ce budget. Le lendemain, Trudeau jugea le budget « socialement régressif ». Allait-il revenir sur sa décision de quitter la politique ? Il répondit par une phrase lourde de sens : « Le souverain devra me le demander à genoux et par trois fois. » Plusieurs députés du caucus ne comprirent pas le sens de la remarque. La décision de tenter de battre le gouvernement conservateur ne faisait pas l'unanimité. Plusieurs pensaient que l'électorat n'accepterait pas ce petit jeu. Mais le NPD donna son appui à la stratégie de Trudeau. Le Crédit social, dirigé par Fabien Roy, annonça qu'il s'abstiendrait. Les conservateurs étaient décidément dans l'eau chaude et ils s'en aperçurent trop tard. Le chef libéral prit des mesures pour ramener aux Communes tous ses députés malades ou en séjour à l'étranger. Finalement, les libéraux l'emportèrent par 139 votes contre 133. Le premier ministre Clark déclencha des élections générales pour le 18 février. Mais les libéraux se demandaient : qui allait diriger le parti dans cette nouvelle campagne électorale ? Le souverain dont avait parlé Trudeau possédait trois voix : le caucus, le parti, le cabinet. Le 14 décembre, à la réunion du caucus des députés, plusieurs manifestèrent une préférence pour une course à la direction et favorisèrent ouvertement Allan MacEachen. Trudeau patina. Il finit par lâcher le morceau. Si jamais le caucus lui demandait par un vote écrasant de revenir, il promettait d'accomplir son devoir et de livrer une campagne sans merci. Puis, il quitta son siège en vitesse. MacEachen enchaîna en critiquant l'idée de tenir un congrès à la direction en pleine campagne électorale. Il était ignoble de penser à se lancer dans cette campagne avec un chef comme celui qui, avec brio, venait de faire tomber le gouvernement Clark.

Le lendemain, 15 décembre, l'exécutif national critiqua la décision d'avoir provoqué la chute du gouvernement Clark. Il exigea la destitution du stratège Jim Coutts. Néanmoins, se sentant piégé par la décision du caucus, il somma Trudeau de revenir. À la dernière séance de consultation, qui se tint le 16 décembre, participaient les ministres et les amis intimes. Plusieurs l'incitèrent à ne pas revenir en politique : Andras, Ouellet, Chrétien, Lalonde, Marchand. Ils craignaient que Trudeau, en perdant le référendum, fasse un tort irréparable à la cause fédéraliste. D'autres, cependant, lui intimèrent de revenir : son ami Pelletier (de Paris), MacEachen, ainsi que ses conseillers Coutts et Davey. Il ne fait guère de doute que Trudeau, avant même la chute du gouvernement Clark, avait décidé de revenir comme chef du parti. Il joua donc un peu la comédie durant ces consultations. Il reste que l'opposition de plusieurs de ses ministres et amis l'ébranla. Le 18 décembre, quelques heures avant d'affronter la presse, il pesa longuement le pour et le contre avec Coutts : le sondage prédisant une victoire libérale ; le risque de tenir un congrès à la direction au milieu d'une campagne électorale ; les conséquences de sa victoire dans un référendum. Il se rendit enfin à la conférence de presse et annonça que son devoir était de livrer bataille à Clark.

La campagne électorale ne fut guère enlevante. Trudeau fut prudent, accordant peu d'entrevues, faisant peu de promesses, se contentant d'attaquer son adversaire. Les libéraux eurent recours aux publicités négatives, mode importée des États-Unis. Le jour du scrutin, le 18 février 1980, Trudeau obtint son meilleur résultat électoral depuis 1968 : 147 libéraux, 103 conservateurs, 32 NPD. Au Québec, il rafla 74 des 75 sièges. L'Ontario aussi était rouge. L'Ouest lui échappa complètement, ce qui confirmait une tendance. La débandade du gouvernement Clark provoqua la colère des dirigeants péquistes. Ces derniers avaient attendu le départ de Trudeau avant de déclencher le processus référendaire. La démission de Trudeau sembla d'abord leur donner raison ; mais son spectaculaire retour confirmait l'analyse de ceux qui avaient réclamé un appel au peuple dès 1977.

La souveraineté hamiltonienne

L'idée souverainiste fut fortement influencée par Claude Morin, cet homme secret, tacticien, astucieux[74]. Une chose intéressante à noter est que les idées politiques de l'homme — recherche de la stabilité, de l'ordre, de l'harmonie — le rapprochent plus de l'idéal hamiltonien que de l'idéal jeffersonien. En s'appliquant à donner un relief plus stratégique, plus stable, plus harmonieux au projet souverainiste, il ne compliquait pas la vie de ses adversaires fédéralistes.

Au contraire. Dès 1974, Morin réussissait à encadrer le mouvement
à l'intérieur de bornes prévisibles. « La réalisation de la souveraineté, prévenait-il, ne peut donc pas être instantanée, ni même très
rapide, encore moins brusquée[75]. » Une autre étape fut franchie en
juin 1979, lorsqu'il fit accepter le trait d'union — souveraineté-
association — par les instances du parti. Enfin, en novembre 1979,
le gouvernement péquiste présenta son *Livre blanc sur la souveraineté-association*. La littérature classique sur les mouvements d'indépendance traite de liberté politique, de souveraineté populaire, de
droit à la résistance. Ressemblant plus à un traité de pensée mana-
gériale, le *Livre blanc* était une longue énumération de procédures,
de normes, de systèmes, d'institutions conjointes conditionnelles à
une négociation avec le reste du Canada. Toutes ces palabres théo-
riques avaient pour but, bien sûr, de rendre la « démarche » sérieuse,
prévisible, planifiée dans ses moindres détails. Finalement, en décembre 1979, René Lévesque et ses ministres et conseillers travaillèrent à la formulation de la question référendaire. Certains aspects de
la question divisaient les rédacteurs. La question devait-elle porter
sur la réalisation de la souveraineté ou seulement sur l'obtention
d'un mandat de négocier ? Fallait-il prévoir dans la question un
second référendum pour ratifier l'entente avec le reste du Canada ?
Fallait-il donner une forme interrogative à la question, afin qu'elle
soit *vraiment* légale ? Finalement, le 20 décembre, Lévesque présenta
la question à l'Assemblée nationale. Après un long préambule,
elle demandait : « En conséquence, accordez-vous au gouvernement
du Québec le mandat de négocier l'entente proposée entre le Québec et le Canada ? » Cette question allait devenir une cible de choix
pour Trudeau.

Le débat sur la question référendaire commença à l'Assemblée
nationale le 4 mars 1980, à peine deux semaines après la réélection
de Trudeau. Mieux préparés que les libéraux, les péquistes dominè-
rent les débats, prononçant des discours bien sentis. Ce début de
campagne nettement à l'avantage du camp souverainiste permit aux
fédéraux de Trudeau de prendre progressivement le contrôle de
l'ordre du jour du camp fédéraliste, marginalisant les libéraux provinciaux de Claude Ryan. Depuis la publication de son *Livre beige*,
favorisant un fédéralisme décentralisé, le chef libéral provincial
connaissait des difficultés. La couverture journalistique présentait le

chef libéral comme un politicien anachronique. Il refusait de lire les
sondages, méprisait la télévision et les faiseurs d'opinion. Il menait
sa campagne à l'ancienne, serrant des mains, parcourant les sous-
sols d'église et autres lieux traditionnels du folklore politique canadien-français. À bien des égards, la conception de la démocratie de
Ryan, fortement morale, était l'antithèse de la conception tacti-
cienne de Claude Morin. Le style « antimédiatique » de Ryan aida
Trudeau à prendre subtilement le contrôle de la campagne, avec la
complicité de certains conseillers du chef libéral provincial. Ironi-
quement, le grand tournant de la campagne référendaire se produisit autour du sens de la tradition au Québec. L'attaque de la ministre
à la Condition féminine, Lise Payette, contre le « traditionalisme »
des fédéralistes insulta un grand nombre de Québécoises. Galvani-
sant un segment silencieux de l'électorat, cette gaffe fit déraper
la campagne des souverainistes. Avec raison, ces femmes furent
insultées par l'arrogance de classe de certaines progressistes du Parti
québécois.

Trudeau préféra limiter le nombre de ses interventions
publiques durant la campagne. Le premier discours fut prononcé le
15 avril à la Chambre des communes. Trudeau ridiculisa la volonté
du gouvernement Lévesque de former une association économique
avec le reste du Canada. Le *Livre blanc,* lança Trudeau, prétend que
« souveraineté » et « association » sont inséparables. Or, ni le fédéral
ni les provinces ne sont intéressés par cette offre d'association.
Quant à l'indépendance, comment Lévesque pouvait-il la réaliser,
quand on savait que 74 des 75 députés fédéraux récemment élus s'y
opposaient ? Le 2 mai, Trudeau prononça son deuxième discours, à
la Chambre de commerce de Montréal. Le ramollissement de l'idée
d'indépendance, lança Trudeau, traduisait un manque de courage
politique : « De séparatistes, ils sont devenus indépendantistes. D'indépendantistes, ils sont devenus souverainistes. Mais craignant que
l'option était encore un peu trop limpide, ils sont passés à la souveraineté-association. Ensuite, ils se sont empressés de nous assurer
qu'ils ne feraient pas l'un sans l'autre, que dis-je, ils nous ont priés
de croire qu'ils voulaient seulement un mandat pour les négocier,
pas pour les faire, parce que pour les faire, il y aurait un deuxième
référendum[76]. »

Le 14 mai, à Montréal, Trudeau prononça son discours le plus

éloquent. René Lévesque venait de dire que le côté « Elliott » du premier ministre ressortait durant cette campagne. Le premier ministre
canadien s'empara de cette bévue pour en faire ressortir le côté
« haine de l'Anglais ». Il rappela que la famille de sa mère, les Elliott,
était établie au Québec depuis deux siècles : « Bien sûr, mon nom est
Pierre Elliott Trudeau. Oui, Elliott était le nom de ma mère. Il était
porté par des Elliott qui arrivèrent au Canada, il y a deux cents ans
[…]. Mon nom est québécois, mais il est également canadien. » Il
enchaîna en notant le nom de plusieurs des ténors péquistes : Johnson, Burns, O'Neill. C'est dans ce discours que Trudeau contracta un
engagement solennel : « Je sais que je peux prendre l'engagement le
plus solennel qu'à la suite d'un NON, nous allons mettre en marche
immédiatement le mécanisme de renouvellement de la Constitution
et nous n'arrêterons pas avant que ce soit fait. Nous mettons notre
tête en jeu, nous, députés québécois, parce que nous le disons à vous,
des autres provinces, que nous n'accepterons pas que ce NON soit
interprété par vous comme une indication que tout va bien puis que
tout peut rester comme c'était auparavant. Nous voulons du changement, nous mettons nos sièges en jeu pour avoir du changement[77]. » Il vit qu'il y avait un avantage à dramatiser la situation en
mettant les sièges de son équipe en jeu. Certains pressèrent Lévesque
de riposter à son tour en menaçant de démissionner s'il perdait son
référendum. Il refusa de s'engager sur cette voie ; sous l'influence de
Morin, Lévesque avait pris le parti de banaliser la gravité du vote.
Ainsi, en riposte à l'argument fédéraliste selon lequel le OUI provoquerait le chaos (notamment sur le plan économique), la réponse
des souverainistes consistait à dire « il n'y a aucun risque à voter
OUI », puisqu'il y aurait un second référendum.

L'appui aux souverainistes fondait au fur et à mesure que la
campagne avançait. Selon les sondages, à la fin mars le OUI était à
51 %, à la mi-avril à 48 %, à la fin avril à 45 %. La plupart des
experts estimaient toutefois que les indécis voteraient majoritairement pour le NON. Le jour du vote, 85 % des électeurs se présentèrent aux urnes. Le résultat final, aux yeux des fédéralistes, était ines-
péré : 59,6 % pour le NON et 40,4 % pour le OUI. Réunis au centre
Paul-Sauvé, les partisans du OUI étaient inconsolables. Pauline
Julien se présenta sur la scène pour offrir une « thérapie » : « Je me
sens une femme. Je me sens québécoise, et je me sens optimiste. Ce

qu'il nous faut maintenant, c'est une chanson pour guérir[78]. » René Lévesque apparut enfin, l'air dévasté. Il lança son célèbre « à la prochaine ». Il termina sur une note d'espoir : « Je demeure convaincu que nous avons un rendez-vous avec l'histoire, un rendez-vous que le Québec tiendra, et qu'on y sera ensemble vous et moi pour y assister. Ce soir, je ne pense pas vous dire quand ni comment, mais j'y crois[79]. » Ce rendez-vous dramatique, pourtant, durant toute la campagne électorale, ses ténors avaient pris soin de le nier. Ils avaient préféré présenter l'enjeu du vote dans une posture hamiltonienne, en promettant stabilité, sécurité et harmonie. À ce jeu-là, les fédéralistes étaient plus convaincants[80].

Comment Trudeau réussit-il à battre ses adversaires souverainistes ? Son succès tient à plusieurs raisons. Premièrement, il réagit habilement à l'élection des souverainistes en 1976. Dès l'année suivante, il comprit l'intérêt de se rapprocher du courant fédéraliste dualiste, en faisant miroiter une réforme constitutionnelle qui répondrait aux « besoins du Québec ». Ainsi, durant la campagne référendaire, il attaqua les prétentions de Lévesque à camper la position dualiste. Il ridiculisa avec efficacité l'idée du trait d'union, la possibilité d'une association économique, ainsi que le « mandat de négocier ». Il faut dire que Lévesque facilita la tâche à Trudeau. En retardant la tenue du référendum jusqu'à la fin de son mandat, le chef souverainiste fit un pari risqué. Il espérait affronter un autre adversaire que Trudeau. Le report avait une autre conséquence, plus grave encore. En adoptant une série de réformes, jugées populaires, le gouvernement Lévesque faisait la preuve qu'en un sens « le régime était réformable[81] ». La campagne référendaire confirma cette idée chez les électeurs. Le camp du OUI martela le thème de la continuité historique plutôt que celui de la rupture, ce qui apparaissait incongru aux yeux des électeurs (la propagande du OUI affirmait : « La souveraineté-association, ce n'est [...] ni du statu quo, ni du séparatisme. C'est une formule réaliste qui permettra des changements véritables sans devoir tout bouleverser ni recommencer à zéro »). Car, après tout, le mouvement qui animait les indépendantistes depuis vingt ans cherchait à rompre avec le régime canadien. Pour accentuer le paradoxe, les fédéralistes, eux, promettaient du changement. Il se pourrait que les indécis, placés face à ces deux discours, aient jugé le discours fédéraliste un peu moins hypocrite. C'est cette dissonance dans les discours politiques qui explique la piètre performance des souverainistes, plus que l'affaire des Yvette ou les promesses de Trudeau. En mettant l'accent d'une façon toute hamiltonienne sur la stabilité, l'ordre, l'harmonie et en refusant d'assumer l'élément de rupture qu'exige toute fondation politique, les souverainistes condamnaient à l'avance la pertinence de leur projet.

Cela n'enlève rien au cynisme de Trudeau. L'homme ne recula devant rien pour arriver à ses fins. Ainsi, en 1980, quelques mois après sa victoire référendaire, il se débarrassa de certains de ses conseillers, trop « agneaux » à son goût, André Burelle d'abord, puis Gordon Robertson. Au sujet de ce dernier, Trudeau concéda : « Disons simplement qu'à cette dernière étape il fallait presque un putsch, un coup de force, et Gordon était beaucoup trop gentleman pour cela. La lutte serait âpre : Gordon Robertson n'était pas l'homme qu'il fallait. C'était un mandarin dévoué au bien commun qui craignait tout dommage irréparable au tissu social du pays. J'ai donc choisi quelqu'un d'autre[82]. »

Le triomphe du chartisme

Dans les dix-huit mois qui suivirent le référendum de mai 1980, Pierre Elliott Trudeau déclassa complètement son rival René Lévesque. Au lendemain du référendum, le chef péquiste était placé devant différentes options. La première aurait consisté à démissionner. Claude Ryan aurait ainsi hérité de la délicate tâche de négocier le renouvellement du fédéralisme avec les premiers ministres canadiens. La deuxième option était de ne rien faire du tout sur le front constitutionnel. Plusieurs ministres du caucus de Lévesque pensaient qu'aucun gain ne pouvait être fait car Trudeau n'était pas assez souple. La troisième option était de participer aux négociations constitutionnelles que désirait mettre en branle Trudeau. Contrairement à l'avis de plusieurs membres de son caucus, le premier ministre québécois décida de s'engager sur cette voie. Lévesque craignait que Trudeau mette à exécution sa menace de rapatriement unilatéral de la Constitution. Plusieurs autres premiers ministres provinciaux redoutaient aussi ce coup de force du fédéral. Lévesque craignait tout particulièrement que le rapatriement unilatéral inclue une charte des droits qui, à terme, invaliderait la Charte de la langue française. En avril 1981, le Québec forma un pacte avec les provinces dissidentes, la « bande des huit ». Opposées au rapatriement unilatéral, elles souhaitaient un rapatriement négocié. C'est dans cette négociation historique avec la « bande des huit » que Lévesque abandonna le droit de veto historique du Québec. Ce droit de veto, que le Québec pensait posséder depuis 1867, permettait de bloquer toute réforme constitutionnelle. L'abandon du veto était risqué. Ce risque aurait été légitime s'il avait été certain que la cohésion de la « bande des huit » était forte. Or, cette cohésion n'existait pas.

Au moment de la négociation finale, début novembre 1981, Trudeau réussit à créer une brèche dans la solidarité unissant la « bande des huit ». Dans une discussion à bâtons rompus, Trudeau lança un défi à Lévesque. Si celui-ci était vraiment démocrate, il accepterait de tester l'ensemble de l'accord constitutionnel au moyen d'un référendum. Voulant jouer au démocrate, Lévesque accepta. Dans ce duel aux accents chevaleresques, Lévesque oublia que le référendum était la hantise des premiers ministres provinciaux. Plusieurs membres de la « bande des huit », en colère contre Lévesque, ne se sentirent plus liés par le pacte. La « bande des huit » venait d'éclater. Le premier ministre du Québec venait-il d'être victime d'un piège, délicatement tendu par Trudeau ? Il se pourrait que Lévesque, déjà à ce moment, ait été conscient que le pacte de la « bande des huit » était fondamentalement contre nature. Il n'en fallut guère plus pour que, la nuit suivante, les négociateurs provinciaux et fédéraux s'entendent en l'absence de ceux du Québec.

Si ce coup de force contre Lévesque fut applaudi dans toutes les régions du Canada, il faut se garder des interprétations simplistes. Ainsi, Trudeau fut loin d'être une marionnette obéissant passivement au diktats du Canada anglais. En fait, sa réforme constitutionnelle était loin de répondre aux aspirations de la majorité canadienne-anglaise. La nouvelle Constitution biffa toute référence à l'Amérique du Nord britannique. Effacer le lien qui unissait le Canada à la Grande-Bretagne n'était pas une idée populaire dans le reste du Canada. De même, dans plusieurs milieux, l'enchâssement de la Charte des droits dans la Constitution était considéré comme une violation du principe sacré de la souveraineté du Parlement. En fait, la nouvelle Constitution était aussi étrangère aux aspirations traditionnelles des Canadiens anglais qu'à celles des Québécois francophones. L'esprit hamiltonien de 1982 était manifeste. On le sait, en 1867, la genèse impériale de la fédération canadienne conserva plusieurs éléments quasi fédéraux : le caractère très centralisé du pouvoir judiciaire ; la fonction du lieutenant gouverneur ; les pouvoirs de réserve et de désaveu ; le pouvoir déclaratoire et l'octroi des pouvoirs résiduaires au palier fédéral ; les pouvoirs d'urgence, ainsi que celui de dépenser[83]. En 1982, le Canada délaissa en douceur le lien colonial avec Londres, mais conserva plusieurs résidus impériaux. Trudeau institua un fédéralisme impérial, où le gouvernement fédéral devint un gendarme à l'égard des provinces, les traitant de colonies rebelles : la primauté de la Charte atténua le principe fédéral ; la procédure d'amendement consacra l'égalité des provinces ; le multiculturalisme et le bilinguisme furent sacralisés. L'institution hamiltonienne par excellence, le pouvoir exécutif, acquit encore plus de puissance au détriment des Communes. Qui plus est, la nouvelle Constitution déplaça la légitimité politique du Parlement vers l'instance judiciaire[84]. Elle permit que les tribunaux réévaluent les choix législatifs des Parlements élus. Trudeau décupla le pouvoir de la Cour suprême. Le premier ministre prit soin que le choix des juges restât du ressort du cabinet fédéral, sans être validé par le peuple ou par les provinces. Les Parlements, crispés par l'effet des décisions de justice comme si elles émanaient d'un concile infaillible, n'osèrent plus rétablir la voix du peuple par l'adoption de clauses dérogatoires[85].

Revenons au nom donné à l'événement. À juste titre, les journalistes et les historiens l'ont toujours qualifié de *réforme* et non de *révolution*. Cela peut apparaître anodin. Mais c'est un point important de la tradition politique canadienne. Les intellectuels canadiens, génération après génération, valorisèrent cette caractéristique de l'histoire nationale canadienne. Le Canada n'était-il pas l'une des rares sociétés occidentales à n'avoir jamais connu de révolution ? Cette absence de fondation radicale devint une preuve de la supériorité du régime canadien. Ainsi, en 1982, comme en 1867, les élites politiques ne sollicitèrent pas la souveraineté populaire. Les Trudeau, Lalonde, MacEachen, comme les Cartier, Macdonald, Galt, n'ont pas voulu soumettre l'accord à un appel au peuple. Il est cependant plus difficile d'expliquer pourquoi le gouvernement

Lévesque, lui, n'a pas soumis la réforme à un référendum dans la province de Québec. L'accusation de trahison à l'égard de Trudeau reste, à ce jour, le principal argument contre la réforme. Pourquoi les souverainistes n'ont-il pas dénoncé le contenu antidémocratique de l'entente, plutôt que la manière ? Pourquoi ne l'ont-ils pas soumise à l'électorat québécois ? L'absence de réplique à la réforme de 1982, en apparence mystérieuse, peut toutefois s'expliquer. Pour trois raisons, il était délicat, pour Lévesque et ses ministres, de dénoncer trop bruyamment les termes mêmes de l'entente. La première raison, c'est que la formule d'amendement n'était pas très différente de celle prônée par la « bande des huit ». La deuxième raison, c'est que les effets de l'enchâssement de la Charte des droits sur les pouvoirs provinciaux étaient somme toute assez limités[86]. La troisième raison, c'est que la majorité des membres du cabinet de René Lévesque adhéraient silencieusement à la philosophie chartiste. Combattre la réforme de Trudeau dans une campagne référendaire aurait amené plusieurs ténors péquistes à vivre des dilemmes moraux. Les ministres péquistes les plus importants ne pouvaient s'empêcher de penser, en silence bien sûr, que ces nouveaux droits constitutionna-lisés représentaient un progrès social. Ces ministres étaient des membres ou des sympathisants du Parti de la cour, cette constella-tion intellectuelle qui rénova la grammaire politique durant les années 1970[87]. À titre de Québécois, ces ténors péquistes voyaient la réforme Trudeau comme une petite défaite. À titre de membres de la classe managériale-professionnelle nord-américaine, ils gagnaient une glorieuse bataille. Une preuve de l'adhésion tacite des ténors souverainistes à la philosophie chartiste est qu'ils ne critiquèrent pas cet aspect de la réforme de 1982. La philosophie chartiste fit ainsi beaucoup plus consensus au Québec qu'au Canada anglais.

L'adieu aux maîtres chanteurs

La réforme constitutionnelle accomplie, Trudeau prépara sa retraite au début de 1984. Avant de partir, il profita de cette accalmie pour récompenser ses nombreux collaborateurs. Les journalistes furent presques unanimes à désapprouver l'orgie de patronage qui avait marqué ses derniers mois au pouvoir. Il laissa ainsi un cadeau

empoisonné à son successeur John Turner. Le chef libéral démissionna le 29 février 1984, déclenchant ainsi une campagne à la
direction du parti. Le 13 juin 1984, au Centre civique à Ottawa,
après avoir reçu un dernier hommage de ses partisans, il fit ses
adieux et quitta la scène avec ses trois fils. Trudeau ne fut pas complètement inactif. Il se joignit à la prestigieuse firme d'avocats Hee-
nan & Blaikie, spécialisée dans les relations patronales-syndicales,
réputée pour son antisyndicalisme. La conjoncture politique évolua
toutefois rapidement dans les années qui suivirent.

Le Parti conservateur de Brian Mulroney remporta les élections
fédérales de 1984 : 211 conservateurs, 40 libéraux, 30 NPD. Le
30 avril 1987, à la surprise générale, les onze premiers ministres
annoncèrent la signature d'un accord constitutionnel, l'accord du
lac Meech, qui permettrait au Québec d'adhérer à la Constitution
canadienne dans « l'honneur et l'enthousiasme ». Les journaux québécois écrivirent que c'était Mulroney qui avait tenu la promesse
faite aux Québécois durant la campagne référendaire de 1980. Trudeau était d'autant plus furieux que le Parti libéral du Canada ne
s'était pas opposé à l'entente. Et derrière l'accord se trouvait l'influence de « séparatistes » convertis à la cause de Mulroney : Lucien
Bouchard, Marcel Masse, Gilles Loiselle.

Trudeau demanda à son ami Gérard Pelletier comment il fallait
réagir à la nouvelle offensive séparatiste. Pelletier lui suggéra d'intervenir publiquement dans la presse québécoise. Séduit par l'idée,
Trudeau téléphona à Michel Roy, rédacteur en chef de *La Presse,*
pour lui demander si son journal accepterait de publier sa position
dans ses pages. Roy accepta. Rapidement, Trudeau alla lui porter son
pamphlet. Il s'agit d'un texte violent qui annonce la désintégration
du pouvoir fédéral au profit des élites provinciales. La fin du texte
est restée célèbre. Plusieurs commentateurs soulignèrent qu'elle
était trop violente et qu'elle n'était pas digne d'un ancien premier
ministre. En fait, ce passage est intéressant pour une tout autre raison. Il est profondément hamiltonien, prédisant l'anarchie qui
résulterait d'un affaiblissement du pouvoir fédéral et, plus spécifiquement, de son pouvoir exécutif :

> Hélas ! on avait tout prévu sauf une chose : qu'un jour le gouverne-
> ment canadien pourrait tomber entre les mains d'un pleutre. C'est

maintenant chose faite. Et Brian Mulroney, grâce à la complicité de dix premiers ministres, est entré dans l'Histoire comme l'auteur d'un document constitutionnel qui — s'il est accepté par le peuple et les législateurs — rendra l'État canadien tout à fait impotent. Dans la dynamique du pouvoir, cela voudrait dire qu'il sera éventuellement gouverné par des eunuques[88].

La colère de Trudeau monta quand il s'aperçut que plusieurs de ses compagnons de route du Québec (Serge Joyal, Francis Fox) n'étaient pas hostiles à l'accord du lac Meech. En fait, la lutte contre cet accord était menée par des alliés des autres provinces : Frank McKenna au Nouveau-Brunswick, Sharon Carstairs au Manitoba et Clyde Wells à Terre-Neuve. Certains journalistes canadiens-anglais se joignirent à la croisade anti-Meech, associant l'accord à celui sur le libre-échange canado-américain. Les deux accords étaient démonisés, associés à la destruction de la nationalité canadienne. L'accord du lac Meech spécifiait que, pour qu'il entre en vigueur, les premiers ministres provinciaux devaient le faire entériner par leurs législatures dans un délai de trois ans. En juin 1990, Terre-Neuve et le Manitoba ne l'avaient pas encore fait. Le 21 juin 1990, le mouvement pro-Meech perdit la bataille, deux provinces manquant toujours à l'appel. Le lendemain, Jean Chrétien était élu chef du Parti libéral du Canada et donnait l'accolade à Clyde Wells, l'un des héros de la résistance anti-Meech. Enfin, le 23 juin, le premier ministre du Québec, Robert Bourassa, eut une réplique quasi souverainiste : « Le Québec est aujourd'hui et pour toujours une société distincte, libre d'assumer son destin et son développement. »

Le gouvernement fédéral eut une autre initiative constitutionnelle au début des années 1990. Elle visait à répondre aux recommandations de la commission Bélanger-Campeau mise sur pied par le gouvernement Bourassa. Les pourparlers constitutionnels entre les premiers ministres produisirent une nouvelle entente, l'accord de Charlottetown, qui fut soumise à un référendum pancanadien. Trudeau était à nouveau fortement opposé à l'entente. Par un beau paradoxe, les trudeauistes se trouvèrent, durant cette campagne référendaire, dans le même camp que les souverainistes québécois. En octobre 1992, Trudeau publia un autre violent pamphlet, dans la revue *L'actualité*. Instructif, l'article révéla comment l'homme jugeait l'évolution politique du peuple québécois. C'était une façon pour lui de faire le point par rapport à ses thèses des années 1950. Il cita même, au début de l'article, un extrait de son premier texte publié en 1950 dans *Cité libre* : « Le pays ne peut exister sans le Québec, pensons-nous. Donc, attention à nos susceptibilités [...]. Nous nous fions à notre pouvoir de chantage pour affronter l'avenir [...]. Nous sommes en voie de devenir un dégueulasse peuple de maîtres chanteurs. » Dans l'article « Le chantage québécois », il montrait comment, depuis quarante ans, les élites politiques québécoises faisaient chanter le reste du Canada. Donnant moult exemples de ce chantage, il conseillait aux autres provinces de cesser de jouer à ce petit jeu, qui finirait par mener à la fin du Canada. Si par le passé il avait toujours pris soin de condamner les élites, tout en ménageant le peuple québécois[89], il semblait avoir jeté l'éponge. Son seul espoir résidait maintenant dans la capacité du Canada anglais de dire NON une fois pour toutes.

> Il se trouve encore au Canada anglais de bonnes âmes prêtes à prendre ces enfantillages au sérieux, et à enjoindre leurs compatriotes de payer chaque nouvelle rançon, de peur de rater cette nouvelle « dernière chance » de sauver le Canada. Ils n'ont pas encore compris, les pauvres, que la soif nationaliste est inaltérable et que chaque nouvelle rançon payée pour écarter la menace de scission encourage les maîtres chanteurs à renouveler la menace et à doubler la rançon... « Les Canadiens français n'ont que des sentiments », disait Laurier. Or, pour des politiciens sans scrupule, il n'y a pas de moyen plus facile de faire appel aux sentiments que de sonner « l'appel de la race ». Les Canadiens français ne pourront se débarrasser de ce genre de politicien que si le chantage cesse d'être rentable, c'est-à-dire que le Canada refuse de chanter[90].

Longtemps, Trudeau se plut à penser que c'était l'élite qui corrompait un peuple honnête, apte à la vertu. Mais la vieillesse contribua à effacer cette cruciale distinction. D'autant plus qu'il prenait cruellement conscience que sa « refondation » ne faisait pas l'unanimité, au Québec, dans le reste du Canada et même dans son cercle d'amis. Chantage, marchandage, immoralité politique. Près d'un demi-siècle de vie politique séparait le texte de 1992 de celui de 1952. Pourtant, les choses ne semblaient pas avoir changé. Et les choses, pourrait-on ajouter, ne semblent pas avoir changé en effet. Trudeau fit peut-être l'erreur d'attribuer aux mœurs politiques canadiennes-françaises ce qui était au cœur de la tradition politique canadienne. Si nous relisons certains textes clés de la pensée rouge (Dorion, Dessaulles, Buies, le jeune Laurier) et du libéralisme canadien-anglais (William Lyon Mackenzie, Goldwin Smith, Edward Blake), il est difficile de ne pas penser ainsi. Ce que Trudeau ne vit pas, c'est que le marchandage et le chantage étaient inhérents à l'idéal hamiltonien. Sa colère contre les maîtres chanteurs était exacerbée par le constat troublant que la société québécoise au fond n'avait pas changé et qu'il avait donc échoué à en vaincre l'immoralité politique.

Le 28 septembre 2000, à Montréal, Pierre Elliott Trudeau mourut, emporté par le cancer. Il finit ses jours avec la tristesse d'avoir perdu un fils. Mais cette tristesse était aussi celle d'un homme qui s'est battu toute sa vie et qui, au soir de la mort, juge que cela n'a rien donné. Les derniers jours de Trudeau ressemblent, à cet égard, à ceux de Wilfrid Laurier. Des funérailles nationales furent célébrées. Exposé d'abord dans la capitale, il fut ensuite transporté par train, symbolisme oblige, jusqu'à Montréal. Les hommages furent nombreux et convergèrent sur un point : l'homme avait profondément changé le Canada. On oublia que ses derniers textes prétendaient précisément le contraire. Le jour de son décès, son héritier politique, Jean Chrétien, envoya de la Jamaïque un télégramme à l'intention des Canadiens : « Pierre, mon ami [...], plus que jamais, ton rêve est bien vivant. Au revoir et merci[91]. » Le rêve social-démocrate ? Le rêve chartiste ? Ou le rêve hamiltonien ? Deux mois plus tard, le rêve était bien vivant. L'héritier fut reporté au pouvoir par les constituantes fondatrices du Canada impérial de 1867 : l'Ontario, les Maritimes et le Québec.

Une Amérique du Nord hamiltonienne

J'ai tenté de montrer dans les chapitres précédents que la durée et la stabilité étaient les fins fondamentales de la tradition politique canadienne. Leur importance explique pourquoi les Canadiens ont si souvent renouvelé leur confiance aux mêmes hommes politiques. Ces deux fins, nous l'avons vu, sont au cœur de l'idéal hamiltonien. Les hommes politiques canadiens qui se sont le plus illustrés sur la scène fédérale ont tous adhéré à cet idéal, en l'adaptant aux circonstances de leur époque. Ils adhérèrent généralement à une conception centralisatrice du fédéralisme canadien. Ils établirent une politique économique protectionniste et nationaliste. Ils utilisèrent les ressources de l'État au moyen du clientélisme et du patronage dans le but de bâtir de larges coalitions politiques. Enfin, ils tournèrent le dos à une conception isolationniste en matière de politique étrangère.

Revoyons brièvement comment chacun se conforma plus spécifiquement à l'idéal hamiltonien. Macdonald embrassa une conception du fédéralisme allant nettement dans le sens de l'idéal politique d'Alexander Hamilton. Son explication des causes de la guerre de Sécession, « un fédéralisme trop décentralisé », révèle qu'il en attribuait la faute à l'idéal jeffersonien. Par conséquent, il fut le plus centralisateur des Pères fondateurs canadiens, souhaitant même que les provinces finissent par avoir la taille de gouvernements municipaux. Le caractère centralisé de l'Union fédérale était impératif, selon lui, pour appuyer sa politique économique, fortement protectionniste et nationaliste. Cet argument, liant centralisation politique et protectionnisme économique, était plaidé avec éloquence aux États-Unis durant les années 1840 et 1850 par les whigs américains de Henry Clay, héritiers de la tradition hamiltonienne[1]. Comme eux, Macdonald vit dans l'État un instrument pour édifier une Amérique du Nord britannique, en appuyant la bourgeoisie industrielle et en créant un marché national d'un océan à l'autre. L'expansion de l'État fédéral lui permit de cimenter une large coalition politique, au moyen du patronage et du clientélisme. Macdonald était aussi profondément hamiltonien dans son attachement à une politique de grandeur impériale, où le Canada était appelé à jouer un rôle crucial, celui de relais entre l'Atlantique et le Pacifique. Sa vision impérialiste allait de soi car il se considérait comme un « sujet britannique d'abord ». Ses vues sur l'Empire et sur le rôle du Canada dans la politique impériale jouèrent un rôle déterminant dans son couronnement, dans les mois ayant précédé la fondation du nouveau régime en 1867.

Laurier fut le plus jeffersonien des hommes politiques étudiés dans cet essai. Mais, afin de s'emparer du pouvoir, il dut atténuer les éléments jeffersoniens de sa plate-forme politique. Sa conception du fédéralisme était plus décentralisatrice que celle de Macdonald. Par attachement au provincialisme libéral, il refusa souvent d'intervenir en faveur des minorités hors Québec, voulant respecter l'esprit de 1867. En matière économique, il continua la politique protectionniste et nationaliste de Macdonald. Il fut incapable de libéraliser le commerce avec les États-Unis comme il le souhaitait. Il échoua d'abord parce que le gouvernement fédéral américain y était hostile durant ses trois premiers mandats. Puis, lorsqu'il arracha un accord, en 1910, la classe industrielle torontoise l'expulsa du pouvoir. Comme Macdonald, il bâtit une large coalition politique en s'associant à des capitalistes industriels et en exploitant les ressources du patronage. La traversée du désert des libéraux fédéraux, entre 1878 et 1896, lui avait donné une leçon de prudence politique. Mais Laurier eut recours au patronage avec beaucoup plus de retenue que le Père fondateur. Sur le plan international, le Canada accentua son rôle d'acteur dans les conflits militaires. Il raffina le style hamiltonien de la politique étrangère canadienne. Il le fit souvent à contrecœur, forcé par les événements, à une époque où l'impérialisme et le militarisme atteignaient des sommets dans l'Empire. Il se donna par conséquent un objectif modeste : préserver la mince mais précieuse marge d'autonomie politique canadienne.

Mackenzie King embrassa aussi l'idéal hamiltonien avec une certaine retenue. Sa conception du fédéralisme était fortement influencée par la vieille tradition libérale provincialiste de Dorion, Mowat, Laurier. Après avoir résisté aux tendances centralisatrices, il finit par céder à la fin des années 1930, sous l'influence des membres de son cabinet et de son parti. En matière économique, il poursuivit la tradition protectionniste et nationaliste. Le contexte socioéconomique des années 1930 et la pression politique venant des jeunes disciples du Nouveau Libéralisme contribuèrent à l'abandon du libéralisme économique classique. Mais il veilla toujours à ce que la social-démocratie ne soit pas écrasée par les tendances bureaucratiques. Mackenzie King embrassa comme ses prédécesseurs une conception de l'État où le patronage était mobilisé à des fins partisanes. Sur le plan international, il amena le Canada à défendre une position interventionniste par solidarité avec les nations anglo-saxonnes. Il fut un acteur important dans la formation d'une alliance atlantique durant les années 1940, jouant un rôle clé dans les négociations entre Roosevelt et Churchill. Ainsi, il inaugura une tradition : le Canada s'imposerait sur la scène internationale comme agent de la paix face aux grandes puissances militaires.

Trudeau fut aussi hamiltonien que John A. Macdonald. Sa conception du fédéralisme devint fortement centralisatrice à partir des années 1960, dans le contexte de la montée du séparatisme. Avant cette période, il respectait jusqu'à un certain point le caractère décentralisateur du nationalisme canadien-français. Influencé par la philosophie du pluralisme politique en Angleterre, il demeurait méfiant face aux tendances à la centralisation et à la concentration du pouvoir. Durant la Révolution tranquille, cette méfiance s'estompa. En matière économique, il continua la politique protectionniste et nationaliste de ses prédécesseurs. Marquées par une dépression économique, les années 1970 s'avérèrent propices à cette action. Il était d'autant plus à l'aise avec cet héritage politique qu'il se méfiait des États-Unis, beaucoup plus que Laurier et Mackenzie King. Trudeau donna une nouvelle impulsion à l'expansion de l'État fédéral et en tira un profit politique en multipliant les postes attribués aux amis du régime. Bien qu'il fût parfois un sincère défenseur de la justice sociale, il utilisa souvent l'État moins pour atteindre cette fin que pour donner une légitimité politique à ses alliés chartistes. Sous son règne, il infantilisa le pouvoir législatif en rendant le pouvoir exécutif proprement tentaculaire. Le bureau du premier ministre ressembla de plus en plus à une cour, dont la fonction fut d'entendre les doléances des courtisans du régime. Entre 1968 et 1984 augmentèrent de façon exponentielle le nombre de postes, d'emplois, de privilèges tributaires des avis du pouvoir exécutif. En matière internationale, il fut fortement interventionniste, en adoptant un humanitarisme ostentatoire. Face à la politique hamiltonienne américaine, militariste et impériale, il proposa une politique moins belliqueuse, mais qui n'était pas moins fondée sur une idée de grandeur. Il soutint des croisades en faveur d'une politique humanitaire et pacifiste, plus souple à l'égard des ennemis des États-Unis (Cuba, Vietnam, Chine). Là aussi, il voulut assumer l'héritage politique de Mackenzie King, Saint-Laurent et Pearson. En compagnie d'autres petits pays, le Canada avait un rôle à jouer dans la paix internationale. En ce sens, il adapta la tradition canadienne issue de l'âge impérial, où le dominion canadien modérait les « ardeurs militaristes » de la métropole de l'Empire. Si la politique de grandeur hamiltonienne menée par les États-Unis au moyen de la guerre ne fut pas un gage de réussite sur le plan de la politique intérieure, on peut en dire autant de la politique de grandeur de Trudeau. Ses sermons sur la paix, qu'il prononça aux quatre coins de la planète avant de quitter la politique, cachaient mal les germes de zizanie nationale qu'il venait de semer dans son propre pays.

*   *   *

Les portraits proposés dans ce livre laissent entendre que ces idées maîtresses de l'idéal hamiltonien étaient des conditions de réussite politique au Canada. En rédigeant ces portraits, je me suis cependant aperçu qu'à ces quatre conditions principales s'en ajoutaient quatre autres. Pour les distinguer, je les nomme « conditions secondaires ». Les voici : 1) le lien écossais ; 2) la formation d'homme de loi ; 3) l'appui d'un bloc canadien-français ; 4) la

tyrannie du centre. La première condition, le lien écossais, peut surprendre car elle n'est jamais évoquée dans les débats politiques.
Pourtant, nos quatre politiciens hamiltoniens avaient tous un lien
avec la culture politique écossaise[2]. Un intellectuel français, André
Siegfried, nota l'influence écossaise dans la vie collective au Canada :

> La part des Écossais dans la formation du Canada est considérable :
> ils y ont apporté un sérieux démocratique, inspiré de l'esprit
> réformé, qui est notamment très sensible dans l'enseignement ; ils
> lui ont aussi constitué une solide épine dorsale de banquiers, par-
> tout notables, considérés influents. Dans l'annuaire téléphonique
> de Montréal, les *Mac* remplissent dix pages : arrachez ces dix pages,
> Montréal n'est plus une capitale financière, simplement un
> immense village français, avec une petite garnison d'Anglais ! Les
> Écossais ne se mêlent pas beaucoup avec les autres éléments de la
> population britannique ; ils entretiennent par contre des relations
> cordiales avec les Canadiens français : les mariages mixtes, qui ne
> sont pas rares, aboutissent souvent à la francisation paradoxale de
> gens qui s'appellent MacDonald ou Forbes, sans garder rien d'autre
> qui rappelle leur première origine ! Cette tonalité écossaise du
> Canada explique bien des choses, au point qu'un Canadien résu-
> mait ainsi les trois caractéristiques d'après lesquelles son pays se
> distingue des États-Unis : le climat, le Grand Nord, la marque de
> l'Écosse[3] !

Les origines intellectuelles de l'État canadien furent liées au
Parti de la cour anglais[4], un courant politique en Angleterre fortement influencé par les auteurs des *Lumières écossaises*[5]. Pour les
Adam Ferguson, David Hume, Adam Smith, le commerce était une
activité qui favorisait la civilité, la politesse et la tolérance entre les
communautés. En outre, la forme monarchique était plus apte à
assurer la stabilité, l'harmonie et la prospérité d'une société commerciale. C'est le caractère centralisé du pouvoir exécutif de la
monarchie qui était garant du progrès commercial. Au Canada, plusieurs des Pères fondateurs de 1867 chérissaient le *lien écossais*
depuis leur plus tendre enfance. Les plus connus étaient John A.
Macdonald, George Brown, Alexander T. Galt. Macdonald naquit en
Écosse et parlait avec nostalgie de sa région natale, les Highlands.

Bien que d'obédience conservatrice, il réforma son parti afin de le rendre moins hostile au libéralisme de la classe industrielle. Wilfrid Laurier, lui, vécut dans sa jeunesse une cruciale expérience d'immersion au sein d'une famille écossaise, qui le marqua pour le reste de sa vie. Son anglais était teinté de l'accent écossais. Lorsqu'il vantait le libéralisme anglais, c'était celui qui avait été largement influencé par les *Lumières écossaises*. W. L. Mackenzie King était d'origine écossaise par les deux branches de sa famille. Il assuma le fardeau du passé, comme en font foi les nombreuses pages de son journal consacrées à sa mère et à son grand-père, William Lyon Mackenzie. Pierre Trudeau ajouta le « Elliott » à son nom moins pour se détacher de ses origines canadiennes-françaises que pour affirmer sa fidélité à la souche écossaise transmise par sa mère, Grace Elliott. Elle imprima sur son fils une puissante influence. La veuve de Charles Trudeau tenait salon, à Outremont, pour initier à la culture et à la tolérance les jeunes radicaux qui fréquentaient son fils.

La formation d'homme de loi est une autre condition de réussite de la politique canadienne. Devenir avocat était et reste un important rite de passage pour ceux qui aspirent à exercer des responsabilités publiques. Nos quatre politiciens hamiltoniens firent leur droit. La formation juridique s'imposait d'autant plus que notre régime politique est d'inspiration britannique. Pour s'initier à la politique, pour la comprendre, pour s'y tailler une place, il est impératif de connaître le régime juridique anglais. Décrivant l'itinéraire classique de nos politiciens, Jean-Charles Bonenfant écrit : « L'homme politique était un bourgeois d'une certaine aisance, ayant de préférence une formation juridique, se faisant élire à la chambre basse pour mourir plus tard conseiller législatif, sénateur ou juge[6]. » L'avocat était la figure centrale de cette classe qualifiée de « noblesse professionnelle » au XIXᵉ siècle. Le futur premier premier ministre du Québec, Pierre O. J. Chauveau, en fit une fine description dans son roman *Charles Guérin* :

> C'est ce qui est arrivé à notre noblesse d'autrefois. Aussi est-elle tombée ; et dans l'opinion des gouvernants, pour qui elle n'avait de valeur qu'en tant qu'elle représentait une nationalité, et dans l'opinion du peuple, qui, la voyant elle, dans l'ignorance et les excès, l'a

énergiquement flétrie du nom de *noblaille,* tout comme il aurait dit *valetaille.* Il y a une nouvelle noblesse, la noblesse professionnelle, née du peuple, qui a succédé à la noblesse titrée. Qu'elle y prenne garde, si elle oublie son origine, si elle suit le même chemin [...]. Le même sort l'attend[7] !

Il est erroné de penser que la carrière d'avocat se soit imposée plus naturellement dans la politique du XIXe qu'aujourd'hui. Elle est plus impérative que jamais. Les sociétés contemporaines, fortement judiciarisées, imposent la maîtrise du jargon et des subtilités juridiques. La réforme de 1982 a fait le bonheur de la classe juridique[8]. La conséquence de cette réforme n'est pas d'avoir conforté les intérêts des « autres provinces », des « Canadiens anglais » ou des « fédéralistes ». Ces interprétations négligent le fait que cette réforme reste très critiquée dans de nombreux milieux au Canada. En renforçant les privilèges de la classe juridique, cette réforme parachevait la nature hamiltonienne du régime canadien. En 1982, la Cour suprême reçut le lustre jadis accordé à la couronne, dans le but de limiter l'instabilité de la législature. En compagnie des groupes chartistes, elle reçut le mandat de définir les consensus nationaux, loin des passions populaires. Comme l'écrit le grand juriste canadien Peter W. Hogg :

> Le réel désavantage d'une constitution qui ne soit ni écrite, ni complète est que les normes de la constitution ne s'offrent pas d'emblée à la connaissance des non-juristes. Les lois constitutionnelles de 1867 et de 1982 se présentent plutôt comme des outils techniques à l'usage des juristes et dépourvus d'élégance, de concision et parfois difficiles à comprendre[9].

Une autre condition indispensable à la prise du pouvoir, puis à sa conservation, consiste à s'allier à un solide bloc de députés canadiens-français[10]. Ce que nos compatriotes canadiens-anglais ont longtemps appelé la « domination française ». C'est en remplissant cette condition que John A. Macdonald, impopulaire en Ontario, bâtit son long règne politique. S'appuyant sur un lieutenant québécois (Cartier, puis Langevin) respecté dans une large section de la province de Québec, il put compter sur la loyauté de cet électorat.

Durant cet âge d'or du conservatisme canadien, Laurier connut les misères de la marginalité politique. Élection après élection, il réussit à gruger au Québec les majorités conservatrices de son adversaire jusqu'à son triomphe en 1896. Le chef libéral obtint la confiance de cet électorat au prix d'une dilution du jeffersonisme de sa jeunesse. Durant tout son règne, le Québec vota libéral. Même lors de la défaite de 1911, c'est l'Ontario qui fit défection, au profit de Borden. Témoin attentif des années Laurier, le jeune W. L. Mackenzie King comprit que l'appui du Québec était indispensable au succès des libéraux. Cette conviction le dissuada d'adhérer au cabinet de coalition de Borden en 1917. Il espérait conserver ses chances de diriger un jour le parti que son grand-père avait mené en 1837. La fidélité de Mackenzie King à l'électorat du Québec n'était pas que tactique. C'est avec sincérité, de 1920 à 1944, qu'il promit de ne jamais imposer la conscription. Il ne rompit sa promesse qu'au fil d'arrivée, au moment où les Alliés avaient un pressant besoin de soldats pour terrasser l'armée d'Hitler. Pierre Elliott Trudeau sut lui aussi ce qui faisait la force des libéraux. Cela joua sans doute dans sa décision de ne pas faire carrière au sein du CCF, « un parti, avoua-t-il un jour, qui ne percera jamais au Québec ». Optant plutôt pour le parti de Laurier, il gagna la confiance du Canada français durant toutes les campagnes électorales qu'il mena. La réforme de 1982 n'aurait jamais été adoptée s'il n'avait pas été en mesure de dire à ses ministres : « Écoutez, j'ai derrière moi tous les députés fédéraux du Québec, sauf un. » Ce n'est qu'à la suite de cette réforme que l'électorat québécois échappa aux libéraux fédéraux.

Une dernière condition repose sur la capacité du chef de se camper en plein centre de l'échiquier politique[11]. Occuper ainsi le centre exige de bâtir de larges coalitions. Pour un chef conservateur, cela signifie convertir des libéraux modérés ; inversement, un prétendant libéral doit courtiser des conservateurs modérés. Macdonald traça la voie au début des années 1860 en séduisant une large brochette d'adversaires politiques : Alexander T. Galt, Thomas D'Arcy McGee, George Brown, William McDougall. Trente ans plus tard, Laurier réussit le même coup. Il convertit ou amadoua plusieurs bleus : Joseph-Israël Tarte, Louis-Adélard Sénécal, Adolphe Chapleau, Arthur Dansereau, en plus d'attirer trois premiers ministres libéraux : Oliver Mowat (Ontario), William Fielding

(Nouvelle-Écosse), Andrew Blair (Nouveau-Brunswick). Mackenzie King suivit les enseignements de son chef, mais les appliqua différemment. Il allait moins courtiser les bleus que ramener au bercail plusieurs déserteurs, qui s'étaient compromis avec le cabinet d'union en 1917 et qui avaient ensuite tenté l'expérience du Parti progressiste : William Fielding, Thomas Crerar, Clifford Sifton. À partir des années 1930, l'arrivée du CCF lui facilita la tâche, en se situant à sa gauche. Mais une menace pointait à l'horizon. Le « centre libéral » avait disparu dans plusieurs pays européens, notamment en Angleterre. Afin d'éviter le sort des whigs anglais, il entreprit de démoniser les radicaux, à gauche comme à droite. Il est étonnant que le Parti libéral ait survécu au Canada pendant qu'il disparaissait dans la plupart des pays occidentaux ; qu'il soit devenu hégémonique au XXe siècle, comme le Parti conservateur le fut au XIXe, est puissamment révélateur. Aux yeux des Canadiens, la présence d'un centre très large, voué à la stabilité, à la durée, à l'harmonie, est indispensable pour que le conflit des factions radicales ne verse pas dans l'anarchie.

À cet égard, Trudeau n'alla pas à contre-courant. Le milieu des années 1950 marquait la fin de six décennies de domination politique libérale. Ce parti entra en crise en 1958 et le resta jusqu'à l'élection de 1968. Durant cet intervalle, ni les libéraux ni les conservateurs ne réussirent à obtenir une majorité électorale. Trudeau réussit à dénouer cette crise en élargissant le centre de l'échiquier politique, en jouant sur deux tableaux. D'un côté, il réussit à gagner à sa cause plusieurs porte-parole de minorités : linguistiques, ethniques, sexuelle, jeunes, etc. Il devint l'homme des nouveaux mouvements sociaux en colère contre une « tradition étouffante » (protestante au Canada anglais, catholique au Canada français). Le dialogue entre deux « majorités nationales » sous l'égide de Pearson fut ainsi court-circuité par une coalition de minorités galvanisée par Trudeau[12]. Cette adhésion au radicalisme culturel représentait un tournant majeur pour ce parti qui, sous Mackenzie King, Saint-Laurent, Pearson, s'adressait principalement à la classe moyenne et en appelait à un égalitarisme socioéconomique. De l'autre côté, en maintenant la ligne dure sur la question du Québec et en favorisant un fédéralisme hamiltonien, Trudeau grugeait l'électorat traditionnellement conservateur. Ce n'est pas un hasard si plusieurs de ses compagnons de route possédaient des antécédents familiaux conservateurs : Trudeau lui-même, fils de Charles Trudeau, organisateur politique de Duplessis et de Camillien Houde ; son conseiller Michael Pitfield, fils d'un sénateur conservateur de la bourgeoisie anglo-montréalaise ; Frank Scott, fils d'un pasteur anglican conservateur anglo-québécois ; Eugene Forsey, monarchiste *red tory*. Dans la turbulence des années 1960, ces hommes virent dans le Parti libéral le véhicule le plus efficace pour offrir une solution de rechange politique à une jeunesse progressiste attirée par les idéaux de la décolonisation[13].

* * *

Interprétant la tradition politique dans les termes du clivage libéral-conservateur, George Grant prétendit que le Canada avait pris le parti du conservatisme et rejeté le modèle américain[14]. Il m'a semblé intéressant de reprendre ce débat sur la tradition politique, mais à partir du clivage entre les idéaux jeffersonien et hamiltonien. Je ne doute pas que le clivage libéral-conservateur puisse nous apprendre des choses. Mais le clivage jeffersonien-hamiltonien apporte des nuances qui nous ont échappé depuis quelques décennies. Si on examine d'abord la question de la genèse du Canada et des États-Unis, un fait crucial apparaît. Tandis que les États-Unis ont été fondés sur une tension entre les deux idéaux, le Canada, lui, a été plus purement créé selon l'idéal hamiltonien. En effet, l'idéal jeffersonien a été moins populaire dans l'Amérique du Nord britannique.

Il est important de comparer non seulement la genèse mais aussi l'ensemble des traditions politiques canadienne et américaine. La première s'est déployée suivant un mode gradualiste. Les institutions politiques se sont conformées à l'idéal hamiltonien en respectant un développement stable et harmonieux. La tradition politique américaine, elle, s'est plutôt créée suivant un mode catastrophique. Elle a été marquée par l'abandon abrupt et violent de l'idéal jeffersonien, en quelques secousses violentes et sismiques. Depuis le milieu du XXe siècle, les États-Unis ont abandonné la visée formatrice républicaine qui consistait à penser que les institutions économiques doivent favoriser des qualités de caractère propices à l'exercice de la liberté politique. Les deux grands partis américains, démocrate et républicain, n'adhèrent plus à cette finalité. Les débats politiques renvoient maintenant seulement à la croissance économique nationale et à la justice distributive. Ainsi, à partir de la fin du XIXe siècle, le Canada et les États-Unis ont vécu en conformité avec l'idéal hamiltonien, non pas pour devenir parfaitement identiques, mais pour en offrir deux variantes. Cette convergence est devenue plus évidente depuis vingt ans. Elle semble avoir donné du poids à la thèse de l'américanisation du Canada. Cette thèse, pourtant, mériterait d'être repensée, non qu'il n'y ait pas de menace pour l'avenir du Canada, mais parce que certaines idées attribuées généralement à l'américanisation étaient en fait privilégiées dès le début du XIXe siècle par les élites loyalistes[15].

J'ai en somme dépeint dans ce livre le triomphe de l'idéal hamiltonien. Bien que je pense avoir fait preuve d'objectivité, le lecteur conclura sans doute que j'ai une préférence pour l'idéal jeffersonien. En fait, ma position est que les idéaux jeffersonien et hamiltonien, poussés à leur extrême limite, peuvent mener à des aberrations. Ainsi, nous avons un triste exemple d'une dérive de l'idéal jeffersonien dans le phénomène des milices d'extrême-droite aux États-Unis. Comme nous avons vu dans la guerre du Vietnam un terrible exemple de dérive de l'idéal hamiltonien. Si j'ai dépeint ici avec plus d'empathie l'idéal jeffersonien, c'est pour une raison précise. L'idéal hamiltonien a triomphé sans partage en Amérique du Nord, au risque de pétrifier le domaine public. La vie publique pourrait davantage susciter l'intérêt des citoyens si une véritable tension s'instaurait entre ces deux idéaux. En 1910, dans *Promise of the American Life*, Herbert Croly invitait ses compatriotes à accorder la primauté à l'idéal hamiltonien sur l'idéal jeffersonien, ou, en d'autres termes, à devenir plus nationalistes que démocrates[16]. Il se pourrait que les Canadiens aient, dans les prochaines années, à faire le chemin inverse. Ne serait-il pas possible de réintroduire plus d'éléments jeffersoniens dans notre tradition politique ? Depuis la fin des années 1960, les nationalistes québécois et les nationalistes canadiens, par leur lutte conjuguée, ont fortement contribué à pétrifier le régime politique et à dégrader l'espace public. Ils l'ont fait involontairement, mais le résultat n'en est pas moins inquiétant.

Instaurer une telle tension entre les deux idéaux exigerait, en tout premier lieu, de mieux apprécier les modestes aspects républicains qui se sont furtivement présentés sur la scène politique canadienne[17]. La tradition jeffersonienne, si elle a été marginale, n'a toutefois pas été complètement absente du Canada. Les William Lyon Mackenzie, Louis-Joseph Papineau, Antoine-Aimé Dorion, Honoré Beaugrand ont forgé une tradition cachée, qui réapparaît dans certains épisodes politiques de notre histoire. Je crois utile d'en rappeler ici trois aspects. Le premier, c'était la philosophie même du Parti libéral jusqu'au milieu du XXe siècle[18]. Les idées politiques défendues par ce parti étaient souvent inspirées par l'idéal jeffersonien : la défense de la classe moyenne (artisans, fermiers, petits marchands), la démocratisation des institutions politiques et civiques, la décentralisation administrative, l'opposition au gigantisme bureaucratique et à la concentration économique (« big business » et « big government »). Le deuxième aspect était l'esprit d'indépendance des députés face au cabinet[19]. Les représentants du peuple étaient moins asservis qu'aujourd'hui aux diktats du cabinet. Ils ne permettaient ni au cabinet ni au premier ministre d'adopter sans résistance n'importe quelle pièce législative. Durant la préparation de lois importantes, les ministres du cabinet avaient toutes les peines du monde à obtenir la loyauté de leurs députés. Cette dépendance des ministres à l'égard des représentants du peuple les rapprochait du simple citoyen. Enfin, le troisième aspect était le principe de l'autonomie provinciale[20]. Aujourd'hui associé à une forme douce de tribalisme, ce principe a pourtant été conceptualisé par les meilleurs esprits libéraux canadiens du XIXe siècle. Ce principe était adopté non seulement par les premiers ministres provinciaux de l'époque, mais aussi par les ténors du Parti libéral fédéral.

Certes, ces trois aspects « républicains » n'ont pas disparu de la politique canadienne, mais ils ont été fortement atténués. Depuis les années 1960, le Parti libéral du Canada a complètement abandonné le testament politique légué par les jeffersoniens canadiens. À plusieurs égards, les libéraux sous Trudeau ont plutôt parachevé la synthèse impériale de John A. Macdonald[21]. À cette différence près que l'idée de liberté politique, au XIXe siècle, n'avait pas encore complètement disparu de l'idéal hamiltonien. L'un des rares aspects républicains à avoir survécu dans les débats politiques est le principe de l'autonomie provinciale. Mais, dans les mains des régionalistes de l'Ouest ou celles des nationalistes québécois, ce principe a été amputé de son humanisme d'origine. Les appels à la décentralisation du fédéralisme sont rarement associés aujourd'hui à un projet de démocratisation des institutions politiques et civiques ou à une lutte contre la concentration économique. La volonté des uns et des autres est plutôt de rapatrier des pouvoirs et de les mettre au service d'un État aussi hamiltonien que le gouvernement fédéral. Les provincialistes contemporains cherchent à créer un *Alberta Inc* ou un *Québec Inc,* comme jadis Alexander Hamilton rêva de créer un *América Inc* et John Macdonald, un *Canada Inc.*

Redécouvrir l'idéal jeffersonien exigerait de réintroduire dans la grammaire politique contemporaine, à côté de la croissance économique et de la justice, une troisième finalité : la liberté politique. Plusieurs prétendent que la nature même des sociétés capitalistes rend cette idée impraticable. À l'âge de la concentration économique, nous devrions renoncer à exercer une influence sur les décisions qui nous concernent. Il reste que, dans de nombreux pays et de nombreuses régions du Canada et du Québec, des voix s'élèvent pour réclamer que les citoyens recommencent à exercer un contrôle démocratique sur leurs communautés et leurs gouvernements. Il semblait utopique, en 1860, de réaffirmer la liberté politique. Pourtant, la synthèse proposée par Abraham Lincoln y parvint, en proposant un nouveau mariage des idéaux hamiltonien et jeffersonien, adapté aux circonstances de son temps. Cet exemple est particulièrement inspirant. Un homme d'origine modeste, né dans une cabane en rondins du Kentucky, réussit à réanimer l'esprit du républicanisme en reformulant avec brio les idéaux politiques légués par les whigs et les démocrates. L'exemple de Lincoln influença profondément Wilfrid Laurier, lui donnant le courage de persévérer pour vaincre ultimement l'oligarchie conservatrice au milieu des années 1890.

Pour adhérer à mon argument, encore faut-il être convaincu de la légitimité des idéaux politiques. Ce qui n'est pas acquis. Les deux grandes idéologies contemporaines dominantes, le libéralisme et le conservatisme, sont fondées sur l'idée d'un mouvement historique irréversible. Le libéral voit dans ce mouvement un progrès de la liberté. Le conservateur, lui, perçoit plutôt dans ce mouvement un déclin de l'autorité. Or, selon Hannah Arendt :

on peut dire que les nombreuses oscillations de l'opinion publique,
qui, pendant plus de cent cinquante ans, a balancé à intervalles
réguliers d'un extrême à l'autre, d'une humeur libérale à une
humeur conservatrice, pour revenir de nouveau à une humeur plus
libérale, s'efforçant tantôt de réinstaller l'autorité et tantôt de réinstaller la liberté, ont eu pour seul résultat de saper davantage les
deux, de mélanger les questions, d'effacer la ligne de démarcation
entre l'autorité et la liberté et finalement de détruire la signification
politique des deux [...]. C'est en ce sens qu'elles constituent les
deux faces d'une même médaille, de même que leurs idéologies du
progrès ou de la catastrophe correspondent aux deux directions
possibles du processus historique en tant que tel. Si l'on admet,
comme le font le libéralisme et le conservatisme, qu'il existe
quelque chose comme un processus historique [...] il ne peut évidemment nous mener qu'au paradis ou en enfer[22].

Croire en un mouvement historique irréversible nous décharge
de l'obligation de veiller attentivement au bien commun et, le cas
échéant, d'agir en conformité avec un idéal. Le pessimisme de
George Grant était précisément fondé sur l'idée d'un mouvement
historique menant d'une façon irréversible vers le déclin de l'autorité, du conservatisme politique et, ultimement, du Canada. Son
propos, fataliste, était vraiment une lamentation. Il n'y avait plus
aucun espoir et il était vain de réagir par une action concrète. Ainsi,
libéraux et conservateurs, pensant en termes de « progrès » ou de
« déclin », disqualifient la légitimité d'une action concrète dans la
cité. Cette façon de raisonner a été accréditée par les partis politiques contemporains, qui semblent eux aussi avoir renoncé à
défendre des idéaux politiques. Telles des girouettes, ils jouent un
rôle de porte-voix des nouvelles tendances devant lesquelles nous
serions obligés de nous incliner. Au début du XXe siècle, déjà, l'écrivain anglais G. K. Chesterton avait souligné le caractère puéril d'une
telle attitude :

De nos jours, nous voyons mentionner le courage et l'audace avec
lesquels certains rebelles s'en prennent à une tyrannie séculaire ou
à une superstition désuète. Ce n'est pas faire preuve de courage que
de s'en prendre à des choses séculaires ou désuètes, pas plus que de

provoquer sa grand-mère. L'homme réellement courageux est celui qui brave les tyrannies jeunes comme le matin et les superstitions fraîches comme les premières feuilles[23].

Au terme de cette enquête sur les fins du Canada, je ne suggère pas de choisir entre adhérer à l'idée de progrès et adhérer à un idéal politique. Le progrès ne doit pas être opposé à un idéal, qu'il soit politique, artistique ou scientifique. Mais il est impossible de parler de progrès si, préalablement, l'on n'a pas défini l'idéal ou la finalité par rapport à laquelle on doit le mesurer. Il n'y a pas de progrès s'il n'y a pas d'idéal commun qui nous inspire. Le progrès indique seulement le chemin parcouru dans une direction, mais il ne précise pas cette direction. Si nous avons un doute sur la direction, nous aurons nécessairement un doute sur le progrès réalisé. Durant le Siècle des lumières, les hommes ne doutaient pas qu'il y eût un progrès car ils étaient réunis autour d'un idéal clairement articulé. Jefferson, Hamilton, Danton, Paine, ne parlaient pas d'efficacité, de réussite, de solutions pratiques. Par-delà leurs divergences, ces hommes ont lutté pour un idéal politique. Ils ont changé la face du monde, convaincus que les fins sont les phares de l'action politique.

Remerciements

La rédaction de ce livre s'est étalée sur quatre années. De 1997 à 1999, le Conseil de recherches en sciences humaines du Canada m'a permis de réaliser des stages postdoctoraux à Paris et dans la région de New York. Au Centre de recherches politiques Raymond-Aron de l'École des Hautes Études en Sciences sociales de Paris, j'ai profité des conseils de Pierre Manent, de Claude Lefort et de Pierre Rosanvallon. Au Centre de recherches nord-américaines de cette même école, j'ai eu des échanges précieux avec l'historien américain Richard W. Fox. Je veux aussi souligner la stimulation intellectuelle que m'ont apportée les professeurs Dick Howard et Dana Bramel durant mon séjour à l'Université d'État de New York à Stony Brook (Long Island).

Durant l'année scolaire 1999-2000, j'ai été professeur invité Desjardins au Programme d'études sur le Québec de l'Université McGill. Alain-G. Gagnon et Stephan Gervais m'ont offert des conditions idéales pour l'avancement de mon manuscrit. L'année suivante, j'ai exercé la même fonction à la faculté des sciences sociales de l'Université Laval. Je tiens à souligner l'aide inestimable que m'a procurée le Département de sociologie et de science politique, plus particulièrement les professeurs Gilles Gagné, Guy Laforest et Simon Langlois. Durant ces années, plusieurs professeurs m'ont généreusement prodigué leurs avis : Yvan Lamonde, Gérard Bouchard, Jocelyn

Létourneau, Hubert Guindon, Claude Couture, Kenneth McRoberts, Brian Young, Michèle Dagenais, Ronald Rudin, Jean-Paul Bernard et Louis Rousseau.

Je dois confier ici qu'une part considérable de mon inspiration a germé en des lieux non institutionnels. Je reconnais donc l'apport d'amis et de collègues qui m'ont suggéré des pistes, contredit ou rassuré sur des faits ou des hypothèses : Marc Chevrier, Éric Bédard, Jean Gould, André Bourgeois, Antoine Robitaille, Daniel Jacques, Jean-Philippe Warren, Francis Dupuis-Déri, Xavier Gélinas, Christian Roy, Daniel Tanguay, Martin Meunier et Sylvie Lacombe. Merci à l'équipe des Éditions du Boréal d'avoir donné vie à ce livre. Enfin, je tiens à exprimer toute ma gratitude à ma femme Marie-Claude Bourgeois. Elle m'a accordé le temps et le soutien moral nécessaires à l'achèvement de cet exercice intellectuel.

Notes

INTRODUCTION • LA TRADITION POLITIQUE AU CANADA

1. Sur le phénomène des longs règnes politiques au Canada, voir Gordon T. Stewart, *The Origins of Canadian Politics*, Vancouver, University of British Columbia, 1986.
2. Consulter Forrest McDonald, *The American Presidency. An Intellectual History*, Kansas, University Press of Kansas, 1994.
3. À titre d'exemple, voir le livre de Janet Ajzenstat et Peter J. Smith, *Canada's Origins. Liberal, Tory, or Republican?*, Ottawa, Carleton University Press, 1995. Les contributions récentes de Saul, Bouchard et Létourneau, bien qu'elles ne portent pas sur la tradition politique, sont néanmoins utiles. John Saul, *Réflexions d'un frère siamois*, Montréal, Boréal, 1998 ; Gérard Bouchard, *Genèse des nations et cultures du Nouveau Monde*, Montréal, Boréal, 2000 ; Jocelyn Létourneau, *Passer à l'avenir*, Montréal, Boréal, 2000.
4. George Grant, *Lament for a Nation*, Ottawa, Carleton University Press, 1965 ; *Est-ce la fin du Canada?*, Montréal, Hurtubise HMH, 1985.
5. Sur Alexander Hamilton, il faut consulter Gerald Stourzh, *Alexander Hamilton and the Idea of Republican Government*, Stanford, Stanford University Press, 1970.
6. David E. Smith, *The Republican Option in Canada. Past, Present and Future*, Toronto, University of Toronto Press, 1999.
7. Gordon Wood, *The Creation of the American Republic*, Chapel Hill, University of North Carolina Press, 1969 ; Dick Howard, *La Naissance de la pensée américaine*, Paris, Aubier, 1987.
8. Les auteurs suivants ont montré la persistance du jeffersonisme pendant quelques décennies : J. G. A. Pocock, *The Machiavellian Moment. Florentine Political Thought and the Atlantic Republican Tradition*, Princeton, Princeton University Press, 1975 ; Lance G. Banning, *The Jeffersonian Persuasion. Evolution of a Party, Ideology*, Ithaca, Cornell University Press, 1978 ; Robert Remini, *Andrew Jackson and the Course of American Freedom, 1822-1832*, New York, Harper Row, 1981.
9. Sur le triomphe de l'idéal hamiltonien au XXᵉ siècle, voir Michael Lind, *The Next American Nation and the Fourth American Revolution*, New York, Free Press, 1995 ; Michael J. Sandel, *Democracy's Discontent. America in Search of a Public Philosophy*, Cambridge, Belknap University Press, 1996.

10. Voir l'étude pénétrante de Paul Romney, *Getting it Wrong : How Canadians Forgot Their Past and Imperilled Confederation,* Toronto, University of Toronto Press, 1999.
11. Montesquieu, *Considérations sur les causes de la grandeur et de la décadence des Romains,* dans *Œuvres complètes,* Paris, Gallimard, coll. « Bibliothèque de la Pléiade », 1949, p. 31.
12. Hannah Arendt, *La Crise de la culture,* Paris, Gallimard, 1972, p. 26.

PROLOGUE • LES IDÉAUX JEFFERSONIEN ET HAMILTONIEN

1. Gordon Wood, *op. cit.,* chap. 2.
2. Thomas Jefferson, *Notes on the State of Virginia,* « Query XIX », dans *Jefferson Writings,* Merrill D. Peterson (dir.), New York, Library of America, 1984, p. 290.
3. *Ibid.,* p. 291.
4. J. G. A. Pocock, *op. cit.,* chap. 15.
5. Michael J. Sandel, *op. cit.,* chap. 5.
6. Drew McCoy, *The Elusive Republic : Political Economy in Jeffersonian America,* Chapel Hill, University of North Carolina Press, 1980 ; John F. Kasson, *Civilizing the Machine : Technology and Republican Values in America, 1776-1900,* Harmondsworth, Penguin Books, 1976.
7. Le fait est rapporté par Thomas Jefferson, dans *The Anas (1791-1806),* dans *Jefferson Writings, op. cit.,* p. 670-671.
8. *Ibid.,* p. 671.

CHAPITRE PREMIER • JOHN A. MACDONALD. 1815-1891

1. Joseph Pope, *The Day of Sir John A. Macdonald,* Toronto, Glasgow, Brook, 1915, p. 9.
2. John A. Macdonald, « Speech at St. Thomas », 1860, *ibid.,* p. 16.
3. Voir là-dessus : Jane Errington et George Rawlyk, « The Loyalist-Federalist Alliance of Upper Canada », *American Journal of Canadian Studies,* 1984, vol. XIV, n° 2, p. 157-177.
4. Joseph Pope, *op. cit.,* p. 27-28.
5. Sur les années 1840, consulter Jacques Monet, *La Première Révolution tranquille. Le nationalisme canadien-français (1837-1850),* Montréal, Fides, 1981.
6. Sur les *Clear Grits,* voir Dale Thomson, *Alexander Mackenzie. Clear Grit,* Toronto, Macmillan, 1960.
7. Sur le parti réformiste, voir J. M. S. Careless, *Brown of the Globe,* vol. I et II, Toronto, Macmillan, 1959 et 1961.
8. Voir Brian Young, *George-Étienne Cartier. Bourgeois montréalais,* Montréal, Boréal, 1980 ; André Désilets, *Hector-Louis Langevin. Un père de la confédération canadienne,* Québec, PUL, 1969. Stéphane Kelly, *La Petite Loterie,* Montréal, Boréal, 1997.
9. Jean-Paul Bernard, *Les Rouges,* Montréal, PUQ, 1970.
10. Il n'existe pas de synthèse satisfaisante du courant libéral modéré. On en décèle l'existence dans le livre de Bernard.
11. Dans Donald Swainson, *Sir John A. Macdonald. The Man and the Politician,* Kingston, Quarry Press, 1989, p. 41.
12. Joseph Pope, *Memoirs of the Right Honorable Sir John Alexander Macdonald,* vol. 1, Ottawa, J. Durie and Son, 1894, p. 167.
13. *Ibid.,* p. 176.
14. D. G. G. Kerr, *Sir Edmund Head, a Scholarly Governor,* Toronto, University of Toronto Press, 1954.
15. Dans Donald Creighton, *John A. Macdonald. Le Haut et le Bas-Canada,* vol. 1, Montréal, Éditions de l'Homme, 1952, p. 234.

16. *Ibid.*, p. 235.
17. Dans James A. Gibson, « Sir Edmund Walker Head », *DBC*, vol. IX : *1861-1870*, Québec, PUL, 1977, p. 420.
18. Donald Creighton, *op. cit.*, p. 236.
19. Lettre à M. C. Cameron, 3 janvier 1872, dans John Pope, *The Day...*, p. 58.
20. Dans Donald Creighton, *op. cit.*, p. 228.
21. Sur le *deadlock*, voir Christopher Moore, *How the Fathers Made a Deal*, Toronto, McClelland and Stewart, 1997.
22. Voir Jacques Monet, *op. cit.*, et J. M. S. Careless, *op. cit.*
23. Voir Jacques Monet, *op. cit.*
24. Donald Creighton, *op. cit.*, p. 271.
25. Sur l'opinion des élites impériales durant les années 1850 et 1860, voir Ged Martin, *Britain and The Ideological Origins of Canadian Confederation*, Victoria, University of British Columbia Press, 1996.
26. 15 mars 1864, dans Donald Creighton, *op. cit.*, p. 306.
27. Lettre de Cardwell à Gladstone, 12 novembre 1864, dans *ibid.*, p. 337.
28. *Ibid.*, p. 329.
29. *Globe*, 21 septembre 1864. Cité dans *ibid.*, p. 321.
30. *Ibid.*, 1er décembre 1864, p. 335.
31. *Débats parlementaires sur la question de la Confédération des provinces de l'Amérique britannique du Nord*, Ottawa, Hunter, Rose et Lemieux, 1865, p. 17.
32. *Débats*, p. 17.
33. *Débats*, p. 27.
34. *Débats*, p. 29.
35. *Débats*, p. 34.
36. *Débats*, p. 33.
37. *Débats*, p. 35.
38. *Débats*, p. 43.
39. *Débats*, p. 43.
40. *Débats*, p. 174, 13 février 1865.
41. *Débats*, p. 42.
42. *Débats*, p. 1001.
43. *Débats*, p. 999.
44. *Débats*, p. 1002-1003.
45. Dans George-Étienne Cartier, *George-Étienne Cartier (1814-1914)*, Montréal, Édition du Centenaire, 1914, p. 81-82.
46. Sur cet épisode, consulter Donald Swainson, *op. cit.*
47. Sur le vicomte Monck, consulter Elisabeth Batt, *Monck, Governor General, 1861-1878*, Toronto, Macmillan, 1976.
48. Monk à Macdonald, 24 mai 1867, dans Joseph Pope, *Correspondence of Sir John A. Macdonald*, Toronto, J. Durie and Son, sans date, p. 46.
49. J. M. S. Careless, *Brown of the Globe*, vol. II : *Statesman of Confederation. 1860-1880*, p. 260-283.
50. Dans ce chapitre, j'utilise le compte rendu des élections fédérales générales de J. M. Beck, *The Pendulum of Power*, Scarborough, Prentice-Hall, 1968.
51. Sur ce point, voir les premiers chapitres de la thèse de Marcel Caya, « La formation du Parti libéral au Québec. 1867-1887 », thèse de doctorat, département d'histoire, York University, 1981.
52. Macdonald à Tupper, 27 avril 1871, dans Donald Creighton, *John A. Macdonald. La naissance d'un pays incertain*, vol. 2, Montréal, Éditions de l'Homme, 1981, p. 93.
53. Sur le Canada First, voir Carl Berger, *The Sense of Power. Studies in Ideas of Canadian Imperialism, 1867-1914*, Toronto, Toronto University Press, 1976.
54. *Ibid.*, p. 56-59.

55. Le récit de Pierre Berton est utile, *Le Grand Défi : le chemin de fer canadien,* Montréal, Éditions de l'Homme, 1975.

56. Sur les méthodes de patronage de Macdonald, voir Gordon T. Stewart, « Political Patronage Under Macdonald and Laurier 1878-1911 », *The American Review of Canadian Studies,* vol. X, n° 1, printemps 1980, p. 3-26.

57. Sur Allan, consulter Brian J. Young, et Gerald J. J. Tulchinsky, « Sir Hugh Allan », *DBC,* vol. XI, 1881-1890, Québec, PUL, 1982, p. 5-17.

58. Macdonald à Rose, 13 février 1873, dans Donald Creighton, *op. cit.,* vol. 2, p. 139.

59. Dufferin à Kimberley, 29 mai 1873, dans *ibid.,* p. 144.

60. Macdonald à Dufferin, 7 aout 1873, dans *ibid.,* p. 149.

61. Dufferin à Macdonald, 19 octobre 1873, dans *ibid.,* p. 153.

62. Dans Pierre Berton, *op. cit.,* p. 55.

63. Dans Joseph Pope, *Memoirs, op. cit.,* vol. 2, p. 194.

64. Dans *ibid.,* p. 194.

65. Dans Pierre Berton, *op. cit.,* p. 87.

66. Donna McDonald, *Lord Strathcona, a Biography of Donald Alexander Smith,* Toronto, Dundurn Press, 1996, p. 221.

67. Dans Mail, 17 novembre 1873, dans Donald Creighton, *op. cit.,* vol. 2, p. 162.

68. C. W. de Kiewiet et F. Underhill, *Dufferin-Carnavon Correspondence, 1874-1878,* Toronto, Champlain Society, 1955, p. xxv-xxx.

69. Lettre de Dufferin à Mackenzie, 19 novembre 1976, dans *ibid.,* p. xxxii.

70. Dufferin à Carnavon, 18 mars, 1874, dans Donald Creighton, *op. cit.,* vol. 2, p. 164.

71. Lettre de Dufferin à Mackenzie, 8 décembre 1874, dans C. W. de Kiewiet et F. Underhill, *op. cit.,* p. xxxi.

72. Dans Donald Creighton, *op. cit.,* vol. 2, p. 171.

73. Sur les négociations de Brown avec les Américains, voir J. M. S. Careless, *Brown of the Globe, Statesman of Confederation 1860-1880,* vol. 2, chap. 9 et 10.

74. Dans Donald Creighton, *op. cit.,* vol. 2, p. 202.

75. *Mail,* 11 juin 1878, dans *ibid.,* p. 205.

76. Sur la pensée whig, voir Daniel Walker Howe, *The Political Culture of the American Whigs,* Chicago, Chicago University Press, 1979. Sur les vues économiques des whigs, consulter : Lawrence Frederick Kohl, *The Politics of Individualism : Parties and the American Character in the Jacksonian Era,* New York, Oxford University Press, 1989.

77. Dans *ibid.,* p. 204.

78. Le texte de Disraeli qui redéfinit le conservatisme était *Vindication of the English Constitution,* (1835), dans H. W. J. Edwards, *The Radical Tory,* Londres, Jonathan Cape, 1937, p. 119-145.

79. W. F. Monypenny et G. E. Buckle, *The Life of Benjamin Disraeli, Earl of Beaconsfield,* New York, 1920, vol. 6, p. 477.

80. Dans Pierre Berton, *op. cit.,* p. 55.

81. Lettre de Landsdowne à Macdonald, 31 août 1885, dans Pierre Alfred Charlebois, *La Vie de Louis Riel,* Montréal, VLB, 1991, p. 223.

82. *Ibid.,* p. 220-221.

83. Lettre de Macdonald à Landsdowne, *ibid.,* p. 326.

84. *Ibid.,* p. 327.

85. George Parkin, *John A. Macdonald,* Toronto, Morang, 1908, p. 244.

86. Sur la ligue, voir Carl Berger, *The Sense of Power, op. cit.*

87. Sur les idéologies préraciales et les mouvements « panraciaux » en Angleterre et en Europe, voir Hannah Arendt, *L'Impérialisme,* Paris, Fayard, 1982.

88. Goldwin Smith, *Canada and the Canadian Question (1891),* Carl Berger (éd.), Toronto, University of Toronto Press, 1971.

89. Sur le pansaxonnisme et l'idéal de la fédération impériale, voir William Christian, *Jour-*

nal of Canadian Studies, « Canada's Fate : Principal Grant, Sir George Parkin and George Grant », vol. 34, n° 4, hiver 1999-hiver 2000, p. 88-104.

90. G. M. Grant, « Second Notice. Review of *Canada and the Canada Question* », *The Week*, 15 mai 1891, p. 380-382. Reproduit dans Carl Berger, *Imperialism and Nationalism, 1884-1914 : A Conflict in Canadian Thought*, Toronto, Copp Clark, 1969, p. 22-26.
91. George R. Parkin, *The Imperial Federation. The Problem of National Unity*, Londres, Macmillan, 1892.
92. Joseph Pope, *Memoirs, op. cit.*, vol. 2, p. 336.
93. *Ibid.*, p. 336.
94. Dans Wilfrid Laurier, *Discours à l'étranger et au Canada*, Montréal, Beauchemin, 1909, p. 131.
95. Charles Dilke, *Problems of Greater Britain*, London, Macmillan, 1890.

CHAPITRE 2 • WILFRID LAURIER. 1841-1919

1. Robert Kelley, *The Transatlantic Persuasion : The Liberal Democratic Mind in the Age of Gladstone*, New York, Alfred Knopf, 1969.
2. Joseph Schull, *Laurier. The First Canadian*, Toronto, Macmillan, 1965, p. 20.
3. Walter Scott, *Ivanhoe* (1820), New York, Sears, 1960.
4. Sur la jeunesse de Laurier, voir les premiers chapitres de Réal Bélanger, *Wilfrid Laurier. Quand la politique devient passion*, Québec, Montréal, SRC, 1986.
5. Jean-Paul Bernard, « Toussaint-Antoine-Rodolphe Laflamme », *DBC*, Québec, PUL, vol. XII, 1891-1900, 1990, p. 550-552.
6. Sur la génération de la « pléiade rouge », lire Arthur Buies, *Chroniques I*, édition critique par Francis Parmentier, Montréal, Presses de l'Université de Montréal, 1986.
7. Sur la pensée de Lincoln et de son parti, consulter : Eric Foner, *Free Soil, Free Labor, Free Men : The Ideology of the Republican Party Before the Civil War*, London, Oxford University Press, 1970.
8. Jean-Paul Bernard forge l'étiquette « violette » dans *Les Rouges. Libéralisme, nationalisme et anticléricalisme au milieu du XIXᵉ siècle*, Montréal, PUQ, 1971.
9. Gaétan Gervais, « Un souverainiste du XIXᵉ siècle », dans Fernand Dumont, *Les Idéologies au Canada français*, 1850-1900, Québec, PUL, 1971, p. 265-274. Aussi, Jean Hamelin, « Médéric Lanctôt », *DBC*, vol. X, 1871-1880, Québec, PUL, 1972, p. 461-467.
10. *Le Défricheur*, 7 mars 1867, dans J.-P. Bernard, *op. cit.*, p. 286.
11. *Ibid.*, p. 286-287.
12. Louis Fréchette, *La Voix d'un exilé*, Première et seconde année, 1866-1868, p. 2.
13. *Ibid.*, p. 10.
14. *Ibid.*, p. 17-18.
15. *Ibid.*, p. 32.
16. Dans Réal Bélanger, « Wilfrid Laurier, *DBC*, vol. XIII, 1911-1920, Québec, PUL, 1998, p. 667.
17. Les données de cette élection proviennent de l'intéressante thèse de Marcel Caya : « La formation du Parti libéral au Québec. 1867-1887 », thèse de doctorat, York University, North York, 1981.
18. Dans R. Bélanger, *op. cit.*, p. 668.
19. Sur la formation du Parti national, voir Robert Rumilly, *Mercier et son temps*, vol. 1, Montréal, Fides, 1975.
20. Sur cet épisode, voir Yvan Lamonde, *Histoire sociale des idées au Québec, 1760-1896*, Montréal, Fides, 2000, chap. XI.
21. Dans ce chapitre, j'utilise le compte rendu des élections générales de J. M. Beck, *The Pendulum of Power*, Scarborough, Prentice-Hall, 1968.

22. Sur ce chef libéral, voir D. C. Thomson, *Alexander Mackenzie, Clear Grit,* Toronto, University of Toronto Press, 1960.
23. Dans Frank Underhill, *In Search of Canadian Liberalism,* Toronto, Macmillan, 1961, p. 63.
24. Carl Berger, *The Sense of Power. Studies in the Ideas of Canadian Imperialism, 1867-1914,* Toronto, University of Toronto Press, 1970, p. 74-75.
25. *Speeches at Aurora, delivered October 3rd 1874,* Montréal, Wilson, 1874.
26. Ben Forster, « Alexander Mackenzie », *DBC,* vol. XII, 1890-1900, Québec, PUL, 1900, p. 716.
27. W. Laurier, *Discours sur le libéralisme* (1877), dans *Discours à l'étranger et au Canada,* Montréal, Beauchemin, 1909, p. 61.
28. *Ibid.,* p. 64.
29. *Ibid.,* p. 76.
30. *Ibid.,* p. 76.
31. *Ibid.,* p. 77.
32. *Ibid.,* p. 78.
33. *Ibid.,* p. 79.
34. Sur ces projets de coalition, consulter Marcel Caya, *op. cit.*
35. Hélène Filteau, Jean Hamelin et John Keyes, « Louis-Adélard Sénécal », *DBC,* vol. XI, 1881-1890, Québec, PUL, 1982, p. 894-905.
36. *L'Électeur,* 17 avril 1881.
37. *L'Électeur,* 20 avril 1881.
38. *Ibid.*
39. *Ibid.*
40. Sur la vie politique de Blake durant les années 1880, consulter Joseph Schull, *Edward Blake : Leader and Exile (1881-1912),* Toronto, Macmillan, 1976.
41. Margaret Banks, *Edward Blake, Irish Nationalist : a Canadian Statesman in Irish Politics, 1892-1907,* Toronto, University of Toronto Press, 1957.
42. Wilfrid Laurier, *Discours à l'étranger et au Canada,* Montréal, Beauchemin, 1909, p. 314. C'est moi qui souligne.
43. Wilfrid Laurier, « La seconde insurrection des Métis », 1885, dans Wilfrid Laurier, *ibid.,* p. 170.
44. Wilfrid Laurier, « Discours sur l'exécution de Riel », 1886, dans Wilfrid Laurier, *ibid.,* p. 217.
45. *Ibid.,* p. 240-241.
46. *Ibid.,* p. 241.
47. Oscar Skelton, *Life and Letters of Wilfrid Laurier,* Toronto, Oxford University Press, 1920, vol. 1, p. 325.
48. *Ibid.,* p. 335-345.
49. K. J. Munro, *The Political Career of Sir Joseph-Adolphe Chapleau. Premier of Quebec 1879-1882,* Lewinston, Mellen Press, 1992.
50. Sur le provincialisme, voir Robert Vipond, *Liberty and Community : Canadian Federalism and the Failure of Constitution,* Albany, SUNY Press, 1991 ; Paul Romney, *Getting it Wrong : How Canadians Forgot Their Past and Imperilled Confederation,* Toronto, University of Toronto Press, 1999.
51. Robert Vipond, « David Mills », *DBC,* vol. XII : *1901-1910,* Québec, PUL, 1994, p. 769-775.
52. Paul Romney, « Oliver Mowat », *DBC,* vol. XII : *1901-1910,* Québec, PUL, 1994, p. 787-807.
53. G. A. Rawlyck, *Regionalism in Canada,* Scarborough, Prentice-Hall, 1973, p. 180-211.
54. Voir Colin D. Howell, « W. S. Fielding and the Repeal Elections of 1886 and 1887 in Nova Scotia », P. A. Buckner, *Atlantic Canada After Confederation,* Fredericton, Acadiansis Press, 1985, p. 96.

55. Robert Vipond, « Constitutional politics and the legacy of the provincial rights movement in Canada », *Revue canadienne de science politique,* vol. 18, 1985, p. 267-294.
56. Oscar Skelton, *op. cit.,* vol. 1, p. 355-356. 2 août 1887.
57. *Ibid.,* p. 362-363.
58. *Ibid.,* p. 363.
59. Joseph Schull, *Edward Blake : Leader and Exile, op. cit.*
60. Oscar Skelton, *op. cit.,* vol. 1, p. 376.
61. *Ibid.,* p. 463-464.
62. *Idem, Life and Times of Wilfrid Laurier,* vol. 2, p. 145.
63. *Ibid.,* p. 156.
64. *Ibid.,* p. 156.
65. *Ibid.,* p. 65.
66. Dans Réal Bélanger, « Wilfrid Laurier », *op. cit.,* p. 676.
67. Dans Oscar Skelton, *Life and Times of Wilfrid Laurier,* vol. 2, p. 295-300.
68. Dialogue rapporté dans Robert Rumilly, *Histoire de la province de Québec,* vol. IX, Montréal, Valiquette, 1976, p. 121-122.
69. Dans Yvan Lamonde et Claude Corbo, *Le Rouge et le Bleu. Une anthologie de la pensée politique au Québec de la Conquête à la Révolution tranquille,* Montréal, PUM, 1999, p. 302. Sylvie Lacombe analyse bien le rapport de Bourassa avec l'Angleterre, « Race et liberté ; l'individualisme politique au Canada, 1896-1920 », thèse de doctorat, département de sociologie, Paris V, 1993.
70. Dans Robert Rumilly, *op. cit.,* p. 189.
71. *Ibid.,* p. 192.
72. *Ibid.,* p. 192-193.
73. Consulter Jean Hamelin, « Israël Tarte », *DBC,* vol. XII : *1901-1910,* Québec, PUL, 1994. Aussi : Laurier L. LaPierre, « Joseph Israel Tarte and the McGreevy-Langevin Scandal », *Historical Papers, Canadian Historical Association,* 1961, Montréal, p. 47-57.
74. Lettre de Laurier à Tarte, 11 février 1899, dans Oscar Skelton, *op. cit.,* vol. 2, p. 175.
75. Robert Rumilly, *Histoire de la province de Québec,* vol. XI, Montréal, Valiquette, 1976, p. 144-145.
76. Sur le rôle d'Olivar Asselin dans cette affaire, consulter Hélène Pelletier-Baillargeon, *Olivar Asselin et son temps,* Montréal, Fides, 1996, chap. 16.
77. Oscar Skelton, *op. cit.,* vol. 2, p. 278.
78. *Ibid.,* p. 279.
79. *Ibid.,* p. 321-322.
80. *Ibid.,* p. 330.
81. Consulter Carl Berger, *Nationalism and Imperialism, 1884-1914 : A Conflict in Canadian Thought,* Toronto, Copp Clark, 1969, p. 63-89.
82. R. C. Brown, « The commercial unionists in Canada and in the United States », *Historical papers, Canadian Historical Association,* 1963, p. 116-124.
83. Oscar Skelton, *op. cit.,* vol. 2, p. 372.
84. Lettre de Laurier à un partisan, 5 octobre 1911, dans Oscar Skelton, *ibid.,* p. 382.
85. A. T. Mahan, *The Influence of Sea Power Upon History, 1660-1783* (1890), Boston, Little, Brown, 1918.
86. Oscar Skelton, *op. cit.,* vol. 2, p. 399.
87. *Ibid.,* p. 402.
88. *Ibid.,* p. 404-405.
89. *Ibid.,* p. 409-410.
90. *Ibid.,* p. 434.
91. *Ibid.,* p. 437.
92. *Ibid.,* p. 438.
93. *Ibid.,* p. 438. Cet argument d'une « prussianisation de l'Europe » est magnifiquement

étayé dans *The Crimes of England,* de G. K. Chesterton, London, Cecil Palmer et Hayward, 1915.
94. O. D. Skelton, *op. cit.,* vol. 2, p. 447.
95. *Ibid.,* p. 450.
96. *Ibid.,* p. 453.
97. *Ibid.,* p. 472.
98. *Ibid.,* p. 476.
99. *Ibid.,* p. 479.
100. *Ibid.,* p. 480.
101. *Ibid.,* p. 495.
102. *Ibid.,* p. 495.
103. *Ibid.,* p. 497.
104. *Ibid.,* p. 500.
105. *Ibid.,* p. 510.
106. *Ibid.,* p. 510.
107. *Ibid.,* p. 521.
108. *Ibid.,* p. 518.
109. Joseph Schull, *Laurier, op. cit.,* p. 619.
110. Oscar Skelton, *op. cit.,* vol. 2, p. 550.
111. *Ibid.,* p. 552-553.

CHAPITRE 3 • WILLIAM LYON MACKENZIE KING. 1874-1950

1. James Kloppenberg, *Uncertain Victory : Social Democracy and Progressivism in European and American Thought, 1870-1920,* New York, Oxford University Press, 1986. Daniel T. Rodgers, *Atlantic Crossings : Social Politics in a Progressive Age,* Cambridge, Harvard University Press, 1998.
2. Robert Kelley, *The Transatlantic Persuasion : The Liberal Democratic Mind in the Age of Gladstone,* New York, Alfred Knopf, 1969.
3. Paul Romney, dans *Getting it Wrong : How Canadians Forgot Their Past and Imperilled Confederation,* Toronto, University of Toronto Press, 1999. Janet Ajzenstat et Peter J. Smith, *Canada's Origins. Liberal, Tory, or Republican ?,* Ottawa, Carleton University Press, 1995.
4. Sur le déclin du libéralisme classique en Amérique du Nord, consulter Paul Edward Gottfried, *After Liberalism : Mass Democracy in the Managerial State,* Princeton, Princeton University Press, 1999.
5. Charlotte Gray, *Mrs King. The Life and Times of Isabel Mackenzie King,* Toronto, Viking, 1997.
6. Arnold Toynbee Sr., *Lectures on the Industrial Revolution (1883),* Londres, Longmans, 1925. Sur le *social gospel,* Richard W. Fox, « The Culture of Protestant Progressivism », *Journal of Interdisciplinary History,* vol. 23, n° 3, hiver 1993, p. 639-660.
7. Sur l'influence du *social gospel* au Canada, consulter Ramsay Cook, *The Regenerators. Social Criticism in the Late Victorian English Canada,* Toronto, University of Toronto Press, 1985. Sur le lien entre le protestantisme et la réforme sociale, voir Michael Gauvreau et Nancy Christie, *A Full-Orbed Christianity : the Protestant Churches and Social Welfare in Canada, 1900-1940,* Montréal, McGill/Queen's, 1996.
8. Consulter Christopher Lasch (dir.), *The Social Thought of Jane Addams,* Indianapolis, Bobbs-Merrill, 1965.
9. T. J. Jackson Lears, *No Place of Grace : Antimodernism and the Transformation of the American Culture 1880-1920,* New York Pantheon Books, 1981.
10. Sur ces années dans la fonction publique, voir R. MacGregor Dawson, *William Lyon Mackenzie King. A Political Biography. 1874-1923,* Toronto, University of Toronto Press, 1958.

11. Sur la relation entre Mackenzie King et Laurier, consulter O. D. Skelton, *Life and Letters of Sir Wilfrid Laurier*, vol. II, Toronto, Oxford University Press, 1922.
12. La longue, pénible et cocasse recherche d'une femme par Mackenzie King a été décrite par C. P. Stacey, *A Very Double Life : the Private World of Mackenzie King*, Toronto, Macmillan, 1976.
13. C. Berger, *Nationalism and Imperialism. A Conflict in Canadian Thought*, Toronto, University of Toronto Press, 1969.
14. Sur l'association de Mackenzie King avec les Rockefeller, consulter Ron Chernow, *Titan : The Life of John D. Rockefeller Sr.*, New York, Random House, 1998. Aussi : Stephen J. Scheinberg, « Rockefeller and King : The Capitalist and the Reformer », dans John English et J. O. Stubbs, *Mackenzie King : Widening the Debate*, Toronto, Macmillan, 1977, p. 89-104.
15. Je cite ici la version française de *Industry and Humanity*, W. L. Mackenzie King, *La Politique sociale au Canada. Industrie et humanité*, Paris, Alcan, 1925, p. 8. L'influence du progressisme américain sur Mackenzie King a été traitée dans Keith Cassidy, « Mackenzie King and American Progressivism », dans John English et J. O. Stubbs, *op. cit.*, p. 105-130.
16. W. L. Mackenzie King, *op. cit.*, p. 9.
17. *Ibid.*, p. 16.
18. *Ibid.*, p. 19.
19. *Ibid.*, p. 26.
20. *Ibid.*, p. 28.
21. Bruce Hutchison, *The Incredible Canadian*, Toronto, Longmans, 1953, p. 46-50.
22. Sur la transition entre les deux règnes, voir Richard Jones, *Vers une hégémonie libérale. Aperçu de la politique canadienne de Laurier à King*, Québec, PUL, 1980.
23. Pour ce chapitre, le résultat des différentes élections fédérales provient de J. M. Beck, *The Pendulum of Power*, Scarborough, Prentice-Hall, 1968.
24. William L. Morton, *The Progressive Party in Canada*, Toronto, University of Toronto Press, 1950.
25. Sur les tractations avec les progressistes, lire Norman Ward et David E. Smith, *Jimmy Gardiner : A Relentless Liberal*, Toronto, University of Toronto Press, 1990.
26. Eugene Forsey consacra une longue étude à ce différend dans *The Royal Power of Dissolution of Parliament in the British Commonwealth*, Oxford University Press, Toronto, 1968. Aussi : Roger Graham (dir.), *The King-Byng Affair. 1926 : a Question of Responsible Government*, Issues in Canadian History, Toronto, Copp Clark, 1967.
27. Sur le radicalisme de l'électorat progressiste dans l'Ouest canadien, voir David Laycock, *Populism and Democratic Thought in the Canadian Prairies, 1910-1945*, Toronto, University of Toronto Press, 1990.
28. Sur les réactions politiques au krach, durant les années 1930, voir Michiel Horn, *The Dirty Thirties : Canadians in the Great Depression*, Toronto, Copp Clark, 1972.
29. Sur la vie de Vincent Massey, consulter Claude Bissell : *The Young Vincent Massey*, Toronto, University of Toronto Press, 1981 ; *The Imperial Canadian*, Toronto, University of Toronto Press, 1986.
30. Sur le lien en Angleterre entre la pensée impérialiste et la genèse de l'État-providence, voir : Bernard Semmel, *Imperialism and Social Reform. 1895-1914*, Cambridge, Oxford University Press, 1960.
31. Dans Claude Bissell, *op. cit.*, p. 91.
32. Sinclair Lewis, *Main Street* (1920) *et Babbitt* (1922), New York, The Library of America, 1992.
33. H. L. Mencken, « Portrait of an American Citizen », dans Mark Schorer (dir.), *Sinclair Lewis. A Collection of Interpretations*, Englewood, Prentice-Hall, 1962, p. 30-32.
34. Sinclair Lewis, *op. cit.*
35. James Kloppenberg, *Uncertain Victory. Social Democracy and Progressivism in European and American Thought, 1870-1920*, New York, Oxford University Press, 1986.

36. Sur Croly et le New Republic, Charles Forsey, *The Crossroads of Liberalism. Croly, Weyl, Lippman and the Progressive Era*, New York, Norton, 1961. David W. Levy, *Herbert Croly and The New Republic : the Life and Thought of an American Progressive*, Princeton, Princeton University Press, 1985.

37. Voir Felix Frankfurter, *Reminisces*, New York, Doubleday, 1962; Harold Laski et O. W. Holmes Jr, *The Correspondence of Mr Justice Holmes and Harold Laski, 1916-1935*, Mark de Wolfe Howe (dir.), 2 vol., Londres, Macmillan, 1953.

38. A. M. McBrian, *Fabian Socialism and English Politics. 1884-1918*, Cambridge, Cambridge University Press, 1966.

39. Herbert Croly, *The Promises of American Life (1909)*, Cambridge, Belknap Press, 1965.

40. J. A. Spender, *Sir Richard Hudson : A Memoir*, Londres, Macmillan, 1930. Voir ce qu'en dit Reginald Whitaker, *The Party Government : Organizing and Financing the Liberal Party of Canada, 1930-1958*, Toronto, University of Toronto Press, 1977.

41. Mackenzie King à Massey, 18 décembre 1931, dans Vincent Massey, *What's Past is Prologue : the Memoirs of the Right Honorable Vincent Massey*, Toronto, 1963, p. 210. Diary, 25 octobre 1931.

42. Sur la genèse du CCF, consulter : Kenneth McNaught, *A Prophet in Politics. A Biography of J. S. Woodsworth*, Toronto, University of Toronto Press, 1959. Michiel Horn, *The League for Social Reconstruction : Intellectual Origins of the Democratic Left in Canada*, Toronto, University of Toronto Press, 1980.

43. Consulter Keith Cassidy, « Mackenzie King, Roosevelt, and the New Deal », dans John English et J. O. Stubbs, *op. cit.*, p. 130-148.

44. Voir les actes de la conférence : Vincent Massey, *The Liberal Way. The First Liberal Summer Conference*, Toronto, 1933.

45. Dans *The Mackenzie King Diary. 1893-1949*, Toronto, University of Toronto Press, 1973-1980. 3 septembre 1933.

46. Dans R. B. Bennett, « The Premier Speaks to the People », dans J. R. H. Wilbur, *The Bennett New Deal : Fraud or Portent*, Toronto, Copp Clark, 1968, p. 80-90.

47. Frank Scott, « Social Reconstruction and the B.N.A. Act », *League for Social Reconstruction*, pamphlet n° 4, 1934. Partiellement réédité dans J. R. H. Wilbur, *op. cit.*, p. 58-60. Sandra Djwa, *F. R. Scott. Une vie*, Montréal, Boréal, 2001.

48. Norman L. McRogers, « The Compact Theory of Confederation », *Papers and Proceedings of the Annual Meeting of the Canadian Political Science Association*, vol. 3, 1931, p. 208-209. « The Genesis of Provincial Rights », *Canadian Historical Review*, vol. XIV, 1933, p. 9-23.

49. Sur ce point, lire William McAndrew, « Mackenzie King, Roosevelt, and the New Deal : the Ambivalence of Reform », dans John English et J. O. Stubbs, *op. cit.*, p. 130-148.

50. Sur le libéralisme de Charles Dunning, consulter David E. Smith, *Prairie Liberalism. The Liberal Party in Saskatchewan. 1905-1971*, Toronto, University of Toronto Press, 1975.

51. Sur la genèse du Nouveau Libéralisme au Canada, voir Barry Ferguson, *Remaking Liberalism : the Intellectual Legacy of Adam Short, O. D. Skelton, W. C. Clark, W. A. Mackinosh. 1890-1925*, McGill/Queen's University Press, 1993.

52. Sur les liens entre ces disciples du Nouveau Libéralisme, consulter J. L. Granatstein, *The Ottawa Men : the Civil Service Mandarins. 1935-1957*, Toronto, Oxford University Press, 1983.

53. Sur le rôle marquant de Norman Rogers durant ces années, voir *Getting it Wrong : How Canadians Forgot Their Past and Imperilled Confederation*, Toronto, University of Toronto Press, 1999, chap. 6.

54. *The Mackenzie King Diary*, 3 septembre 1939.

55. *Ibid.*, 9 septembre 1939.

56. Sur l'évolution de l'opinion publique au Canada français durant la guerre, consulter

Éric Amyot, *Le Québec entre Pétain et de Gaulle*, Montréal, Fides, 1999. Sur la genèse d'un mouvement gaulliste, Yves Lavertu, *Jean-Charles Harvey. Le combattant*, Montréal, Boréal, 2000.

57. Jean-Guy Genest, *Godbout*, Québec, Septentrion, 1997.
58. *The Mackenzie King Diary*, 7 février 1940.
59. Robert Rumilly, *Histoire de la province de Québec*, vol. 38, Montréal, Valiquette, 1969, p. 111.
60. Mackenzie King à Roosevelt, 1ᵉʳ juillet 1939, cité dans Jack Granatstein, *Canada's War. The Politics of the Mackenzie King Government, 1939-1945*, Toronto, University of Toronto Press, 1990, p. 116.
61. C. P. Stacey, *Arms, Men and Governments*, Queen's Printer, Ottawa, 1970, p. 328-335.
62. *The Mackenzie King Diary*, 30 mai 1940,
63. Dans Winston Churchill, *The Second World War*, vol. II : *The Finest Hour*, Boston, Houghton Mifflin, 1949, p. 145-146. 4 juin 1940.
64. *Ibid.*, p. 146-147.
65. Dans Jack Pickersgill, *The Mackenzie King Record*, vol. 1, 1939-1944, Toronto, University of Toronto Press, 1960, p. 143. 19 août 1940.
66. Dans *ibid.*, p. 143, 12 septembre 1940.
67. Dans *The Mackenzie King Diary*, 6 décembre 1940.
68. *Proceedings of the Dominion-Provincial Conference*, 14-15 janvier 1941, Ottawa, Queen's Printer, 1941, p. 10-16. Sur cette conférence, consulter D. V. Smiley, « The Rowell-Sirois Report, Provincial Autonomy and Post-War Canadian Federalism », *Canadian Journal of Economics and Political Science*, vol. 28, février 1962.
69. *Proceedings*, p. 79-80.
70. *The Mackenzie King Diary*, 18 janvier 1941.
71. Dans Jack Granatstein, *op. cit.*, p. 186 ; 29 octobre 1942.
72. Alfred Berle dans Bruce Hutchison, *The Hollow Men*, New York, Coward-McCann, 1944, p. 63-70.
73. Jack Pickersgill, *op. cit.*, p. 282-283.
74. *Ibid.*, p. 308-309.
75. *Ibid.*, p. 309.
76. *The Mackenzie King Diary*, 27 avril 1942.
77. *Ibid.*, 9 mai 1942.
78. Jack Pickersgill, *op. cit.*, p. 383-384.
79. Dans Jack Granatstein, *op. cit.*, p. 242 ; 17 juillet 1942.
80. *The Mackenzie King Diary*, 24 juillet 1942.
81. *Ibid.*, 7 janvier 1943.
82. *Ibid.*, 12 janvier, 1943.
83. *Ibid.*, 3 mars 1943.
84. Dans Jack Pickersgill, *The Liberal Party*, Toronto, McClelland et Stewart, 1962, p. 32.
85. Jack Pickersgill, « The Decay of Liberalism », *Canadian Forum*, avril 1935, p. 251-253. Sur la genèse du discours social-démocrate au Canada, consulter Gilles Bourque et Jules Duschatel, *L'Identité fragmentée*, Montréal, Fides, 1996.
86. *The Mackenzie King Diary*, 22 janvier 1944.
87. Dans Jack Granatstein, *op. cit.*, p. 283, 15 juin 1944.
88. *Ibid.*, p. 283, 20 juin 1944.
89. *The Mackenzie King Diary*, 13 octobre 1944.
90. Jack Pickersgill, *The Mackenzie King Record*, vol. II, 1944-1945, Toronto, University of Toronto Press, 1968, p. 146.
91. *Ibid.*, p. 152.
92. *The Mackenzie King Diary*, 30 octobre 1944.
93. Jack Pickersgill, *The Mackenzie King Record*, vol. II, p. 175.
94. *Ibid.*, p. 233.

95. Charles Gavan Power, *A Party Politician. The Memoirs of Chubby Power*, Normand Ward (dir.), Toronto, Macmillan, 1966.
96. *Debates*, Chambre des communes, 27 novembre 1944, Ottawa, Queen's Printer, p. 6617-6618.
97. Dans Jack Granatstein, *op. cit.*, p. 367-368; 14 décembre 1944.
98. Dans Jack Pickersgill, *op. cit.*, vol. 2, p. 337; 19 mars 1945.
99. Dans W. L. Mackenzie King, *Mackenzie King to the People*, Ottawa, Liberal Party, 1945, p. 104-105.
100. J. H. Plumb, *Robert Walpole*, 2 vol., Londres, Cresset Press, 1956.
101. Dans Dale Thomson, *Louis Saint-Laurent: Canadien*, Montréal, Le Cercle du Livre de France, 1968, p. 295.

CHAPITRE 4 • PIERRE ELLIOTT TRUDEAU. 1919-2000

1. Sur T. H. Green et les idéalistes politiques britanniques, voir R. Plant et A. Vincent, *Philosophy, Politics and Citizenship: the Life and Thought of the British Idealists*, Oxford, 1984.
2. Pierre Elliott Trudeau, *Mémoires politiques*, Montréal, Le Jour, 1993, p. 53.
3. Pierre Elliott Trudeau, *Mémoires politiques*, Montréal, Le Jour, 1993, p. 24. Sur la tradition de patronage au Québec, consulter Ralph Heintzman, « The Political Culture of Quebec, 1840-1960 », *Revue canadienne de science politique*, vol. 16, n° 1, mars 1983, p. 3-59. Aussi: Vincent Lemieux et Raymond Hudon, *Le Patronage politique au Québec. 1944-1972*, Sillery, Boréal Express, 1975.
4. Pierre Elliott Trudeau, *op. cit.*, p. 32.
5. Pierre Elliott Trudeau, *op. cit.*, p. 33. Des chapitres de Veblen sur cette classe sont très éclairants pour comprendre l'esprit carabin des jeunes gens qui côtoyaient Trudeau durant les années 1940. *Théorie de la classe de loisir* (1899), Paris, Gallimard, 1970.
6. Pierre Elliott Trudeau, *Mémoires politiques*, p. 40.
7. Stephen Clarkson et Christina McCall, *Trudeau. L'homme, l'utopie, l'histoire*, Montréal, Boréal, 1990, p. 40-41.
8. Pierre Elliott Trudeau, *Mémoires politiques*, p. 43.
9. Pierre Elliott Trudeau, *Mémoires politiques*, p. 44. C'est après avoir consulté Henri Bourassa et André Laurendeau que Trudeau prit la décision d'aller à Harvard.
10. Sur l'influence du personnalisme sur les collaborateurs de *Cité libre*, consulter E.-Martin Meunier et Jean-Philippe Warren, « L'horizon personnaliste de la Révolution tranquille », *Société*, n° 20-21, été 1999, p. 347-448.
11. David Runciman, *Pluralism and the Personality of the State*, Cambridge, Cambridge University Press, 1997. P. Q. Hirst, *The Pluralist Theory of the State: Selected Writings*, Londres, Macmillan, 1989.
12. Au XIXe siècle, les auteurs Otto von Gierke et F. W. Maitland avaient posé les assises du pluralisme politique. Voir David Runciman, *ibid.*
13. On trouve une fine analyse de ces courants politiques dans Margaret Canovan, *G. K. Chesterton. Radical Populist*, New York, Harcourt and Brace, 1977.
14. Laski développa ces positions durant son séjour à l'Université Harvard dans les années 1910. Se liant d'amitié avec Croly et Lippmann, il publia plusieurs articles dans *The New Republic* ainsi que deux ouvrages majeurs, sur la souveraineté et l'État: *Studies in the Problem of Sovereignty*, New Haven, Yale University Press, 1917; *Authority in the Modern State*, New Haven, Yale University Press, 1919.
15. Harold Laski, *Grammar of Politics*, London, G. Allen et Unwin, 1925. Au Québec circulait une édition française de cet essai, qui semble avoir eu une certaine influence.
16. Pierre Elliott Trudeau, *Mémoires politiques*, p. 52.
17. Christian Roy, « Le personnalisme de l'Ordre Nouveau et le Québec, 1930-1947. Son

rôle dans la formation de Guy Frégault », *Revue d'histoire de l'Amérique française*, vol. 46, n° 3, hiver 1993, p. 463-484.

18. Marc Chevrier, « La conception pluraliste et subsidiaire de l'État dans le rapport Tremblay de 1956 : entre l'utopie et la clairvoyance », *Cahiers d'histoire du Québec au XXᵉ siècle*, n° 2, été 1994. p. 45-58.

19. Gérard Pelletier fit déjà remarquer qu'au début des années 1950, Pierre Vadeboncœur et Marcel Rioux étaient plus antinationalistes que Trudeau. Dans Yvan Lamonde et Gérard Pelletier, *Cité libre : une anthologie*, Montréal, Stanké, 1991, p. 12.

20. Sur la droite intellectuelle de l'époque, Xavier Gélinas, « La droite intellectuelle et la Révolution tranquille : le cas de la revue *Tradition et Progrès*, 1957-1962 », *Canadian Historical Review*, vol. 77, n° 3 septembre 1996, p. 353-387.

21. Walter Lippmann, *La Cité libre*, Paris, Librairie de Médecis, 1946. Il s'agissait d'une traduction du livre *The Good Society*, publié aux États-Unis quelques années auparavant. Je tiens cette information du sociologue Gilles Gagné.

22. « Cité libre confesse ses intentions », *Cité libre*, février 1951, vol. 1, n° 2, p. 2-9.

23. Pierre Elliott Trudeau, « La nouvelle trahison des clercs », *Cité libre*, 1962, p. 3-16.

24. Pierre Elliott Trudeau, « Réflexion sur la politique au Canada français », *Cité libre*, vol. 2, n° 3, p. 54.

25. *Ibid.*, p. 57.

26. *Ibid.*, p. 60.

27. Sur l'influence de Scott sur Trudeau, voir Sandra Djwa, « Nothing by Halves : F. R. Scott », *Journal of Canadian Studies*, vol. 34, n° 4, hiver 2000, p. 52-69.

28. Pierre Elliott Trudeau, *La Grève de l'amiante*, Montréal, Le Jour, 1956, p. 11.

29. *Ibid.*, p. 19.

30. André Laurendeau, *Le Devoir*, 6 octobre 1956. Article reproduit dans Yvan Lamonde et Claude Corbo, *Le Rouge et le Bleu. Anthologie de la pensée politique au Québec de la Conquête à la Révolution tranquille*, Montréal, PUM, 1999, p. 510.

31. Pierre Elliott Trudeau, « À propos de domination économique », *Cité libre*, vol. 9, mai 1958, p. 7-16.

32. Je tiens cette information du sociologue Hubert Guindon, un proche de Cadieux durant les années 1950 et 1960.

33. Le nationalisme québécois des années 1960 est bien analysé par Yves Couture, *La Terre promise. L'absolu politique dans le nationalisme québécois*, Montréal, Liber, 1994.

34. Pierre Elliott Trudeau *et al.*, « Pour une politique fonctionnelle », *Cité libre*, vol. 15, n° 67, mai 1964, p. 11-17. Les autres signataires du manifeste sont : Albert Breton, Raymond Breton, Claude Bruneau, Yvon Gauthier, Marc Lalonde, Maurice Pinard.

35. D. Nicholls, *The Pluralist State : the Social and Political Ideas of J. N. Figgis and his Contemporaries*, Cambridge, Cambridge University Press, 1994.

36. « Nationality » dans L. Acton, *ibid.* L'article fut d'abord publié en juillet 1862 dans *The Home and Foreign Review*. Je reprends ici l'édition utilisée par Trudeau : John Emerich Acton, *Essays on Freedom and Power*, Gertrud Himmelfarb (dir.), Glencoe, Free Press, 1948.

37. *Ibid.*, p. 183-184.

38. *Ibid.*, p. 193.

39. *Ibid.*, p. 185-186.

40. *Ibid.*, p. 185.

41. *Ibid.*, p. 249.

42. Pour ce chapitre, les résultats des élections fédérales proviennent de Hugh G. Thorburn, *Party Politics in Canada*, Scarborough, Prentice-Hall, 1996, annexe A ; Jean-François Cardin et Claude Couture, *Histoire du Canada*, Québec, PUL, 1996, p. 369-370.

43. Sur l'ouverture de Pearson vers le Québec, consulter Kenneth McRoberts, *Un pays à refaire. L'échec des politiques constitutionnelles*, Montréal, Boréal, 1999.

44. Cité dans *ibid.*, p. 100.

45. *Persona,* terme latin signifiant « masque public ». Sur le sens et l'importance de la *persona* dans le domaine public, voir Hannah Arendt, *Sur la révolution,* Paris, Gallimard, 1967, p. 141-156.

46. Kenneth McRoberts, *op. cit.,* p. 110.

47. Sur le passage, durant les années 1960, de la gauche économique réformiste à la gauche culturelle en Amérique du Nord, consulter Lind, Michael, *The Next American Nation and the Fourth American Revolution,* New York, Free Press, 1995. Richard Rorty, *Achieving Our Country. Leftist Thought in Twentieth Century America,* Cambridge, Harvard University Press, 1998.

48. « Algèbre Bizarre », *Cité libre,* vol. 15, n° 82, décembre 1965, p. 13-21. Les auteurs étaient : Albert Breton, Claude Bruneau, Yvon Gauthier, Marc Lalonde, Maurice Pinard.

49. Consulter les chapitres sur la commission dans l'excellente biographie de Sandra Djwa, *F. R. Scott. Une vie,* Montréal, Boréal, 2001.

50. *Débats,* Chambre des communes, Ottawa, Éditeur de la Reine, 8 octobre 1971.

51. Gérard Pelletier, *La Crise d'octobre,* Montréal, Stanké, 1971.

52. Sur les épisodes, consulter Louis Fournier, *Histoire d'un mouvement clandestin,* Montréal, Québec/Amérique, 1980. Aussi, Jean-François Cardin, *Comprendre Octobre 70 : le FLQ, la crise et le mouvement syndical,* Montréal, Méridien, 1990.

53. Sur ce point, consulter Éric Bédard, *Chronique d'une insurrection appréhendée : la Crise d'octobre et le milieu universitaire,* Montréal, Septentrion, 1998.

54. Dans Sandra Djwa, *op. cit.*

55. Dans Donald Smith, *Bleeding Hearts... Bleeding Country : Canada and the Quebec Crisis,* Edmonton, Hurtig, 1971, p. 150.

56. Don Jamieson, *The Political Memoirs of Don Jamieson,* vol. 2, St.John, Breakwater, 1991.

57. Voir Reg Whitaker, « Apprehended Insurrection ? RCMP Intelligence and the October Crisis », *Queen's Quarterly,* vol. 100, n° 2, été 1993, p. 383-406.

58. Sur les analyses relatives à la charte de Victoria, Donald Smiley, *Canada in Question. Federalism in the Eighties,* Toronto, McGraw-Hill, 1980, chap. 3. Aussi Richard Simeon, *Federal Provincial-Diplomacy,* Toronto, University of Toronto Press, 1972, chap. 5.

59. Leslie Pal, *Interests of the State. The Politics of Language, Multiculturalism and Federalism in Canada,* Montréal, McGill/Queen's, 1993.

60. Rainer Knopff et F. L. Morton, *The Charter Revolution and The Court Party,* Toronto, Broadview, 2000. Michael Mandel, *La Charte des droits et libertés et la judiciarisation du politique au Canada,* Montréal, Boréal, 1996.

61. Leslie Pal, *op. cit.,* chap. 5.

62. *Ibid.,* chap. 5.

63. Richard Gwyn, *Le Prince,* Montréal, France-Amérique, 1981, p. 164.

64. Sur cet épisode, voir Christina McCall et Stephen Clarkson, *Trudeau. L'illusion héroïque,* Montréal, Boréal, 1995, chap. 4-5.

65. Sur le mouvement de création d'une cour autour du premier ministre fédéral, voir Donald J. Savoie, *Governing from the Center. The Concentration of Power in Canadian Politics,* Toronto, University of Toronto Press, 1999.

66. Gordon T. Stewart, *The Origins of Canadian Politics, op. cit.,* chap. 3.

67. Pour une description précise de l'évolution du système de patronage sous Trudeau, consulter Jeffrey Simpson, *The Spoils of Power,* Toronto, Collins, 1988.

68. Reginald Whitaker, « Between Patronage and Democracy : Democratic Politics in Transition », *Journal of Canadian Studies,* vol. 22, n° 2, été 1987, p. 55-71.

69. Richard Gwyn, *op. cit.,* p. 291.

70. Camille Laurin, « Autorité et personnalité au Canada français », dans Fernand Dumont, *Le Pouvoir dans la société canadienne-française,* Québec, PUL, 1996, p. 175-176.

71. Sur la sensibilité thérapeutique, voir Philip Rieff, *The Triumph of the Therapeutic,* New York, Harper, 1966. Christopher Lasch, *The Culture of Narcissism,* New York, Warner, 1979.

72. Fernand Dumont, *Genèse de la société québécoise*, Montréal, Boréal, 1993, p. 331.
73. Claude Morin, *Les choses comme elles étaient. Une autobiographie politique*, Montréal, Boréal, 1994.
74. Graham Fraser, *Le Parti québécois*, Montréal, Québec/Amérique, *op. cit.*, p. 213.
75. *Ibid.*, p. 250.
76. *Ibid.*, p. 252.
77. *Ibid.*, p. 260.
78. *Ibid.*, p. 260.
79. Pour une analyse singulière du référendum de 1980, voir Daniel Jacques, *Les Humanités passagères*, Montréal, Boréal, 1991, chap. 4.
80. François Ricard, « Quelques hypothèses à propos d'une dépression », *Liberté*, n° 153, juin 1984, p. 40-48.
81. Voir Stephen Clarkson et Christina McCall, *Trudeau. L'homme, l'utopie, l'histoire*, p. 313-325.
82. Donald Smiley, *The Canadian Political Nationality*, Toronto, Methuen, 1967 ; Guy Laforest, « Réflexions sur la nature du Canada », *Options politiques*, novembre 1997, vol. 18, n° 9, p. 47-48.
83. F. L. Morton et Rainer Knopff, *The Court Party and the Charter Revolution, op. cit.*
84. Marc Chevrier, « Le papisme légal », *Argument*, vol. 1, n° 2, hiver 1999, p. 73-93.
85. Voir Kenneth McRoberts, *op. cit.*, chap. 6.
86. Une preuve de cette assertion est que la philosophie chartiste fait beaucoup plus consensus au Québec qu'au Canada anglais. La littérature chartiste et antichartiste est d'ailleurs plus riche et plus variée au Canada anglais précisément pour cette raison.
87. Pierre Elliott Trudeau, « L'accord du Lac Meech (1) », *La Presse*, 27 mai 1987.
88. Pierre Elliott Trudeau, « Ce n'est pas comme cela qu'il faut écrire l'histoire », *La Presse*, 22 mars 1989.
89. Pierre Elliott Trudeau, « Le chantage québécois », *L'actualité*, octobre 1992.
90. Manon Cornellier et Hélène Buzzetti, « Trudeau s'éteint », *Le Devoir*, 29 septembre 2000, p. A-1.

ÉPILOGUE · UNE AMÉRIQUE DU NORD HAMILTONIENNE

1. Daniel Walker Howe, *The Political Culture of the American Whigs*, Chicago, Chicago University Press, 1979, chap. 6.
2. On trouve néanmoins des passages instructifs dans Margaret W. Westley, *Grandeur et déclin. L'élite anglo-protestante de Montréal. 1900-1950*, Montréal, Libre Expression, 1990.
3. André Siegfried, *Le Canada, puissance internationale*, Paris, 1956, p. 74.
4. Gordon T. Stewart, *The Origins of Canadian Politics*, Vancouver, University of British Columbia, 1986.
5. J. G. A. Pocock, *Le Moment machiavélien*, Paris, PUF, 1997, chap. 12-14. Michael Ignatieff, *The Needs of Strangers. An Essay on Privacy, Solidarity, and the Politics of Being Human*, New York, Penguin Books, 1984.
6. Jean-Charles Bonenfant, « L'évolution du statut de l'homme politique canadien-français », dans Fernand Dumont et Jean-Paul Montmigny, *Le Pouvoir dans la société canadienne-française*, Québec, PUL, 1966, p. 117-118.
7. Dans Pierre J. O. Chauveau, *Charles Guérin. Roman de mœurs canadiennes*, Montréal, Lovell, 1853, p. 55. Voir l'analyse judicieuse de Jean-Charles Falardeau dans *Notre société et son roman*, Montréal, Hurtubise HMH, 1967, p. 11-39.
8. Rainer Knopff et F. L. Morton, *The Charter Revolution and The Court Party*, Toronto, Broadview, 2000.

9. Peter Hogg, dans Marc Chevrier, « Le juge et la conservation du régime au Canada », *Politique et sociétés,* vol. 21, n° 1, printemps 2001.

10. Voir là-dessus « To depend on Quebec », dans J. M. Beck, *The Pendulum of Power, op. cit.,* p. 420-432.

11. Sur ce point, voir Gad Horowitz, « Conservatism, Liberalism and Socialism in Canada », dans Janet Ajzenstat et Peter J. Smith, *Canada's Origins, op. cit.,* p. 21-45.

12. Kenneth McRoberts, *Refaire le Canada,* chapitres 2-3.

13. Claude Couture montre la dimension collectiviste (antilibérale) des analyses de Trudeau durant les années 1950. *Paddling with the current. Pierre Elliott Trudeau, Étienne Parent, Liberalism and Nationalism in Canada,* Edmonton, University of Alberta Press, 1996.

14. Sur les origines des idées de Grant, William Christian, voir « Canada's Fate : Principal Grant, Sir George Parkin and George Grant », *Journal of Canadian Studies,* vol. 34, n° 4, hiver 2000, p. 88-104.

15. George Rawlyck et Jane Errington, *op. cit.*

16. Herbert Croly, *The Promise of the American Life (1910),* Cambridge, Belknap Press, 1965.

17. Sur quelques-uns de ces aspects républicains, voir Louis-George Harvey, « Le mouvement patriote comme projet de rupture », dans Yvan Lamonde et Gérard Bouchard, *Québécois et Américains,* Montréal, Fides, 1995, p. 87-112.

18. David E. Smith, *The Republican Option in Canada, op. cit.*

19. Donald Savoie, *Governing from the Center, op. cit.*

20. Robert Vipond, *Liberty and Community, op. cit.*; Paul Romney, *Getting it Wrong, op. cit.*

21. Guy Laforest, « Réflexions sur la nature du Canada », *Options politiques,* novembre 1997, vol. 18, n° 9, p. 47-48.

22. Hannah Arendt, *La Crise de la culture,* Paris, Gallimard, 1972, p. 133-134.

23. G. K. Chesterton, *Le monde comme il ne va pas,* Lausanne, L'Âge d'Homme, 1994, p. 30.

Index

*Macdonald, Laurier, Mackenzie King et Trudeau ne sont cités
dans l'index que lorsque leurs noms se trouvent dans un chapitre
autre que celui qui les concerne.*

Table des matières

MISE EN PAGES ET TYPOGRAPHIE :
LES ÉDITIONS DU BORÉAL

ACHEVÉ D'IMPRIMER EN OCTOBRE 2001
SUR LES PRESSES DE L'IMPRIMERIE AGMV MARQUIS
À CAP-SAINT-IGNACE (QUÉBEC).